SOPHIE KIN <W9-BTB-938>

I LOVE SHOPPING
CON MIA SORELLA

Traduzione di Annamaria Raffo

OSCAR MONDADORI

Copyright © 2004 Sophie Kinsella
Titolo originale dell'opera: *Shopaholic & Sister*
© 2004 Arnoldo Mondadori Editore S.p.A., Milano

I edizione Omnibus agosto 2004
I edizione Oscar bestsellers febbraio 2006

ISBN 978-88-04-55172-0

Questo volume è stato stampato
presso Mondadori Printing S.p.A.
Stabilimento NSM - Cles (TN)
Stampato in Italia. Printed in Italy

Ristampe:

3   4   5   6   7   8   9   10

2007   2008   2009   2010   2011

www.librimondadori.it

I LOVE SHOPPING CON MIA SORELLA

Dedicato a Gemma e Abigail,
all'essere sorelle

RINGRAZIAMENTI

Un grazie a Linda Evans, Patrick Plonkington-Smythe, Larry Finlay, Laura Sherlock e a tutte le persone meravigliose della Transworld per il loro continuo sostegno; ai favolosi Araminta Whitley e Nicki Kennedy, Celia Hayley, Lucinda Cook e Sam Edenborough. Uno speciale ringraziamento a Joy Terekiev e a Chiara Scaglioni per la calorosa accoglienza a Milano.

Grazie, come sempre, ai membri del comitato. A Henry, per tutto. A Freddy e Hugo per avermi suggerito di scrivere una storia sui pirati (magari la prossima volta).

E un grosso ringraziamento ai miei genitori per avermi tenuta in casa in modo che potessi finire questo libro…

DIZIONARIO
DEI DIALETTI TRIBALI

SUPPLEMENTO

(I seguenti termini mancavano nel dizionario principale)

TRIBÙ NAMI-NAMI DELLA NUOVA GUINEA p. 67

Fraa / frar / Membro anziano di una tribù; patriarca.

Mopi / mop-i / Piccolo mestolo per servire riso o cibo.

Shup / shop / Barattare merce in cambio di denaro o perline. Concetto sconosciuto alla tribù prima della visita nel 2002 da parte di una turista britannica, Rebecca Brandon (nata Bloomwood).

Royal Cairo Institute
of Archaeology

31 El Cherifeen Street, Il Cairo

Rebecca Brandon
c/o Nile Hilton Hotel
Tahrir Square
Il Cairo

15 gennaio 2003

Gentile signora Brandon,

sono lieto che lei stia trascorrendo la luna di miele in Egitto. È per me un piacere sentire che prova un forte legame col nostro popolo e ritengo assolutamente possibile che lei abbia sangue egiziano nelle vene.

Il suo interesse per la collezione di gioielli del museo mi lusinga ma, per rispondere alla sua richiesta, il "delizioso anellino" cui lei fa riferimento non è in vendita. Apparteneva alla regina Sobeknefru della Dodicesima Dinastia, e, le assicuro, ci teniamo molto.

Le auguro un gradevole soggiorno.

Khaled Samir
Direttore

SPEDIZIONI BREITLING

TOWER HOUSE
CANARY WARF
LONDRA E14 5HG

Fax per: Rebecca Brandon
           c/o Four Seasons Hotel
           Sydney

Da: Denise O'Connor
           Responsabile Servizio Clienti

6 febbraio 2003

Gentile signora Brandon,

siamo spiacenti di informarla che la sua scultura di sabbia a forma di sirena proveniente da Bondi Beach si è disintegrata durante la spedizione.

Desideriamo rammentarle che non avevamo fornito alcuna garanzia in merito alla sua integrità e, anzi, le avevamo caldamente sconsigliato di spedirla.

Distinti saluti

Denise O'Connor
Responsabile Servizio Clienti

ALASKAN TRAILS AND ADVENTURES, INC.

Po Box 80034
Chugiak
Alaska

Fax per: Rebecca Brandon
c/o White Bear Lodge
Chugiak
Alaska

Da: Dave Crokerdale
Alaskan Trails and Adventures

16 febbraio 2003

Gentile signora Brandon,

la ringraziamo per la sua richiesta.

Le sconsigliamo vivamente di tentare di spedire in Gran Bretagna sei cani husky e una slitta.

Convengo con lei che gli husky sono cani meravigliosi e trovo interessante la sua idea, per cui il loro utilizzo potrebbe risolvere il problema dell'inquinamento nelle grandi città. Ma credo che difficilmente le autorità permetterebbero loro di circolare per le strade di Londra, anche nel caso in cui lei riuscisse a "modificare la slitta con dei pneumatici e aggiungervi una targa".

Spero si stia godendo la luna di miele.

Cordiali saluti

Dave Crokerdale
Direttore

1

Okay. Posso farcela. Nessun problema.

Devo soltanto lasciare che il mio io superiore prenda il controllo e raggiunga l'illuminazione, trasformandosi in un essere sfolgorante di luce bianca.

Facilissimo.

Senza farmi notare mi sposto impercettibilmente sul materassino in modo da essere rivolta verso il sole e abbasso le spalline del top. Non vedo perché non si possa conseguire allo stesso tempo la coscienza della beatitudine somma e ottenere un'abbronzatura perfetta.

Mi trovo su una collina nel cuore dello Sri Lanka, al Blue Hills Resort and Spiritual Retreat, e il panorama è spettacolare. Colline e piantagioni di tè si estendono all'infinito sino a fondersi col cielo blu cobalto. Scorgo gli abiti sgargianti dei raccoglitori di foglie nei campi e, ruotando appena il capo, noto in lontananza un elefante che si sposta lentamente fra i cespugli.

Più vicino, vedo Luke. Mio marito. È quello sul materassino azzurro, con i pantaloni di lino tagliati e la vecchia maglietta sbrindellata, seduto a gambe incrociate e occhi chiusi.

Lo so. È incredibile. Dopo dieci mesi di luna di miele, Luke si è trasformato in una persona totalmente diversa dall'uomo che ho sposato. Luke, il grande manager, è scomparso insieme ai suoi completi grigi. Al suo posto c'è un Luke abbronzato e snello, con i capelli lunghi e schiariti dal sole e ancora qualche treccina che si era fatto fare a Bondi Beach, al polso un braccialetto dell'amicizia acquistato nel Masai Mara e all'orecchio un minuscolo cerchietto d'argento.

Luke Brandon con l'orecchino! Luke Brandon seduto a gambe incrociate!

Apre gli occhi e sorride, quasi avesse avvertito il mio sguardo su di sé, e io ricambio felice il sorriso. Sposati da dieci mesi e mai una discussione.

Be', insomma, tranne qualche piccolo dissapore di quando in quando.

«*Siddhasana*» cantilena Chandra, il nostro istruttore di yoga, e, ubbidiente, mi affretto a posare il piede destro sulla coscia sinistra. «Liberate la vostra mente da ogni pensiero.»

Okay. Libera la mente. Concentrati.

Non per vantarmi, ma trovo piuttosto facile liberare la mente. Non capisco perché tutti lo reputino così complicato! Voglio dire, non pensare dev'essere molto più facile che pensare, giusto?

La verità è che io sono molto portata per lo yoga. Siamo in questo ritiro da appena cinque giorni e ho già imparato la posizione del loto! Stavo addirittura pensando che potrei fare l'istruttrice di yoga quando torno a casa.

Potrei mettermi in società con Sting e Trudie Styler. Sì! E lanciare una linea di indumenti per lo yoga, nei toni morbidi dei grigi e dei bianchi, con un piccolo logo...

«Concentratevi sul respiro» sta dicendo Chandra.

Sì, certo. Il respiro.

Inspira... espira. Inspira... espira. Inspira...

Dio, ho delle unghie favolose. Me le sono fatte fare al centro benessere... delle farfalline rosa su sfondo bianco. E le antenne sono costituite da minuscoli brillantini. Sono così carine... peccato che se ne sia staccata una. Devo ricordarmi di farla ritoccare...

«Becky.» La voce di Chandra mi fa sobbalzare. È proprio davanti a me e mi osserva con quel suo sguardo – fra il gentile e l'onnisciente – come se riuscisse a leggerti nella mente.

«Stai andando molto bene, Becky. Hai uno spirito radioso.»

Avverto una sensazione di gioia in tutto il corpo. Io, Rebecca Brandon, nata Bloomwood, ho uno spirito radioso. Lo sapevo!

«Hai un animo ascetico» aggiunge, con la sua voce morbida, e io lo guardo, incantata.

«I beni materiali non sono importanti per me» dico, con un filo di voce. «A me interessa solo lo yoga.»

«Hai trovato la tua strada» fa Chandra con un sorriso.

Dal punto in cui si trova Luke mi giunge una specie di gemito. Mi volto e vedo che ci sta guardando, divertito.

Lo sapevo, Luke non ci sta prendendo sul serio.

«Questa è una conversazione privata fra me e il mio guru, se non ti dispiace» gli faccio notare, seccata.

A essere sincera, la cosa non dovrebbe sorprendermi. Il primo giorno di corso ci avevano avvertito proprio di questo. A quanto pare, quando un partner trova l'illuminazione spirituale, l'altro può reagire con scetticismo e, perfino, con invidia.

«Presto camminerai sui carboni ardenti.» Chandra indica sorridendo la buca piena di tizzoni bianchi e fumanti. Una risata nervosa percorre il gruppo. Stasera Chandra e alcuni dei suoi allievi più bravi daranno una dimostrazione. Questo è lo scopo per cui ci troviamo qui. A quanto pare si raggiunge uno stato di beatitudine così grande che non si sentono neppure bruciare i carboni sotto i piedi. Non si avverte più il dolore!

La mia segreta speranza è che funzioni anche per i tacchi a spillo.

Chandra mi corregge la posizione del braccio e prosegue. Chiudo gli occhi e lascio che il sole mi riscaldi il viso. Seduta su questa collina nel mezzo del nulla, mi sento profondamente pura e calma. Non è solo Luke a essere cambiato in questi ultimi dieci mesi. Anch'io sono maturata. Sono cresciuta. Le mie priorità si sono modificate. In realtà, sono una persona diversa. Insomma, guardatemi, a fare yoga in un ritiro spirituale! Probabilmente i miei vecchi amici non mi riconoscerebbero neppure!

Su ordine di Chandra passiamo tutti alla posizione del *vajrasana*. Dal punto in cui mi trovo, vedo un vecchio avvicinarsi a Chandra, portando due logore borse di stoffa. Segue una breve conversazione durante la quale il maestro continua a scuotere la testa; quindi il vecchio si allontana faticosamente su per la ripida collina. Quando non è più a portata d'orecchio, Chandra si volta verso il gruppo, alzando gli occhi al cielo.

«Quell'uomo è un mercante. Vuole sapere se qualcuno di voi è interessato a comperare delle gemme. Collane, braccialetti. Io gli dico che le vostre menti guardano a cose più elevate.»

Alcune persone accanto a me scuotono il capo, come incredule. Una donna con lunghi capelli rossi pare addirittura risentita.

«Ma non ha visto che siamo immersi nella meditazione?» chiede.

«Lui non comprende la vostra devozione spirituale.» Chandra ci guarda con espressione seria. «Accadrà lo stesso con molti altri, nel mondo. Non capiranno che la meditazione è cibo per l'anima. Voi non avete bisogno di... braccialetti di zaffiri!»

Alcuni fra i presenti annuiscono, convinti.

«Catene di platino con ciondoli di acquamarina» prosegue Chandra, con disprezzo. «Come si possono paragonare allo splendore della luce interiore?»

Acquamarina?

Uau! Chissà quanto...

Non che la cosa mi interessi. Certo che no. È solo che l'altro giorno stavo appunto guardando delle acquemarine in una vetrina, così, per puro interesse accademico.

Il mio sguardo si sposta verso la figura del vecchio che si fa sempre più piccola.

«"Tre carati. Cinque carati" continuava a dire. "Tutto a metà prezzo."» Chandra scuote il capo. «Io gli faccio: "Questa gente non è interessata".»

A metà prezzo? Acquemarine da cinque carati a metà prezzo?

Smettila. Smettila subito. Il maestro ha ragione. Ovvio che non sono interessata a delle stupide acquemarine. Sono assorbita dall'illuminazione spirituale.

E comunque, ormai il vecchio se n'è andato. È solo una minuscola figura in cima alla collina. Fra un minuto sarà scomparso.

«E ora» annuncia Chandra con un sorriso «l'*halasana*. Becky, vuoi mostrare come si fa?»

«Certo.» Ricambio il sorriso e mi preparo ad assumere la posizione sul materassino.

Ma c'è qualcosa che non va. Non provo alcun appagamento. Alcuna pace. Dentro di me sta montando una sensazione strana, che annulla tutte le altre, e cresce, cresce sempre più…

All'improvviso non riesco più a contenerla. Prima di rendermi conto di cosa sto facendo mi trovo a correre a piedi nudi, più in fretta che posso, in direzione della piccola figura. Ho i polmoni in fiamme, i piedi che bruciano, il sole che mi picchia sulla testa scoperta, ma non mi fermo finché non raggiungo la cima della collina. Lì mi blocco e mi guardo attorno, ansante.

Non ci posso credere. È scomparso. Dove diavolo è finito?

Resto lì per qualche istante, a riprendere fiato, e intanto scruto in ogni direzione. Ma non lo vedo da nessuna parte.

Alla fine, delusa, mi volto e ridiscendo la collina fino a ricongiungermi col gruppo. A mano a mano che mi avvicino, mi rendo conto che tutti stanno gridando e mi fanno dei cenni con le mani. Oh, Dio! Ho combinato qualcosa?

«Ce l'hai fatta!» sta urlando la donna dai capelli rossi. «Ce l'hai fatta!»

«A fare cosa?»

«Hai camminato sui carboni ardenti! Ce l'hai fatta, Becky!»

Cosa?

Abbasso gli occhi e… non ci posso credere. Ho i piedi coperti di cenere! Stupita, guardo dentro la fossa incandescente… e vedo una chiara traccia di impronte che l'attraversa da una parte all'altra.

Oh, mio Dio. Oh, mio Dio! Ho camminato sui carboni ardenti! Ce l'ho fatta!

«Ma… ma io non me ne sono neanche accorta!» Sono allibita. «Non ho neppure i piedi bruciati!»

«Come hai fatto?» mi chiede la rossa. «A cosa pensavi?»

«Risponderò io per lei.» Chandra si fa avanti, sorridendo. «Becky ha raggiunto la forma più elevata di beatitudine karmica. Era concentrata su un obiettivo, su un'immagine pura, e questo ha spinto il suo corpo a raggiungere uno stato soprannaturale.»

Tutti mi guardano come se fossi improvvisamente diventata il Dalai Lama.

«Non è niente, davvero» mi schermisco con un sorriso modesto. «È solo… sapete… un'illuminazione spirituale.»

«Potresti descrivere l'immagine?» domanda la rossa, tutta eccitata.

«Era bianca?» chiede qualcun altro.

«Non proprio bianca...» rispondo.

«Era di un verdeblù luccicante?» dice la voce di Luke da dietro. Alzo il viso di scatto. Mi sta guardando con un'espressione seria.

«Non ricordo» rispondo con tono solenne. «Il colore non era importante.»

«Era come se...» Luke esita, concentrandosi. «Era come se ti sentissi trascinata dagli anelli di una catena?»

«Questa è una bellissima immagine, Luke» osserva Chandra compiaciuto, con voce cantilenante.

«No» ribatto, brusca. «Affatto. Anzi, credo che occorra una maggior comprensione delle questioni spirituali per afferrare la sensazione.»

«Capisco.» Luke annuisce serio.

«Luke, devi essere molto orgoglioso» prosegue Chandra. «Non è la cosa più straordinaria che hai visto fare a tua moglie?»

Segue un attimo di silenzio. Luke guarda me, i carboni ardenti, poi il gruppo di discepoli silenziosi, quindi il volto raggiante di Chandra.

«Credimi, Chandra» dice alla fine. «Questo è niente.»

Al termine della lezione, tutti si dirigono verso la terrazza dove ci aspetta un vassoio di bibite fresche. Ma io resto a meditare sul mio materassino, per dimostrare quanto sia concentrata su cose più nobili. Sto in parte pensando alla luce bianca del mio essere e in parte immaginando di correre sui carboni ardenti davanti a Trudie e Sting, mentre questi applaudono ammirati, quando un'ombra mi oscura il volto.

«Salute a te, o spirito eletto» dice Luke. Apro gli occhi e lo vedo in piedi davanti a me con un bicchiere di succo in mano.

«Sei semplicemente invidioso perché tu non hai uno spirito radioso come il mio» ribatto, e mi scosto con gesto disinvolto i capelli in modo da scoprire il puntino rosso dipinto sulla fronte.

«Follemente invidioso» conviene Luke. «Bevi qualcosa.»

Si siede per terra accanto a me e mi porge il bicchiere. Bevo un sorso di succo di frutto della passione, gelido e delizioso, ed entrambi restiamo a fissare il cielo leggermente velato oltre le colline.

«Sai, potrei davvero vivere qui in Sri Lanka» dico, con un sospiro. «È perfetto. Il clima... il paesaggio... e la gente è così ben disposta.»

«Hai detto la stessa cosa in India» mi fa notare Luke. «E in Australia» aggiunge quando faccio per aprire la bocca. «E ad Amsterdam.»

Dio, Amsterdam. L'avevo totalmente dimenticata. È stato dopo Parigi. O prima?

Ah, sì. È stato quando ho mangiato quegli strani dolcetti e per poco non sono caduta nel canale.

Bevo un altro sorso e lascio che la mia mente ripercorra gli ultimi dieci mesi. Abbiamo visitato così tanti paesi che è un po' difficile ricordarli tutti così, su due piedi. È come un film sfocato con qua e là immagini nitide e forti. Nuotare con tutti quei pesci azzurri della Grande barriera corallina... le piramidi in Egitto... il safari per vedere gli elefanti in Tanzania... tutta la seta che ho comperato a Hong Kong... il suk dell'oro in Marocco... e quell'incredibile outlet di Ralph Lauren che ho scoperto in Utah...

Dio, ne abbiamo vissute di esperienze! Faccio un sospiro soddisfatto e bevo un altro sorso.

«Ah, dimenticavo» Luke mi mostra un malloppo di carte, «è arrivata posta dall'Inghilterra.»

Mi metto a sedere eretta, improvvisamente eccitata, e comincio a passare in rassegna le buste.

«"Vogue"!» esclamo, quando arrivo all'edizione speciale per abbonati avvolta nel lucido involucro di plastica. «Oh, guarda! Hanno messo una Angel Bag in copertina!»

Mi aspetto una reazione, ma Luke resta impassibile. Provo un piccolo moto di frustrazione. Come può rimanere indifferente? Lo scorso mese gli ho letto tutto l'articolo sulle Angel Bag, gli ho persino mostrato le foto e tutto il resto...

So che questa è la nostra luna di miele, ma a volte vorrei tanto che Luke fosse una ragazza. «Ma sì» dico, «le Angel Bag! Le borse più chic, più stupefacenti da... da...»

17

Ah, posso anche risparmiare il fiato. Osservo con sguardo cupido la borsa. È in morbida pelle di vitello beige, con uno splendido angelo alato dipinto a mano sul davanti, e il nome "Gabriel" scritto sotto con i brillantini. Ne esistono con sei angeli differenti, e tutte le celebrità fanno a gara per averne una. Da Harrods sono perennemente esaurite. *Un'opera divina*, dice il titolo accanto alla foto.

Sono così presa che quasi non sento la voce di Luke mentre mi consegna un'altra busta.

«Prego?» faccio, alzando lo sguardo, ancora stordita.

«Ho detto che c'è un'altra lettera» ripete, paziente. «È di Suze.»

«Di Suze?» Lascio cadere "Vogue" e gliela strappo di mano. Suze è la mia migliore amica. Quanto mi manca!

La busta è di carta spessa color crema e porta uno stemma sul retro, accompagnato da un motto latino. Dimentico sempre quanto sia chic. Il biglietto di auguri che ci ha mandato per Natale era una foto del castello che suo marito Tarquin ha in Scozia, con stampato all'interno: "Dalla tenuta Cleath-Stuart" (solo che non lo si leggeva quasi, perché Ernie, il figlioletto di un anno, lo aveva coperto di ditate di pittura rossa e blu).

La lacero per aprirla e ne cade un cartoncino.

«È un invito! Per il battesimo dei gemelli.»

Guardo i caratteri eleganti e ornati, e provo una fitta improvvisa. Wilfrid e Clementine Cleath-Stuart. Suze ha avuto altri due bambini e io non li ho neppure visti. Ora dovrebbero avere quattro mesi. Chissà come sono. Chissà come sta Suze. Sono successe così tante cose durante la nostra assenza...

Giro il cartoncino sul retro, dove Suze ha scarabocchiato un messaggio. "So già che non potrai venire, ma ho pensato ti facesse comunque piacere riceverlo... spero che continuiate a divertirvi! Con affetto da tutti noi. Baci, Suze. PS: Ernie adora il suo costume da cinesino, grazie mille!"

«È fra due settimane» dico, mostrando il cartoncino a Luke. «È un vero peccato. Non potremo andarci.»

«Già» conviene lui.

Segue un attimo di silenzio, poi Luke incrocia il mio sguardo. «Non è che per caso... tu sia pronta a tornare, vero?» mi chiede con noncuranza.

«No!» rispondo rapida. «Certo che no!»

Viaggiamo solo da dieci mesi e avevamo programmato di stare via almeno un anno. E poi, ormai ci abbiamo preso gusto. Siamo diventati due nomadi che non si fermano mai a lungo nello stesso posto. Forse non riusciremo a tornare alla vita normale, come quei marinai che non possono più vivere sulla terraferma.

Rimetto l'invito nella busta e bevo un altro sorso del mio succo. Chissà come stanno mamma e papà. È già da un po' che non li sento. E chissà come si è piazzato papà nel torneo di golf.

E ormai il piccolo Ernie camminerà già. Sono la sua madrina e non l'ho ancora visto camminare.

Pazienza. In compenso sto facendo incredibili esperienze in giro per il mondo.

«Dobbiamo decidere dove andare, una volta terminato il corso di yoga» fa Luke appoggiandosi all'indietro sui gomiti. «Avevamo detto Malaysia.»

«Sì» dico, dopo un attimo di pausa. Dev'essere il caldo, ma l'idea non mi entusiasma.

«O torniamo in Indonesia? Su al nord?»

«Hmm» faccio io, senza sbilanciarmi. «Oh, guarda, una scimmia.»

Non riesco a credere di essere diventata così indifferente alle scimmie. La prima volta che ho visto quei babbuini in Kenia, ero così eccitata che ho scattato sei rullini di pellicola. Ora, al massimo dico: "Oh, guarda, una scimmia".

«O in Nepal... o magari potremmo andare di nuovo in Thailandia...»

«Oppure potremmo tornare» mi scopro a dire, all'improvviso.

Silenzio.

Che strano. Non avevo nessuna intenzione di dirlo. Insomma, è ovvio che non torniamo ancora. Non è passato neppure un anno!

Luke si tira su a sedere e mi guarda.

«Tornare... nel senso di tornare a casa?»

«No!» rispondo con una risatina. «Scherzavo!» E poi aggiungo, dopo una breve esitazione: «Anche se...».

Fra noi cala un silenzio totale.

«Forse non è necessario che stiamo via proprio un anno intero» azzardo. «Se non vogliamo, no.»

«Siamo pronti a rientrare?»

«Non lo so.» Provo un fremito di trepidazione. «Tu cosa dici?»

Non riesco quasi a credere che stiamo parlando di tornare a casa. Voglio dire, guardateci! Ho i capelli inariditi e schiariti dal sole, i piedi tinti con l'henné, e sono mesi che non indosso un paio di scarpe degne di questo nome.

Mi passa davanti agli occhi l'immagine di me che cammino per una strada di Londra con stivali e cappotto. Stivali lucidi col tacco alto di LK Bennett. E borsa coordinata.

D'un tratto provo una nostalgia così forte che quasi mi viene da piangere.

«Credo di averne abbastanza di vedere il mondo.» Guardo Luke. «Sono pronta per la vita reale.»

«Anch'io.» Lui mi prende la mano e intreccia le sue dita alle mie. «A essere sincero è già da un po' che sono pronto.»

«Non me l'hai mai detto!»

«Non volevo fare il guastafeste. Ma di certo sono pronto.»

«E avresti continuato a viaggiare... solo per me?» dico, commossa.

«Be', non è poi questa gran sofferenza.» Luke mi rivolge uno sguardo in tralice. «Non è che facciamo una vita dura, no?»

Mi sento lievemente arrossire. Quando siamo partiti per questo viaggio, gli ho detto che ero decisa ad affrontarlo come dei veri viaggiatori, come in *The Beach*, e che avremmo dormito nelle capanne.

Questo prima di passare una notte in una capanna.

«Quindi, quando parliamo di tornare...» Luke fa una pausa, «intendiamo Londra?»

Mi guarda con aria interrogativa.

Oh, Dio. È venuto il momento di prendere una decisione.

Sono dieci mesi che discutiamo di dove andremo a vivere al termine della luna di miele. Prima di sposarci, Luke e io vivevamo a New York. E a me piaceva. Ma sentivo anche la mancanza di Londra. E adesso i suoi affari si stanno espandendo anche in Europa, ed è lì che c'è l'azione, ora. Quindi lui vorrebbe tornare a Londra, almeno per un po'.

E a me va benissimo... solo che non avrò più il mio lavoro. Prima facevo la personal shopper, la consulente personale di shopping, da Barneys, a New York. E mi piaceva un sacco.

Pazienza. Troverò di sicuro un altro posto. Magari anche migliore!

«Londra» dico decisa, e alzo lo sguardo. «Allora... pensi che potremo arrivare in tempo per il battesimo?»

«Se vuoi.» Luke sorride e io provo un'improvvisa sensazione di euforia. Andremo al battesimo! Rivedrò Suze! E mio papà e mia mamma! Dopo quasi un anno! Saranno così contenti... e noi avremo così tante cose da raccontare!

Mi vedo già seduta a capotavola, nel corso di cene a lume di candela, con tutti i miei amici intorno che ascoltano rapiti i miei racconti di terre lontane e avventure esotiche. Proprio come deve essere successo a Marco Polo. Poi aprirò il mio baule per mostrare tesori rari e preziosi... e tutti resteranno senza parole, ammirati...

«Sarà meglio che li avvertiamo» dice Luke, alzandosi.

«No. Aspetta. Ho un'idea. Facciamogli una sorpresa!»

«Una sorpresa? A tutti?» Luke ha un'aria dubbiosa. «Becky, sei sicura che sia una buona idea?»

«Ma certo! Tutti adorano le sorprese!»

«Ma...»

«Tutti adorano le sorprese» ripeto, sicura. «Fidati.»

Attraversiamo il parco per rientrare nell'ala principale dell'hotel, e io provo un leggero disagio al pensiero di andarmene. È così bello, qui. Bungalow di tek, uccelli incredibili ovunque e, seguendo il ruscello attraverso il parco, si arriva a una cascata vera! Passiamo davanti al centro di intaglio del legno, dove si possono osservare dei veri artigiani al lavoro, e ci fermiamo un attimo a inspirare il profumo delizioso del legno.

«Signora Brandon!» Il capo degli artigiani, Vijay, è comparso sull'ingresso.

Accidenti. Non pensavo fosse qui.

«Scusa, Vijay, vado un po' di fretta. Ci vediamo dopo... vieni, Luke!»

«Nessun problema.» Vijay sorride, pulendosi le mani nel grembiule. «Volevo solo dirle che il suo tavolo è pronto.»

Merda.

Luke si volta lentamente verso di me.

«Tavolo?»

«Il tavolo da pranzo» dice Vijay, raggiante. «Con dieci sedie. Ora ve lo mostro! Portate il lavoro!» Fa schioccare le dita, sbraita qualche ordine, e all'improvviso, con mio sommo sgomento, ecco arrivare otto uomini che portano sulle spalle un enorme tavolo di tek intagliato.

Accidenti. È un tantino più grande di quanto ricordassi.

Luke è impietrito.

«Portate le sedie!» ordina Vijay. «Sistematelo come si deve!»

«Non è splendido?» faccio io, con tono esageratamente entusiasta.

«Hai ordinato un tavolo da pranzo con dieci sedie... senza dirmelo?» Luke osserva allibito le sedie che cominciano ad arrivare.

Okay. Non ho molte opzioni.

«È... è il mio dono di nozze per te!» dico, seguendo un'ispirazione improvvisa. «È una sorpresa! Felice matrimonio, tesoro!» Gli piazzo un bacio sulla guancia e lo guardo con un sorriso raggiante.

«Becky, tu mi hai già fatto un regalo di nozze» mi fa notare Luke, incrociando le braccia. «E il nostro matrimonio è passato da un bel po'.»

«Ho... messo da parte i soldi!» Abbasso la voce in modo che Vijay non possa sentire. «E, sinceramente, non è poi così costoso...»

«Becky, non si tratta dei soldi. È una questione di spazio! Questa cosa è una mostruosità!»

«Non è poi così grosso. E comunque» aggiungo in fretta, prima che lui possa replicare, «abbiamo bisogno di un bel tavolo. Ogni coppia che si rispetti ne ha bisogno.» Allargo le braccia. «Dopotutto, cos'è il matrimonio se non ritrovarsi intorno a un tavolo alla fine della giornata e condividere tutti i problemi?

Cos'è il matrimonio, se non sedere insieme a un tavolo di legno massiccio... e mangiare un bel piatto di stufato?»

«Un bel piatto di stufato?» ripete Luke. «E chi lo cucina?»

«Lo possiamo sempre comperare precotto» spiego.

Giro intorno al tavolo e guardo Luke con espressione intensa. «Pensaci, Luke. Non ci troveremo mai più in Sri Lanka con degli autentici intagliatori di legno. È un'occasione unica. E poi l'ho fatto personalizzare.»

Indico un riquadro che corre lungo un lato del tavolo. Abilmente intagliate, fra tralci di fiori, ci sono le parole "Luke e Rebecca, Sri Lanka, 2003".

Luke fa correre una mano sul tavolo. Soppesa una sedia. Vedo che sta per cedere. Poi alza lo sguardo, la fronte improvvisamente corrugata.

«Becky, hai comperato qualcos'altro senza dirmelo?»

Sento un piccolo sussulto dentro, che nascondo fingendo di osservare uno dei fiori intagliati.

«Certo che no!» rispondo, alla fine. «O meglio... magari qualche souvenir strada facendo. Una cosa qui, una cosa lì.»

«Tipo?»

«Non ricordo!» esclamo. «Sono passati dieci mesi, che diamine!» Torno a rivolgere la mia attenzione al tavolo. «Su, Luke, non può non piacerti. Faremo delle cene fantastiche... e diventerà un cimelio di famiglia. Lo lasceremo ai nostri figli...»

Mi interrompo, improvvisamente imbarazzata. Per un attimo, non riesco neppure a guardarlo.

Qualche mese fa abbiamo parlato a lungo, e deciso che avremmo provato ad avere un bambino... ma finora non è successo nulla.

Voglio dire, non è poi questo problema. Succederà. Ne sono certa.

«D'accordo» dice Luke con un tono più accondiscendente. «Mi hai convinto.» Dà un colpetto al tavolo, poi guarda l'orologio. «Devo mandare una e-mail in ufficio per informarli del cambiamento di programma.» Poi mi rivolge un'occhiata sarcastica. «Non avrai pensato che mi presentassi in sala riunioni gridando: "Sorpresa!"?»

«Certo che no» replico, senza battere ciglio.

A dire il vero è proprio questo che mi immaginavo. Solo che ci sarei stata anch'io, insieme a lui, con una bottiglia di champagne e magari qualche cotillon.

«Non sono così stupida» aggiungo, gelida.

«Bene.» Luke mi rivolge un gran sorriso. «Perché non ordini qualcosa da bere? Torno fra un momento.»

Sono seduta a un tavolino sulla terrazza ombreggiata, assorta. Sto cercando di ricordare tutte le cose che ho acquistato e spedito a casa senza informare Luke.

Voglio dire, non è che sia preoccupata o cose del genere. Non può essere poi così tanta roba, no?

Oh, Dio. Chiudo gli occhi, sforzandomi di ricordare.

Le giraffe di legno in Malawi. Quelle che secondo Luke erano troppo grandi. Sciocchezze. Staranno benissimo. Resteranno tutti a bocca aperta quando le vedranno.

E poi quello splendido batik a Bali. Avevo tutte le intenzioni di parlargliene, ma non è mai venuto il momento.

E poi le venti vestaglie di seta cinesi.

D'accordo... lo so che venti possono sembrare tante. Ma erano così a buon mercato! Luke si ostinava a non voler capire che se ne comperavamo venti adesso, sarebbero bastate per una vita, oltre a dimostrarsi un vero investimento. Per essere uno che lavora nel mondo della finanza, in certe cose è proprio lento.

Così, sono tornata al negozio e le ho comperate comunque, e poi le ho fatte spedire a casa.

Il fatto è che spedire gli acquisti rende tutto più facile. Non devi trascinarteli dietro. "Vorrei spedirlo, per favore. E anche questo. E questo." Scegli, porgi la tua carta di credito e la roba parte, senza che Luke la veda...

Forse avrei fatto meglio a tenere un elenco.

E poi, voglio dire, lo vorremo portare a casa qualche souvenir? Che scopo c'è ad andare in giro per il mondo e tornare a mani vuote? Appunto.

Vedo Chandra che passa davanti alla terrazza e lo saluto con un cenno della mano.

«Sei stata molto brava a lezione oggi, Becky!» mi dice, avvicinandosi al tavolo. «Ora vorrei chiederti una cosa. Fra due settimane terrò un corso di meditazione avanzata. Gli altri sono monaci o persone che praticano lo yoga da molto tempo... ma sento che tu hai lo spirito giusto per unirti a noi. Saresti interessata?»

«Mi piacerebbe molto!» rispondo, e subito dopo assumo un'aria affranta. «Ma non posso. Luke e io torniamo a casa.»

«A casa?» Chandra sembra sorpreso. «Ma... ma te la cavavi così bene! Non vorrai abbandonare la strada dello yoga?»

«Oh, no» lo rassicuro. «Non ti preoccupare. Mi comprerò un video.»

Chandra si allontana. Sembra davvero scioccato. La cosa non mi sorprende. Probabilmente non sapeva neppure che esistessero video di yoga. E di sicuro non ha mai sentito parlare di Geri Halliwell.

Arriva un cameriere e io ordino un cocktail di mango e papaia, che sul menu si chiama Happy Juice. Sembra fatto per me. Sono qui, al sole, in luna di miele, e sto per ricongiungermi a sorpresa con le persone che amo. È tutto così perfetto!

Alzo gli occhi e vedo Luke che si avvicina al tavolo, col palmare in mano. È la mia immaginazione o la sua andatura è più veloce ed elastica di quanto sia stata negli ultimi mesi?

«Okay. Ho parlato con l'ufficio.»

«Tutto a posto?»

«Certo.» Sembra sprizzare energia repressa. «Sta andando tutto molto bene. Organizzerò un paio di riunioni per la fine di questa settimana.»

«Così presto!» esclamo, sorpresa.

Accidenti. Pensavo ci sarebbe voluta una settimana solo per metterci in moto.

«Ma so quanto ci tieni a questo corso di yoga» aggiunge. «E così, se ti va, potrei partire prima io e tu potresti raggiungermi dopo... e poi torniamo in Gran Bretagna insieme.»

«Dove sono queste riunioni?» chiedo, confusa.

«In Italia.»

Il cameriere arriva con il mio Happy Juice e Luke ordina una birra.

«Ma io non voglio restare lontana da te!» dico quando il cameriere si allontana. «È la nostra luna di miele!»

«Abbiamo passato dieci mesi sempre assieme...» mi fa notare Luke con dolcezza.

«Lo so, ma...» Sconsolata, bevo un sorso di Happy Juice. «Dove vai, esattamente, in Italia?»

«Niente di eccitante» risponde Luke dopo un attimo di esitazione. «Una città del Nord. Terribilmente uggiosa. Io ti consiglio di restare qui a goderti il sole.»

«Be'...» Mi guardo attorno, combattuta. In effetti, qui è piuttosto bello. «Che città?»

Silenzio.

«Milano» risponde lui, riluttante.

«Milano?» Per poco non cado dalla sedia per l'eccitazione. «Vai a Milano? Non ci sono mai stata! Vorrei tanto andarci!»

«Davvero?» dice lui.

«Sì! Certo. Voglio venire anch'io!»

Come ha potuto pensare che non avrei voluto visitare Milano? Io ho sempre desiderato visitare Milano!

«Va bene.» Luke scuote il capo, mesto. «Devo essere pazzo, ma se è questo che vuoi, va bene.»

Esultante, mi appoggio allo schienale della sedia e bevo un lunghissimo e rumoroso sorso di Happy Juice. Questa luna di miele sta andando di bene in meglio!

2

Non riesco a credere che Luke stesse pensando di venire a Milano senza di me. Come avrebbe potuto farmi una cosa del genere? Io sono nata per vivere a Milano.

In realtà non ho visto molto della città, a parte il taxi e la nostra stanza d'albergo, ma per una viaggiatrice smaliziata come me, questo non è un problema. Una come me è in grado di percepire in un attimo le vibrazioni di un luogo, come gli aborigeni nella boscaglia. E come mi sono guardata attorno nell'atrio dell'albergo, e ho visto tutte quelle donne chic vestite di Prada e D&G che si baciavano sulla guancia, bevendo espresso, accendendosi una sigaretta e scostando i capelli dal volto, grazie al mio istinto naturale ho capito che questa è la mia città.

Prendo un sorso di cappuccino e lancio un'occhiata alla mia immagine riflessa nello specchio del guardaroba. Francamente, sembro proprio italiana. Mi mancano solo un paio di pantaloni alla pescatora e una riga di eyeliner scuro. E magari una Vespa.

«Ciao» dico, con naturalezza, gettando indietro i capelli. «Sì. Ciao.»

Potrei essere terribilmente italiana... solo che devo imparare ancora qualche parola. «Sì» ripeto, annuendo alla mia immagine. «Sì. Milano.»

Potrei esercitarmi leggendo il giornale. Apro la copia del "Corriere della Sera" che ci hanno portato con la colazione e comincio a studiare il testo. E non me la cavo affatto male! Il primo articolo è tutto sul presidente che lava il suo piano cantando. Almeno... sono abbastanza sicura che sia questo il significato di *presidente* e *lavoro a pieno ritmo*.

«Sai, Luke, io potrei davvero vivere in Italia» gli faccio, quando esce dal bagno. «Insomma, è un paese perfetto. Ha tutto! Cappuccino... cibo fantastico... gli italiani sono così eleganti... puoi comperare gli articoli di Gucci a meno che da noi...»

«E l'arte» fa Luke con espressione impassibile.

Dio, a volte è proprio irritante.

«Ovvio» ribatto io, alzando gli occhi al cielo. «Non c'è neanche bisogno di dirlo.»

Volto la pagina del "Corriere della Sera" e passo velocemente in rassegna i titoli. E poi, all'improvviso, il mio cervello registra ciò che gli occhi hanno visto.

Poso il giornale e guardo Luke.

Cosa gli è successo?

Sto guardando il Luke Brandon che conoscevo quando facevo la giornalista. È perfettamente rasato, indossa un abito perfettamente stirato con una camicia verde chiaro completata da una cravatta verde più scuro. Ai piedi, calze e scarpe. L'orecchino è sparito. Come pure il braccialetto. L'unica traccia del nostro viaggio sono i capelli, ancora raccolti in piccole treccine.

Sento lo sgomento crescere dentro di me. Mi piaceva com'era prima, informale e scarmigliato.

«Ti sei messo... superelegante!» dico. «Dov'è il braccialetto?»

«In valigia.»

«Ma la donna nel Masai Mara ha detto che non dovevi toglierlo mai!» esclamo, scioccata. «Ha anche recitato quella speciale preghiera Masai!»

«Becky... Non posso andare a un incontro di lavoro con un vecchio pezzo di spago legato intorno al polso.»

Un vecchio pezzo di spago? Quello era un braccialetto sacro e lui lo sa benissimo.

«Hai ancora le treccine!» ribatto. «Se tieni le treccine puoi tenere anche il braccialetto!»

«Non ho nessuna intenzione di tenere le treccine!» Luke si lascia sfuggire una risata incredula. «Ho prenotato un taglio di capelli fra...» consulta l'orologio «fra dieci minuti.»

Un taglio?

Sta succedendo tutto troppo in fretta. Non tollero l'idea che i suoi capelli scoloriti dal sole cadano a terra sotto i colpi di forbice di un barbiere. I capelli della nostra luna di miele!

«Luke, non farlo» dico, prima di riuscire a trattenermi. «Non puoi.»

«Cosa c'è?» Luke si volta e mi osserva attentamente. «Becky, ti senti bene?»

No, non mi sento affatto bene. Ma non so perché.

«Non puoi tagliarti i capelli!» Adesso sono disperata: «È come se fosse finita!».

«Tesoro... è finita.» Luke viene a sedersi accanto a me. Mi prende le mani e mi guarda negli occhi. «Questo lo sai, vero? È finita. Torniamo a casa. Torniamo alla vita reale.»

«Lo so» faccio, dopo una lunga pausa. «È solo... che mi piaci tantissimo con i capelli lunghi.»

«Non posso andare a un incontro di lavoro così.» Luke scuote la testa facendo tintinnare le perline inserite nelle treccine. «Lo capisci anche tu.»

«Ma non è necessario che li tagli!» ribatto, colta da un'ispirazione improvvisa. «Un sacco di italiani portano i capelli lunghi. Ci limiteremo a disfare le treccine.»

«Becky...»

«Lascia fare a me. Siediti.»

Attiro Luke sul letto e, con cura, sfilo le prime perline, poi delicatamente comincio a disfare le trecce. Avvicinandomi a lui sento l'odore del costoso dopobarba di Armani che usa sempre al lavoro. Non l'aveva più messo dopo che ci siamo sposati.

Mi sposto sul letto e comincio a disfare anche le treccine sull'altro lato della testa. Siamo entrambi silenziosi: l'unico rumore nella camera è il tintinnio delle perline. Quando tolgo l'ultima, ho un groppo alla gola. Il che è assurdo.

Non potevamo restare in luna di miele per sempre, no? E poi non vedo l'ora di riabbracciare mamma e papà, e Suze, e tornare alla vita reale...

Tant'è. Ho passato gli ultimi dieci mesi sempre con Luke. Non siamo mai stati lontani per più di qualche ora. E adesso questo sta per finire.

E comunque... andrà tutto bene. Sarò impegnata col mio nuovo lavoro, e con le mie amiche...

«Fatto!»

Prendo del balsamo dal beauty, ne metto un po' sui capelli di Luke e, con delicatezza, comincio a pettinarli. Sono un po' ondulati, ma va bene così. Gli danno un'aria... europea.

«Visto?» dico, alla fine. «Stai benissimo!»

Luke si osserva dubbioso allo specchio e per un orribile momento temo che voglia comunque tagliarsi i capelli. Ma poi sorride.

«Okay. Esecuzione rinviata. Ma prima o poi dovrò farlo.»

«Lo so» convengo, improvvisamente sollevata. «Ma non oggi.»

Lo osservo mentre raduna alcune carte e le infila nella borsa.

«Allora... cosa devi fare esattamente, qui a Milano?»

Luke me l'ha già detto, sul volo da Colombo, ma continuavano a servirci champagne gratis e non sono del tutto certa di aver afferrato bene i particolari.

«Stiamo cercando di prendere un nuovo cliente. Il Gruppo Arcodas.»

«Già. Ora ricordo.»

La società di Luke si chiama Brandon Communications. È un'agenzia di relazioni pubbliche che rappresenta grossi gruppi finanziari, quali banche, società immobiliari e di investimento. In realtà, è così che ci siamo conosciuti, quando ancora facevo la giornalista finanziaria.

«Vogliamo espanderci oltre il settore finanziario.» Luke chiude la valigetta con uno scatto. «Questa è una società molto grande con interessi diversissimi. Sono proprietari di residence, centri sportivi, shopping center...»

«Shopping center?» Rizzo le orecchie. «E hai lo sconto?»

«Chissà, forse, se sigliamo il contratto.»

Dio, è fantastico. Chissà, forse la società di Luke passerà alle pubbliche relazioni nel campo della moda! Magari comincerà a rappresentare Dolce & Gabbana, anziché vecchie, noiosissime banche.

«Così hanno degli shopping center a Milano?» chiedo, con tono speranzoso. «Perché potrei andarne a visitare uno, per ricerca.»

«No, a Milano non ne hanno. Sono qui per un convegno

sulla distribuzione al dettaglio.» Luke posa la valigetta e mi rivolge una lunga occhiata.

«Cosa c'è?»

«Becky... so che questa è Milano, ma ti prego, oggi non fare follie.»

«Fare follie?» ripeto, leggermente risentita. «Cosa intendi dire?»

«So che hai intenzione di andare a fare shopping...»

Come fa a saperlo? Che faccia tosta! Come fa a sapere che non andrò a vedere qualche statua famosa o qualcosa del genere?

«Non ho nessuna intenzione di andare a fare shopping!» ribatto, piccata. «Ti ho chiesto degli shopping center soltanto per dimostrare un po' di interesse per il tuo lavoro.»

«Capisco.» Luke mi rivolge un'occhiata beffarda, che mi infastidisce alquanto.

«In realtà mi attirano gli aspetti culturali» dico, levando il mento. «E perché Milano è una città che non ho mai visitato.»

«Uh-uh.» Luke annuisce. «Quindi non avevi intenzione di visitare alcun negozio di griffe, oggi.»

«Luke» dico con tono cortese, «io faccio la personal shopper. Pensi davvero che possa perdere la testa per qualche boutique?»

«Francamente, sì.»

Provo un'ondata di indignazione. Non ci siamo scambiati dei voti? Non ha promesso di rispettarmi e di non dubitare mai della mia parola?

«Credi che sia venuta qui solo per fare shopping? Ecco, prendi questo!» Afferro la borsa, tiro fuori il portafoglio e glielo metto in mano.

«Becky, non essere sciocca...»

«Conservalo tu! Io farò una passeggiata per la città.»

«D'accordo.» Luke si stringe nelle spalle e si mette in tasca il portafoglio.

Accidenti. Non pensavo che l'avrebbe preso.

E comunque non ha importanza, perché ho un'altra carta di credito nascosta nella borsa, di cui Luke non sa nulla.

«Bene» dico, incrociando le braccia. «Tieni pure i miei soldi. Non mi importa.»

«Sono sicuro che sopravvivrai» dice Luke. «Puoi sempre usare la carta di credito che tieni nascosta nella borsa.»

Cosa?

Come fa a saperlo? Mi ha spiata?

Sono certa che sia un ottimo motivo per chiedere il divorzio.

«Eccola!» esclamo, furibonda, tirandola fuori dalla borsa. «Prenditi tutto! Prenditi anche la camicia che indosso!» Gli lancio la carta di credito. «Tu pensi di conoscermi, Luke, ma non è così. Io voglio solo immergermi nel clima culturale di questa città, e magari investire in qualche piccolo souvenir o manufatto locale.»

«Manufatto locale?» mi fa eco Luke. «Per "manufatto locale" intendi forse "scarpe di Versace"?»

«No!» ribatto, dopo un attimo di esitazione.

Il che è vero.

Be', più o meno.

A dirla tutta pensavo più a Miu Miu. A quanto pare è molto a buon mercato, qui!

«Senti, Becky, cerca solo di non esagerare, d'accordo? Già così, siamo al limite con i bagagli.» Lancia un'occhiata alle valige aperte. «La maschera rituale sudamericana, il bastone vudù... ah, e non dimentichiamo le spade per la danza tradizionale...»

Quante volte ha intenzione di rinfacciarmele, queste benedette spade? Solo perché gli hanno strappato quella stupida camicia.

«Te lo dico per la milionesima volta, sono dei regali! Non potevamo spedirli. Dobbiamo averli con noi quando arriviamo, altrimenti non sembreremo dei veri viaggiatori!»

«Va bene. Quello che sto cercando di dire, è che già non abbiamo posto per le maschere sudamericane e sei paia di stivali.»

Ah, crede anche di essere spiritoso.

«Luke, io non sono più così. D'accordo?» ribatto, offesa. «Sono maturata. E credevo te ne fossi accorto.»

«Se lo dici tu.» Luke prende la carta di credito, la osserva e me la restituisce. «E comunque, su questa ti restano solo circa duecento sterline.»

Cosa?

«E tu come fai a saperlo?» esclamo, oltraggiata. «Questa è la mia carta di credito personale!»

«Allora non nascondere l'estratto conto sotto il materasso. La cameriera in Sri Lanka l'ha trovato rifacendo il letto e me l'ha consegnato.» Mi dà un bacio e prende la valigetta. «Divertiti!»

Quando la porta si richiude dietro di lui, mi sento vagamente di cattivo umore. Luke non sa niente. Luke non sa che avevo intenzione di prendergli un regalo, oggi. Anni fa, quando ci siamo conosciuti, aveva una cintura che gli piaceva moltissimo, di splendida pelle italiana. Ma un giorno l'ha lasciata in bagno e si è sporcata di ceretta.

E non è stata tutta colpa mia. Come ho cercato di spiegargli, quando sei in preda al dolore, non pensi: "Qual è il mezzo migliore per togliermi la ceretta bollente dagli stinchi?". Afferri la prima cosa che ti capita e la usi.

Comunque sia, oggi avevo intenzione di comperargliene un'altra. Un piccolo dono di "fine luna di miele". Ma forse non se lo merita, se ha intenzione di spiarmi e di leggere gli estratti conto della mia carta di credito personale. Che coraggio! Io leggo forse le sue lettere?

Be', a dire il vero, sì. E alcune sono proprio interessanti! Ma il punto è che...

Oh, mio Dio! Mi blocco, colpita da un pensiero spaventoso. Questo significa che sa quanto ho speso a Hong Kong il giorno in cui lui è andato a visitare la Borsa?

Oh cazzo.

E non ha detto nulla. D'accordo, forse se lo merita, un regalo.

Bevo un sorso di cappuccino. Comunque, sono io quella che riderà per ultima, non Luke. Crede di essere così furbo, ma non sa che io ho un piano segreto.

Mezz'ora dopo scendo alla reception, con i pantaloni neri aderenti (non esattamente alla pescatora, ma molto simili), una maglietta a righe e un fazzoletto legato intorno al collo. Molto europeo come stile. Vado dritta al banco del cambiavalute e rivolgo un sorriso alla donna seduta dietro il bancone.

«Ciao!» dico, tutta allegra. «Il...»

E lì mi fermo.

È davvero seccante. Ero certa che se fossi partita abbastanza convinta, aiutandomi con i gesti, l'italiano mi sarebbe uscito dalle labbra con la massima naturalezza.

«Vorrei cambiare dei soldi in euro, per favore» dico, passando all'inglese.

«Certo. Che valuta?»

«Valute.» Infilo una mano in borsa e, trionfante, estraggo un malloppo di banconote stropicciate. «Rupie, dirham, ringgit...» Mollo i biglietti sul banco e ne tiro fuori degli altri. «Scellini kenioti...» Osservo una strana banconota rosa che non riconosco. «Questa, qualunque cosa sia...»

È incredibile quanti soldi mi portavo dietro senza saperlo! Avevo un sacco di rupie nella borsa del mare e un bel po' di birr etiopi dentro un libro in edizione tascabile. Più una quantità di altre banconote e monetine sparse in fondo alla borsa.

E il punto è che questi sono soldi gratis! Sono soldi che avevamo già.

Osservo tutta eccitata la donna che li divide in mucchietti. «Qui ci sono diciassette valute diverse» dice alla fine, un po' confusa.

«Siamo stati in un sacco di posti» spiego. «Quanto valgono?»

La donna comincia a battere sui tasti di una piccola calcolatrice. Sono così eccitata! Chissà, forse il cambio di alcune è salito a mio favore. Forse sono un sacco di soldi!

Mi sento un po' in colpa. Dopotutto, sono anche di Luke. All'improvviso, decido che se valgono più di cento euro, gliene darò la metà. È giusto. E a me ne resteranno comunque cinquanta! Niente male, per averli messi assieme in quel modo.

«Tolte le commissioni...» dice la donna, alzando lo sguardo, «fanno sette e quarantacinque.»

«Settecentoquarantacinque euro?» La guardo, allibita e felice al tempo stesso. Non avevo idea di avere con me così tanti soldi! Visto? Quando dicono che il risparmio incomincia dal centesimo, hanno proprio ragione. Chi l'avrebbe mai immaginato?

Potrò comperare un regalo per Luke e un paio di scarpe di Miu Miu, e...

«Non settecentoquarantacinque.» La donna mi mostra il conto scarabocchiato su un foglio. «Sette euro e quarantacinque centesimi.»

«Cosa?» Il sorriso felice svanisce dal mio volto. Non può essere.

«Sette euro e quarantacinque centesimi» ripete la donna, paziente. «Come li vuole?»

Sette miseri euro? Quando esco dall'albergo mi sento ancora terribilmente offesa. Com'è possibile che un mucchio di soldi veri valga soltanto sette euro? Non ha senso. Come ho spiegato a quella donna, in India avrei potuto comperare un sacco di cose con quelle rupie. Una macchina, probabilmente, se non addirittura un palazzo. Ma lei niente, irremovibile, non ha aggiunto neppure un centesimo. Anzi, a sentire lei, è stata pure generosa.

E comunque, sette euro sono meglio di niente, suppongo. Magari da Miu Miu fanno una svendita col novantanove virgola nove per cento di sconto.

Mi avvio lungo la strada, seguendo attentamente la cartina che mi ha dato il portiere dell'albergo. Che persona gentile! Gli ho spiegato che volevo fare un giro delle attrazioni culturali della città, e lui si è messo a parlare di un certo dipinto di Leonardo da Vinci. Allora, gli ho spiegato educatamente che io ero più interessata alla cultura italiana contemporanea, e lui ha cominciato a parlarmi di un artista che gira cortometraggi sulla morte.

A quel punto mi sono sentita in dovere di chiarire che per "cultura italiana contemporanea" io mi riferivo in realtà a icone culturali quali Prada e Gucci... e allora il suo sguardo si è illuminato. Mi ha segnato una strada sulla cartina che si trova in una zona chiamata Quadrilatero della moda e, a quanto pare, è piena di quel tipo di icone che, era certo, io avrei sicuramente apprezzato.

È una giornata soleggiata con una leggera brezza, e la luce del sole si riflette sulle vetrine, sulle auto e sugli scooter che guizzano veloci da ogni parte. Dio, quanto è elegante Milano.

Ogni persona che incrocio indossa occhiali e borse firmati, persino gli uomini!

Per un attimo prendo in considerazione l'idea di comperare a Luke una borsa da uomo anziché una cintura. Cerco di immaginarlo mentre fa il suo ingresso in ufficio con un borsello elegante appeso al polso...

Hmm. Meglio la cintura.

All'improvviso vedo una ragazza davanti a me, con un tailleur pantalone color crema, scarpe col tacco alto e laccetti, e un casco rosa bordato di stoffa leopardata.

La osservo, invidiosa. Dio, voglio anch'io un casco come quello. Lo so che non ho una Vespa, ma potrei comunque indossare il casco, giusto? Potrebbe essere il mio look distintivo. La gente mi chiamerebbe "La ragazza col casco bordato di leopardo". Senza contare che potrebbe difendermi dai rapinatori, e quindi essere un dispositivo di sicurezza.

Potrei chiederle dove l'ha preso.

«Excusez-moi, mademoiselle!» grido, impressionata dalla mia improvvisa scioltezza. «J'adore votre chapeau!»

La ragazza mi rivolge uno sguardo vuoto, poi scompare dietro un angolo. Il che, francamente, è un comportamento alquanto scortese. Voglio dire, io mi sforzo di parlare la sua lingua e lei...

Ah. Giusto.

Okay, è un pochino imbarazzante.

Be', pazienza. Non sono qui per acquistare un casco. Sono qui per comperare un regalo per Luke. In fondo, il matrimonio è proprio questo: mettere il tuo partner al primo posto, i suoi bisogni prima dei tuoi.

E poi potrei sempre fare un salto a Milano in giornata, con l'aereo. Da Londra non ci vuole niente, giusto? E potrebbe venire anche Suze, penso, improvvisamente felice. Dio, quanto sarebbe divertente! Già ci vedo, a passeggiare per la strada a braccetto, ridendo, cariche di sacchetti griffati. Un viaggio a Milano per sole ragazze. Dobbiamo assolutamente farlo!

Arrivo a un incrocio e mi fermo per consultare la cartina. Devo esserci quasi. Il portiere ha detto che non era lontano...

Proprio in quel momento mi sorpassa una donna che porta un sacchetto di Versace. Mi irrigidisco, emozionata. Devo essere prossima alla fonte. È proprio come quando abbiamo visitato quel vulcano in Perù, e la guida continuava a indicarci i segnali secondo i quali ci stavamo avvicinando al nucleo. Se riesco a identificare qualche altro sacchetto di Versace...

Proseguo ancora un po'... ed eccone un altro! Quella donna con grandi occhiali da sole che beve un cappuccino ne ha uno, oltre a una decina col logo di Armani. Parlando con l'amica, gesticola e poi infila una mano dentro una borsa e tira fuori... tira fuori un vasetto di marmellata con sopra un'etichetta di Armani.

Fisso la scena, totalmente incredula. Marmellata di Armani? Armani fa la marmellata?

Forse a Milano ogni cosa porta l'etichetta di uno stilista. Forse Dolce & Gabbana fanno il dentifricio, e Prada la salsa di pomodoro!

Sapevo che questa città mi sarebbe piaciuta un mondo.

Riprendo a camminare, a passo più svelto, elettrizzata. Avverto nell'aria la presenza di negozi. Le borse firmate si fanno più frequenti. L'aria odora di profumi costosi. Mi sembra praticamente di sentire il tintinnio delle grucce sugli espositori e il rumore delle cerniere...

E poi, all'improvviso, eccola lì.

Una lunga strada elegante si stende davanti a me, brulicante di persone, le persone più chic sulla faccia della terra, tutte firmate, da capo a piedi. Ragazze abbronzate, che paiono modelle, in abiti di Pucci e tacchi alti gironzolano pigre in compagnia di uomini dall'aria importante in abiti immacolati. Una ragazza in jeans di Versace bianchi e rossetto rosso sta trascinando un trolley in pelle col monogramma di Louis Vuitton. Una bionda in minigonna di pelle marrone bordata di pelliccia di coniglio sta parlando a raffica in un telefonino coordinato, trascinandosi dietro un bambino vestito Gucci dalla testa ai piedi.

E... i negozi! Uno dietro l'altro.

Ferragamo. Valentino. Dior. Versace. Prada.

Mi avventuro lungo la strada, continuando a girare la testa da una parte all'altra. Mi sento stordita: è uno shock culturale. Quanto tempo è passato dall'ultima volta che ho visto un negozio che non vendesse oggetti etnici e perline di legno? Mi sento come se mi stessi ingozzando di tiramisù dopo un lungo periodo di digiuno.

Guarda quella giacca. Guarda quelle scarpe...

Non so neppure da che parte cominciare.

Non riesco a muovermi. Me ne sto lì, paralizzata, in mezzo alla strada come quell'asino che non sapeva scegliere su che prato brucare. Mi ritroveranno, fra qualche anno, ancora qui, con la carta di credito stretta nella mano.

All'improvviso mi cade l'occhio sulle cinture e i portamonete esposti nella vetrina di una boutique vicina.

Pelle. La cintura per Luke. È per questo che sei venuta qui. Concentrati.

Mi avvio a passi malfermi verso il negozio e apro la porta, ancora in trance. Vengo immediatamente colpita dal forte odore di pelle costosa. È così intenso che sembra schiarirmi le idee.

Il negozio è incredibile. Una distesa di moquette color tortora, con bacheche illuminate da luci soffuse. Portafogli, cinture, borse, giacche... mi fermo vicino a un manichino che indossa uno splendido cappotto color cioccolato, tutto di pelle e raso. Lo accarezzo, leggo l'etichetta del prezzo e quasi svengo.

Ma, ovviamente, si tratta di lire. Sorrido, sollevata. Per forza sembrava così...

Oh, no. Adesso sono euro.

Accidenti.

Deglutisco e mi allontano dal manichino.

Questo dimostra che papà aveva ragione quando diceva che la moneta unica è un errore colossale. Quando avevo tredici anni andai in vacanza a Roma con i miei, e il bello della lira era che i prezzi sembravano esorbitanti, ma in realtà non lo erano. Potevi acquistare qualcosa per migliaia e migliaia di lire e spendere soltanto tre sterline! Una cosa fantastica.

Inoltre, se per caso finivi col comperare una boccetta di profumo molto costoso, nessuno (leggi i tuoi genitori) poteva fartene una colpa perché, come diceva giustamente la mamma, chi mai sarebbe riuscito a fare mentalmente le divisioni con tutte quelle cifre?

I governanti sono dei veri guastafeste.

Mentre comincio a guardare un espositore pieno di cinture, da un camerino esce un uomo di mezza età, corpulento, che stringe un sigaro fra i denti e indossa un incredibile cappotto nero bordato di pelle. È sulla cinquantina, molto abbronzato, con capelli grigi tagliati cortissimi e penetranti occhi azzurri. L'unica cosa non troppo bella è il naso che, a essere sinceri, è un po' sproporzionato.

«Oy, Roberto» dice con voce roca.

È inglese! Ma ha un accento strano. Un misto di cockney e americano.

Un commesso in abito scuro e occhiali neri squadrati si precipita fuori dal camerino di prova, reggendo un metro a nastro.

«Sì, signor Temple?»

«Quanto cachemire c'è qui dentro?» L'uomo liscia il cappotto con aria critica e sbuffa fuori una nuvola di fumo. Vedo il commesso ritrarsi quando la nuvola lo investe in pieno viso, ma non dice una parola.

«Signore, questo è cento per cento cachemire, del migliore.»

«Il migliore?» L'uomo leva un dito in segno di ammonimento. «Non tentare di affibbiarmi un bidone. Conosci il mio motto: solo il meglio.»

Il tizio con gli occhiali neri indietreggia appena, sgomento.

«Signore, noi non le affibbieremmo mai un bidone.»

L'uomo si osserva allo specchio in silenzio per qualche secondo, poi annuisce.

«Bene. Ne prendo tre. Uno a Londra» dice, contando sulle dita tozze, «uno in Svizzera, uno a New York. Capito bene? E ora vediamo le valigette.»

Il commesso si volta a guardarmi e mi rendo conto che è del tutto evidente che stavo ascoltando.

«Salve!» dico in fretta. «Vorrei questa, per favore. Pacchetto regalo.» Sollevo la cintura che ho scelto.

«Se ne occuperà Silvia.» Fa un gesto in direzione della cassa, come per liquidarmi, e torna a rivolgere l'attenzione verso il suo cliente.

Porgo la cintura a Silvia e la osservo mentre la avvolge in una carta lucida color bronzo. Una parte di me ammira le sue dita abili, un'altra parte ascolta le parole dell'uomo corpulento, che ora sta guardando una valigetta.

«Non mi piace la pelle» dichiara. «È diversa al tatto. C'è qualcosa che non va.»

«Abbiamo cambiato fornitore, recentemente…» Il tizio con gli occhiali scuri si sta tormentando le mani. «Ma è una pelle molto bella, signor…»

Lascia la frase in sospeso mentre l'uomo si toglie il sigaro di bocca e lo guarda con espressione severa.

«Tu stai cercando di darmi un bidone, Roberto» lo apostrofa. «Io pago bene ed esigo merce di qualità. Vorrà dire che me ne farete fare una dal vecchio fornitore. Capito?»

Alza lo sguardo, mi vede e mi fa l'occhiolino.

«È il miglior posto al mondo per la pelle, questo. Ma non si faccia fregare.»

«D'accordo» rispondo, contraccambiando il sorriso. «A proposito, il cappotto mi piace.»

«Molto gentile.» Mi fa un cenno con la testa, affabile. «È un'attrice? Una modella?»

«Ehm… no. Nessuna delle due.»

«Non ha importanza» dice, agitando il sigaro.

Silvia ci interrompe. «Come desidera pagare, signorina?»

«Ah! Ecco… tenga.»

Mentre porgo la carta di credito mi sento appagata. Comperare regali per gli altri è molto più soddisfacente che acquistare qualcosa per sé. Inoltre, questa spesa mi porta al limite di utilizzo della carta di credito, quindi per oggi i miei acquisti sono terminati.

Cosa potrei fare? Dedicarmi alla cultura, magari. Andare a vedere quel famoso dipinto di cui parlava il portiere.

Sento un brusio concitato provenire dal retro del negozio, e mi volto per vedere cosa sta succedendo. Una porta a specchio si apre su un locale adibito a magazzino; una donna in tailleur nero sta uscendo, circondata da un branco di commesse zelanti. Ma cos'ha fra le mani? Perché sono tutte così…

E poi, all'improvviso, intravedo ciò che sta stringendo. Il mio cuore si ferma. Avverto un formicolio per tutto il corpo.

Non può essere.

Ma è proprio così. Fra le mani ha una Angel Bag.

3

È una Angel Bag. Una vera Angel Bag.

Credevo fossero esaurite ovunque. Credevo fossero introvabili.

La donna la posa solennemente su un piedistallo di camoscio beige, quindi fa un passo indietro per ammirarla. Nel negozio è calato il silenzio. È come se fosse arrivato un membro della famiglia reale. O una star del cinema.

Non riesco neppure a respirare. Sono paralizzata.

È splendida. Assolutamente splendida. La pelle sembra morbida come burro. L'angelo è dipinto a mano nei toni delicati dell'acquamarina. E, sotto, c'è il nome "Dante" scritto con i diamantini.

Deglutisco, cercando di riprendere il controllo, ma ho le ginocchia di gelatina e le mani tutte sudate. È persino più eccitante di quando abbiamo visto le tigri bianche in Bengala. Diciamolo: le Angel Bag sono più rare delle tigri bianche.

E ne ho una proprio qui, davanti a me.

"Potrei comperarla" è il pensiero che mi colpisce come un fulmine. *Potrei comperarla!*

«Signorina? Scusi? Mi sente?» Una voce trafigge i miei pensieri. Mi rendo conto che Silvia, alla cassa, sta cercando di attirare la mia attenzione.

«Oh» rispondo, turbata. «Sì.» Prendo la penna e faccio uno scarabocchio sulla ricevuta. «Quella... è una vera Angel Bag?»

«Certo» risponde lei con un tono fra il compiaciuto e l'annoiato, come un buttafuori che conosce personalmente i componenti del gruppo che suona nel locale e si trova a dover rispondere alle continue domande dei fan.

«Quanto...» Deglutisco. «Quanto costa?»

«Duemila euro.»

«Ah.» Annuisco.

Duemila euro. Per una borsa.

Ma se avessi una Angel Bag potrei fare a meno di acquistare vestiti nuovi. Per sempre. Chi ha bisogno di una gonna nuova quando già possiede la borsa più esclusiva di tutta la città?

Non mi interessa quanto costa. Devo averla.

«Vorrei acquistarla» dico, d'un fiato.

Sul negozio scende un silenzio allibito... poi tutti i commessi scoppiano a ridere.

«Non può» mi spiega Silvia, compassionevole. «C'è una lista d'attesa.»

Oh. Una lista d'attesa. Naturale. Che stupida.

«Desidera mettere il suo nome sulla lista?» mi chiede Silvia, restituendomi la carta di credito.

Siamo ragionevoli. Non posso iscrivermi in una lista d'attesa a Milano. Tanto per cominciare, chi passerebbe a ritirare la borsa? Dovrei chiedere che me la spedissero per corriere. Se non addirittura venire a Milano personalmente per prenderla...

«Sì. Sì, grazie» mi sento rispondere.

Mentre scrivo i miei dati mi batte forte il cuore. Sono sulla lista. Sono sulla lista d'attesa per una Angel Bag!

«Ecco fatto» dico, restituendo il foglio.

«Bene.» Silvia lo infila in un cassetto. «La chiameremo quando ce ne sarà una disponibile.»

«E... quando potrebbe essere?» domando, cercando di non sembrare troppo impaziente.

Si stringe nelle spalle. «Non glielo so dire.»

«Quante persone ci sono in lista prima di me?»

«Non glielo so dire.»

«Ah.»

Provo una leggera punta di irritazione. Insomma, è lì. La borsa è lì, a pochi metri da me... e io non posso averla.

Pazienza. Sono sulla lista. Non c'è altro che io possa fare.

Prendo il sacchetto con la cintura di Luke e mi avvio, lentamente, fermandomi davanti al piedistallo. Dio, è bella da togliere il fiato. La borsa più bella, più esclusiva al mondo. Mentre la osservo, vengo assalita dal risentimento. Voglio dire, non è colpa mia se non ho messo il mio nome sulla lista prima. Ero in giro per il mondo! Cosa avrei dovuto fare, annullare la luna di miele?

E comunque... calmati. Non ha importanza, perché il punto è che ne avrò una. Ne avrò una non appena...

Un'intuizione fulminante mi colpisce all'improvviso.

«Mi stavo chiedendo» faccio, tornando di corsa alla cassa, «lei sa per caso se tutte le persone sulla lista d'attesa vogliono realmente una Angel Bag?»

«Sono sulla lista» risponde Silvia come se fossi una ritardata.

«Sì, ma potrebbero aver cambiato idea» spiego, precipitosa nella mia eccitazione. «Oppure potrebbero averne già comperata una! E allora sarebbe il mio turno! Non capisce? Potrei avere questa borsa.»

Come può restare così indifferente? Non si rende conto quanto è importante per me?

«Contatteremo le clienti una per una» dice Silvia. «Ci faremo vivi con lei se e quando si renderà disponibile una borsa.»

«Lo posso fare io, se volete» propongo, cercando di rendermi utile. «Se mi date i numeri delle clienti.»

Silvia mi guarda per un istante, in silenzio.

«No, grazie. La chiameremo noi.»

«D'accordo» dico, delusa. «Grazie lo stesso.»

Non posso fare altro. Smetterò di pensarci e mi farò un bel giro per Milano. Giusto. Lancio un ultimo sguardo avido in direzione della borsa ed esco nella strada inondata dal sole.

Chissà se stanno già chiamando le persone sulla lista.

Smettila. Ora basta.

Non ho intenzione di farmi ossessionare da questa cosa. Non ho neppure intenzione di pensarci. Mi concentrerò su... sull'arte. Sì. Quel dipinto, o quel che è...

Mi blocco di colpo in mezzo alla strada. Le ho dato il numero dell'appartamento di Luke a Londra. Ma un po' di tempo fa non aveva parlato di cambiare compagnia telefonica?

E se avessi lasciato il numero sbagliato?

Ritorno velocemente sui miei passi ed entro di nuovo nel negozio.

«Salve! Ho pensato sia meglio che vi lasci un altro recapito, nel caso non riusciate a contattarmi.» Frugo dentro la borsa e tiro fuori un biglietto da visita di Luke. «Questo è l'ufficio di mio marito.»

«Benissimo» fa Silvia, un po' seccata.

«Solo che... ora che ci penso, se parlate con lui, sarebbe meglio che non faceste menzione della borsa.» Abbasso appena la voce. «Dite... che l'angelo è atterrato.»

«L'angelo è atterrato» ripete Silvia, prendendo nota come se facesse telefonate di questo tipo ogni giorno.

Pensandoci bene, forse è proprio così.

«Deve chiedere di Luke Brandon» spiego, porgendole il biglietto da visita. «Alla Brandon Communications. È mio marito.»

Vedo che, all'altra parte del negozio, l'uomo corpulento alza lo sguardo dai guanti di pelle che sta esaminando.

«Luke Brandon» ripete Silvia. «Benissimo.» Ripone il bigliettino e mi rivolge un ultimo cenno di assenso.

«Allora, ha già telefonato a qualcuna delle persone sulla lista?» chiedo, non riuscendo a trattenermi.

«No. Non ancora» risponde la ragazza, impassibile.

«E mi chiamerete appena avrete una risposta? Anche se è sera tardi? A me non disturba...»

«Signora Brandon» dice Silvia, esasperata, «lei è sulla lista! Dovrà aspettare il suo turno. Io non posso fare altro!»

«È così sicura?» la interrompe una voce roca. Alziamo entrambe lo sguardo. L'uomo corpulento viene verso di noi attraversando il negozio.

Lo guardo, stupita. Cosa sta facendo?

«Prego?» dice Silvia, altezzosa, e lui mi strizza l'occhio.

«Ragazza, non si lasci fregare da questa gente.» Poi si rivolge a Silvia. «Se volesse, potrebbe venderle quella borsa.» Indica la Angel Bag sul piedistallo con un gesto del pollice tozzo, e intanto tira una boccata dal sigaro.

«Signore...»

«Ho ascoltato la vostra conversazione. Se non avete ancora chiamato nessuna delle persone sulla lista d'attesa, loro non sanno che la borsa è arrivata. Non sanno neppure che esiste.» Fa una pausa densa di significato. «E qui c'è una giovane signora che desidera acquistarla.»

«Non è questo il punto, signore» ribatte Silvia con un sorriso tirato. «Esiste un rigido protocollo...»

«Voi avete potere discrezionale. Non mi dica di no. Ehi, Roberto!» chiama, all'improvviso. L'uomo con gli occhiali neri si precipita verso il suo cliente.

«Sì, signor Temple?» domanda untuoso, lanciandomi un'occhiata. «Tutto bene?»

«Se volessi questa borsa per la mia amica, qui, me la vendereste?» L'uomo sbuffa una nuvola di fumo e mi guarda, inarcando le sopracciglia. Sembra quasi che si stia divertendo.

Roberto lancia un'occhiata a Silvia, che fa un cenno del capo nella mia direzione e alza gli occhi al cielo. Capisco che Roberto sta valutando la situazione e che il suo cervello lavora in fretta.

«Signor Temple» dice, voltandosi verso l'uomo con un sorriso accattivante, «lei è un ottimo cliente. La questione sarebbe molto diversa...»

«Lo fareste?»

«Sì» ammette Roberto dopo una pausa.

«Bene. Allora?» L'uomo guarda Roberto in attesa di una risposta.

Segue un momento di silenzio. Non riesco a respirare. Non riesco a muovermi.

«Silvia» dice Roberto alla fine, «prepara la borsa per la signora.»

Oh, mio Dio. Oh, mio Dio!

«Con piacere» risponde Silvia, lanciandomi un'occhiataccia.

Mi gira la testa. Non riesco a credere che sia successo.

«Non so proprio come ringraziarla!» Sto balbettando. «È... è la cosa più bella che qualcuno abbia mai fatto per me.»

«È un piacere.» L'uomo china leggermente il capo e tende la mano. «Nathan Temple.»

La sua mano è forte, tozza, e sorprendentemente morbida.

«Becky Bloomwood» rispondo, stringendola. «Voglio dire, Brandon.»

«La voleva proprio a tutti i costi, quella borsa» osserva, inarcando le sopracciglia. «Non ho mai visto niente di simile.»

«La volevo disperatamente» ammetto con una risatina. «Le sono così grata!»

Nathan Temple fa un gesto con la mano, come per dire "non è niente", tira fuori un accendino e si accende il sigaro che si era spento. Quando riprende a tirare come si deve, l'uomo alza lo sguardo.

«Brandon... come Luke Brandon?»

«Conosce Luke?» chiedo, sorpresa. «Che coincidenza!»

«Solo di fama.» Soffia una nuvola di fumo. «Si è fatto un certo nome, suo marito.»

«Signor Temple.» Roberto arriva tutto affannato portando parecchi sacchetti e glieli porge. «Il resto verrà spedito, secondo le sue istruzioni.»

«Bravo, Roberto» fa Temple, dandogli un colpetto sulla schiena. «Ci vediamo l'anno prossimo.»

«Lasci che le offra qualcosa da bere» dico io. «O il pranzo! Qualcosa...»

«Purtroppo devo proprio andare. Ma la ringrazio per l'offerta.»

«Ma io voglio sdebitarmi per ciò che ha fatto. Le sono così grata...»

Nathan Temple solleva le mani con fare modesto.

«Chissà, magari un giorno potrà farmi un favore.»

«Qualunque cosa!» esclamo, pronta, e lui sorride.

«Si goda la sua borsa. Andiamo, Harvey.»

Un giovane biondo e magro, con un completo gessato, è comparso dal nulla. Prende i sacchetti dalle mani di Nathan Temple e i due escono dal negozio.

Mi appoggio al bancone, raggiante di gioia. Ho una Angel Bag. Ho una Angel Bag!

«Sono duemila euro» dice una voce sgarbata alle mie spalle.

Ah, già. Mi ero dimenticata di questo piccolo particolare.

Automaticamente prendo il portafoglio, poi mi blocco. Ma certo. Non ce l'ho. E con la cintura per Luke ho esaurito il limite di spesa sulla Visa... e ho solo sette euro in contanti.

Silvia stringe gli occhi di fronte alla mia esitazione.

«Se ha dei problemi per il pagamento...» dice.

«Non ho nessun problema per il pagamento» ribatto, pronta. «Mi serve solo... un minuto.»

Silvia incrocia le braccia sul petto con aria scettica, mentre io frugo nella borsa e tiro fuori l'astuccio con la cipria compatta di Mac.

«Ha un martello?» chiedo. «O qualcosa di pesante?»

Silvia mi guarda come se fossi totalmente pazza.

«Va bene qualunque cosa...» All'improvviso mi cade l'occhio su una massiccia cucitrice posata sul bancone. La prendo e comincio a picchiare con tutta la forza sul portacipria.

«Oddio!» urla Silvia.

«È tutto a posto» dico, ansimando leggermente. «Devo solo... ecco fatto!»

Il portacipria si è disintegrato. Trionfante, tiro fuori una Mastercard che era stata incollata al fondo. La mia carta "Emergenza codice rosso". Luke non può essere a conoscenza anche di questa. A meno che non abbia la vista a raggi x.

L'idea di nascondere una carta di credito all'interno di un portacipria mi è venuta leggendo un articolo su come gestire i propri soldi. Non che io abbia questo genere di problemi. Ma, in passato, mi è capitato di avere qualche piccolo momento di crisi di quando in quando.

E così l'idea mi è parsa brillante. Il punto è tenere la carta di credito in un posto realmente inaccessibile, tipo dentro un blocco di ghiaccio o cucita nella fodera di una borsa, in modo da avere il tempo per riflettere bene prima di fare un acquisto. A quanto pare, basta questo semplice accorgimento per tagliare del novanta per cento le spese superflue.

E funziona davvero! L'unico difetto è che devo continuare a comperare portacipria, e la cosa sta diventando un po' onerosa.

«Ecco qua!» dico, porgendo la carta di credito a Silvia. Lei mi sbircia come se fossi una pazza pericolosa e la passa con circospezione nel terminale. Un minuto dopo sto apponendo la mia firma sulla ricevuta. La spingo verso Silvia e lei la ripone in un cassetto.

Segue un attimo di pausa. Sto per esplodere per l'impazienza.

«Allora... posso averla?» dico.

«Eccola» risponde lei, sgarbata, e mi porge il sacchetto color crema.

Come le mie mani si stringono intorno alle maniglie di cordoncino, provo un moto di gioia pura e incontaminata.

È mia.

Tornando in albergo, quella sera, mi sento come se fossi sospesa a mezz'aria. Questo è stato uno dei giorni più belli della mia vita. Ho passato tutto il pomeriggio ad andare su e giù per via Montenapoleone con la mia Angel Bag in bella mostra... e tutti la guardavano. Anzi, non si limitavano a guardarla... la ammiravano. Era come se fossi improvvisamente diventata una celebrità.

Almeno una ventina di persone mi ha fermata per chiedermi dove l'avessi presa, e una donna con gli occhiali scuri, che doveva essere un'attrice, ha mandato il suo autista a offrirmi tremila euro perché gliela vendessi. E, cosa migliore di tutte, ho continuato a sentire la gente che diceva: "La ragazza con la Angel Bag!". È così che mi chiamano.

Scivolo beata attraverso le porte girevoli ed entro nell'atrio. Vedo Luke fermo al bancone della reception.

«Eccoti qui!» esclama, sollevato. «Cominciavo a preoccuparmi! Il nostro taxi è arrivato.» Mi spinge verso una vettura che sta aspettando e chiude la portiera sbattendola. «All'aeroporto di Linate» ordina all'autista, che parte immediatamente immettendosi nel traffico a tutta velocità, accolto da un coro di clacson.

«Allora, com'è andata la tua giornata?» dico, cercando di non essere sbalzata quando per poco non veniamo speronati da un altro taxi. «Com'è andata la riunione?»

«Bene. Se riusciamo a prendere il Gruppo Arcodas fra i nostri clienti, sarà un'ottima cosa. In questo momento si stanno espandendo moltissimo.»

«Quindi... pensi che ce la farete?»

«Andranno corteggiati. Quando torniamo, devo cominciare subito a preparare una bella presentazione. Ma sono fiducioso. Decisamente fiducioso.»

«Bravo! E i tuoi capelli andavano bene?»

«Andavano benissimo» risponde con un sorriso ironico. «A dire il vero... me li hanno ammirati tutti.»

«Visto? Lo sapevo!» ribatto, felice.

«E la tua giornata, com'è stata?» chiede Luke, mentre prendiamo una curva a centocinquanta all'ora.

«Fantastica! Assolutamente perfetta. Adoro Milano.»

«Davvero?» Luke pare incuriosito. «Anche senza questo?» Infila una mano in tasca e tira fuori il mio portafoglio.

Dio, me n'ero totalmente dimenticata.

«Anche senza il portafoglio!» esclamo ridendo. «Sono comunque riuscita a comperarti una cosina.»

Gli porgo il pacchetto fasciato nella carta color bronzo e osservo eccitata Luke che tira fuori la cintura.

«Becky, è bellissima!» dice. «Assolutamente...» Lascia la frase in sospeso, e rigira la cintura fra le mani.

«È per rimpiazzare quella che ho rovinato con la ceretta, te lo ricordi?»

«Me lo ricordo.» Sembra davvero commosso. «E questo è tutto ciò che hai comperato a Milano? Un regalo per me?»

«Ehm...»

Mi stringo nelle spalle e mi schiarisco la voce, prendendo tempo.

Okay. Cosa faccio?

I matrimoni si basano sull'onestà e sulla sincerità. Se non gli dico della Angel Bag, tradisco la sua fiducia.

Ma se glielo dico... sarò costretta a spiegargli della mia carta "Emergenza codice rosso". E non sono sicura che sia poi questa splendida idea.

Non voglio rovinare gli ultimi preziosi momenti della nostra luna di miele con una stupida discussione.

Ma noi siamo sposati, penso, assalita dall'emozione. Siamo marito e moglie! Non dovrebbero esserci segreti fra noi! Okay, glielo dirò. Adesso.

«Luke...»

«Aspetta» mi interrompe lui, con voce roca. «Becky, voglio chiederti scusa.»

«Cosa?» Lo guardo, allibita.

«Hai detto che eri cambiata. Hai detto che eri maturata. E... è vero.» Allarga le mani. «A essere sincero, mi aspettavo che rientrassi in albergo dopo aver fatto qualche acquisto folle.»

Oh, Dio.

«Ehm, Luke...» arrischio.

«Mi vergogno di me stesso» prosegue lui, aggrottando la fronte. «La prima volta che visiti la capitale mondiale della moda... e tutto quello che hai comperato è un regalo per me. Becky, sono davvero commosso.» Fa un sospiro profondo. «Chandra aveva ragione. Hai uno spirito radioso.»

Segue un momento di silenzio. Il momento per dirgli la verità.

Ma come? Come?

Come posso confessare che non ho uno spirito radioso, ma solo uno schifosissimo, normalissimo spirito?

«Be'...» faccio, e deglutisco più volte. «Sai... è solo una cintura!»

«Per me non è solo quello» ribatte con aria grave. «È un simbolo.» Mi stringe forte la mano e poi sorride. «Scusa... cosa volevi dirmi?»

Potrei ancora confessare.

Potrei ancora farlo.

«Ehm... be'... volevo dirti... che la fibbia si può regolare.» Gli rivolgo un sorriso incerto e poi mi volto dall'altra parte, fingendomi incantata dalla vista fuori dal finestrino.

D'accordo. Non gli ho detto la verità.

Ma, a mia parziale discolpa, se lui mi fosse stato a sentire, quando gli ho letto l'articolo su "Vogue", se ne sarebbe reso conto da solo. Voglio dire, non è che l'abbia nascosta. Me ne vado in giro con appeso al braccio lo status symbol più desiderato al mondo, e lui neppure se ne accorge!

E comunque, questa è assolutamente l'ultima volta che mento a lui. Da questo momento in poi basta bugie, innocue o non. Il nostro sarà un matrimonio perfetto, basato sull'onestà e sulla verità. Sì. Tutti ammireranno i nostri modi affettuosi e gentili, e la gente ci chiamerà "La coppia che...".

«Aeroporto di Linate!» La voce dell'autista interrompe i miei pensieri. Mi volto verso Luke con un improvviso fremito di apprensione.

«Eccoci qui» dice lui, incrociando il mio sguardo. «Vuoi ancora andare a casa?»

«Ma certo!» rispondo, senza esitazione, ignorando la leggera stretta allo stomaco.

Scendo dal taxi e mi sgranchisco le gambe. Ovunque passeggeri che spingono carrelli carichi. Un aereo sta decollando con un rombo di tuono quasi sopra la mia testa.

Dio, sta succedendo davvero. Fra poche ore saremo a Londra, dopo tutti questi mesi di lontananza.

«A proposito» dice Luke, «questo pomeriggio c'era un messaggio di tua madre sul cellulare. Voleva sapere se siamo ancora in Sri Lanka o se siamo già andati in Malaysia.»

Solleva un sopracciglio con espressione comica, e io sento una risata sgorgare dentro di me. Sarà un bello shock per tutti! Saranno davvero sorpresi di vederci!

D'un tratto provo una grande eccitazione. È proprio vero! Stiamo tornando a casa!

51

4

Oh, mio Dio. È fatta. Siamo di nuovo sul suolo britannico.

O, per lo meno, sull'asfalto britannico. Abbiamo passato la notte in un albergo, e ora stiamo viaggiando per le strade del Surrey a bordo di un'auto presa a noleggio, pronti a fare una sorpresa a mamma e papà. Fra due minuti arriveremo a casa loro.

Quasi non riesco a stare ferma per l'eccitazione. Continuo a picchiare il ginocchio contro la maschera tribale sudamericana. Mi sembra già di vedere la faccia di mamma e papà quando ci vedranno! Il volto della mamma si illuminerà, papà sarà prima sorpreso, poi sorriderà... e correremo gli uni verso gli altri attraverso nuvole di fumo...

A dire il vero, non ci saranno nuvole di fumo. Stavo pensando a *Quella fantastica, pazza ferrovia*, ma sarà comunque bellissimo. Il più fantastico ricongiungimento della storia!

A essere sinceri, dev'essere stata un po' dura per i miei genitori stare senza di me. Sono la loro unica figlia e non siamo mai stati lontani per un periodo così lungo. Dieci mesi filati, quasi senza alcun contatto.

Il mio ritorno a casa li farà felici, lo so.

Ora siamo a Oxshott, la mia città natale, e, attraversando le vie familiari, osservo le case e i giardini che conosco da quando ero bambina. Oltrepassiamo la piccola fila di negozi e tutto sembra esattamente uguale. Quando ci fermiamo al semaforo, il giornalaio all'angolo alza gli occhi e ci fa un cenno con la mano, come se fosse una giornata come le altre. Non pare affatto stupito di vedermi.

"Ma non capisci?" vorrei urlargli. "Sono stata via per quasi un anno! Ho visto il mondo!"

Svoltiamo in Mayfield Avenue e, per la prima volta, provo una impercettibile fitta di nervosismo.

«Luke, pensi che avremmo dovuto telefonare?»

«Ormai è troppo tardi» risponde lui, calmo, e mette la freccia a sinistra.

Siamo quasi arrivati. Oh, Dio, comincio davvero a sentirmi nervosa.

«E se fossero così scioccati nel vederci da farsi venire un colpo?» dico, colta da un panico improvviso.

«Sono sicuro che staranno benissimo» risponde Luke ridendo. «Non ti preoccupare.»

Ora siamo in Elton Road, la strada in cui abitano i miei. Ci stiamo avvicinando alla loro casa. Siamo arrivati.

Luke entra nel vialetto e spegne il motore. Per un attimo nessuno dei due si muove.

«Pronta?» mi chiede, rompendo il silenzio.

«Credo di sì» rispondo, con voce stridula.

Leggermente a disagio, scendo dall'auto e sbatto la portiera. È una giornata serena e soleggiata, e la strada è silenziosa, a parte il cinguettio degli uccelli e il rumore lontano di un tosaerba.

Vado alla porta d'ingresso, esito un istante e guardo Luke. Questo è un momento importante. Improvvisamente eccitata, sollevo la mano e premo con decisione il campanello.

Non accade nulla.

Aspetto un po', poi suono di nuovo. Silenzio.

Non sono in casa.

Com'è possibile?

Fisso la porta d'ingresso, indignata. Dove diavolo sono finiti i miei genitori? Non si rendono conto che la loro unica, adorata figlia è tornata da un viaggio intorno al mondo?

«Potremmo andare a berci un caffè e tornare più tardi» suggerisce Luke.

«Va bene» acconsento, cercando di nascondere la delusione.

Questo imprevisto ha mandato all'aria il mio piano. Ero pronta per uno splendido e commovente ricongiungimento, non per una schifosissima tazza di caffè.

Sconsolata, percorro il sentiero e mi appoggio al cancello di ferro battuto. Armeggio con il chiavistello rotto che papà deve aggiustare ormai da vent'anni, e guardo le rose che i miei genitori hanno piantato l'anno scorso per il nostro matrimonio. Dio, è quasi un anno che siamo sposati. A pensarci mi fa uno strano effetto.

D'un tratto sento un rumore di voci in lontananza lungo la strada. Allungo il collo per guardare. Un paio di persone hanno appena svoltato l'angolo. Mi allungo ancora di più… e provo una scossa.

Sono loro! Mamma e papà! Stanno venendo lungo la strada. La mamma indossa un abito a fiori, papà una camicia rosa con le maniche corte, e tutti e due sembrano abbronzati e in ottima forma.

«Mamma!» grido, e la mia voce echeggia nella strada. «Papà!» Spalanco le braccia. «*Siamo tornati!*»

Mamma e papà alzano lo sguardo e si immobilizzano, entrambi. Ora mi rendo conto che c'è qualcun altro con loro. Una donna. O una ragazza. Sono accecata dal sole e non riesco a vedere bene.

«Mamma!» grido di nuovo. «Papà!»

Strano. Non si muovono. Devono essere scioccati dalla mia apparizione. Forse pensano che sia un fantasma.

«Sono tornata!» urlo. «Sono io! Becky! Sorpresa!»

Segue una pausa incomprensibile.

Poi, con mio enorme stupore, mamma e papà cominciano ad arretrare.

Cosa… cosa stanno facendo?

Li guardo, allibita.

È un po' come un ricongiungimento, però al contrario. Dovrebbero correre *verso* di me.

Scompaiono dietro l'angolo. La strada è deserta, silenziosa. Per qualche istante resto troppo confusa per dire qualcosa.

«Luke, quelli non erano mamma e papà?» chiedo, alla fine.

«Mi pare di sì.» Anche Luke è perplesso.

«E si sono davvero… allontanati da me?»

Non posso fare a meno di sentirmi ferita. I miei genitori che fuggono da me come se avessi la peste bubbonica.

«No!» dice Luke. «Certo che no. Probabilmente non ti hanno visto. Guarda!» Indica l'angolo della strada. «Guarda, ec-coli là.»

E infatti sono ricomparsi da dietro l'angolo, questa volta so-li. Muovono qualche passo, poi papà afferra la mamma per un braccio con gesto melodrammatico e indica verso di me. «Guarda!» dice. «È Becky!»

«Becky!» esclama la mamma con voce innaturale. «Non può essere vero!»

Parla proprio come in quella rappresentazione teatrale di Agatha Christie in cui faceva la parte della donna che scopre il cadavere.

«Becky! Luke!» grida papà.

Ora stanno correndo verso di noi per davvero. Provo una grande emozione.

«Mamma! Papà! Siamo tornati!»

Mi precipito verso di loro, allungando le braccia. Atterro fra le braccia di papà, e un attimo dopo a noi si unisce anche la mamma, in un grande, unico abbraccio.

«Sei a casa!» esclama papà. «Bentornata, tesoro!»

«Va tutto bene?» chiede la mamma, guardandomi con espressione preoccupata. «State bene?»

«Stiamo benissimo. Abbiamo semplicemente deciso di tor-nare. Volevamo rivedervi!» Abbraccio forte la mamma. «Sape-vo che vi saremmo mancati!»

Ci avviamo verso casa. Papà stringe la mano a Luke, la mamma lo avvolge in un caloroso abbraccio.

«Non posso crederci» dice, guardando ora me ora Luke. «Non posso crederci. Luke, che capelli! Sono così lunghi!»

«Lo so» fa lui, rivolgendomi un sorriso. «Dovrò tagliarli prima di tornare al lavoro.»

Mi sento troppo felice per mettermi a fare storie. È proprio come me lo immaginavo. Tutti insieme, felici.

«Entrate a bere una tazza di caffè» dice la mamma, tirando fuori le chiavi.

«Non vogliamo caffè!» esclama pronto papà. «Vogliamo champagne. È un momento da festeggiare!»

«Forse non hanno voglia di champagne» ribatte la mamma. «Magari soffrono ancora per il jet lag. Sei stanca, tesoro? Desi-deri sdraiarti?»

«Sto benissimo!» D'impulso, stringo la mamma con il braccio libero. «Sono solo felice di vedervi.»

«Anche noi siamo felici di vederti, tesoro!» Contraccambia l'abbraccio, e io inspiro l'aroma familiare di Tweed, il profumo che usa da che ho memoria.

«È un sollievo sentirtelo dire. Perché, per un attimo, mi è parso quasi che voi...» Mi interrompo, imbarazzata.

«Che noi cosa, tesoro?»

«Be', mi è parso quasi che voi voleste allontanarvi da me!» Faccio una risatina, per sottolineare quanto sia ridicola l'idea.

C'è una pausa... vedo che mamma e papà si scambiano un'occhiata.

«A papà erano caduti gli occhiali» dice la mamma, tutta allegra. «Non è vero, caro?»

«Proprio così» conferma papà con convinzione. «Mi erano caduti gli occhiali.»

«Siamo dovuti tornare indietro a raccoglierli» spiega la mamma. Mi guardano tutti e due con un'espressione attenta.

Cosa sta succedendo? Mi stanno forse nascondendo qualcosa?

«È Becky, questa che sento?» Una voce stridula irrompe nell'aria. Mi volto e vedo Janice, la nostra vicina, che sbircia oltre la staccionata. Indossa un abito rosa a fiori con un ombretto della stessa tonalità, e si è tinta i capelli di uno strano colore ramato. «Becky!» esclama, unendo le mani e premendosele contro il petto con aria estasiata. «Sei proprio tu!»

«Ciao, Janice» faccio, con un sorriso. «Siamo tornati.»

«Stai benissimo!» esclama. «Non è vero che stanno bene? Così abbronzati!»

«Be', succede, quando si viaggia» osservo con naturalezza.

«E Luke! Mi sembri Crocodile Dundee!» Janice ci osserva con evidente ammirazione, e io non posso fare a meno di sentirmi gratificata.

«Entriamo» dice la mamma, «così ci racconti tutto.»

Questo è ciò che ho immaginato tante volte. Seduta con amici e familiari a raccontare le nostre avventure in giro per il mondo. Una vecchia cartina spiegazzata aperta sul tavolo, e io che descrivo albe sulle montagne e osservo i loro visi avidi, fra i sospiri di ammirazione.

Ma, adesso che il momento è finalmente arrivato, non è esattamente come me l'ero immaginato.

«Allora, dov'è che siete andati?» chiede Janice appena ci sediamo al tavolo di cucina.

«Dappertutto!» rispondo, compiaciuta. «Nomina un posto e noi ci siamo stati.»

«Ooh! Siete stati a Tenerife?»

«Ehm… no.»

«E a Maiorca?»

«Ehm… no» ripeto, con una fitta di fastidio. «Siamo stati in Africa, Sudamerica, India…» Allargo le braccia. «Dappertutto.»

«Dio!» dice Janice, spalancando gli occhi. «Faceva caldo in Africa?»

«Parecchio caldo» confermo, con un sorriso.

«Io non lo sopporto, il caldo» osserva Janice scuotendo la testa. «Non l'ho mai sopportato. Nemmeno in Florida.» Improvvisamente il suo sguardo si illumina. «Siete andati a Disneyland?»

«Ehm… no.»

«Oh, be'» fa lei, con espressione comprensiva. «Pazienza. Magari la prossima volta.»

La prossima volta? La prossima volta che passiamo dieci mesi in giro per il mondo?

«Comunque, sembra sia stata proprio una bella vacanza» aggiunge, a mo' di incoraggiamento.

"Non è stata una vacanza!" Vorrei urlare. "È stata un'esperienza di vita. Insomma!" Scommetto che quando Cristoforo Colombo è tornato dalle Americhe ed è sceso dalla nave, la gente non gli ha chiesto se era stato a Disneyland.

Lancio un'occhiata ai miei genitori, ma loro non stanno neppure ascoltando. Sono in piedi accanto al lavello e la mamma sta mormorando qualcosa all'orecchio di papà.

Questo non mi piace. Sono sicura che sta succedendo qualcosa. Guardo Luke e vedo che anche lui li sta osservando.

«Vi abbiamo portato dei regali!» esclamo a voce alta, prendendo la borsa. «Mamma, papà! Guardate!»

Con una certa difficoltà, tiro fuori la maschera sudamericana e la porgo alla mamma. Ha la forma di un muso di cane, con grossi denti ed enormi occhi rotondi, e devo dire che fa una certa impressione.

«L'ho comperata in Paraguay!» aggiungo con un moto d'orgoglio.

Mi sento una vera esploratrice: in fondo ho portato un raro manufatto indigeno del Sudamerica a Oxshott. Voglio dire, quante persone in Inghilterra hanno mai visto una di queste? Chissà, magari un museo me la chiederà in prestito per una mostra, o qualcosa del genere.

«Oh, buon Dio!» esclama la mamma, rigirandola fra le mani con fare nervoso. «Che cos'è?»

«È una maschera rituale fatta dalla tribù dei Chiriguano, giusto?» risponde Janice.

«Tu sei stata in Paraguay, Janice?» chiedo, sorpresa.

«Oh, no, cara» risponde lei, bevendo un sorso di caffè. «Le ho viste da John Lewis.»

Per un attimo resto senza parole.

«Le hai viste da John Lewis?» chiedo, alla fine.

«A Kingston. Nel reparto oggetti da regalo. Oggigiorno trovi qualunque cosa, da John Lewis» aggiunge con un sorriso.

«E a prezzi sempre inferiori rispetto alla concorrenza» fa eco la mamma.

Non ci posso credere. Mi sono trascinata dietro questa maschera intorno al globo per circa diecimila chilometri. Doveva essere un oggetto raro, esotico. E invece le vendono da John Lewis.

La mamma vede la mia espressione.

«Ma la tua è autentica, tesoro!» si affretta a farmi notare. «La metteremo sulla mensola del caminetto accanto al trofeo di golf di papà.»

«Okay» faccio io, un po' depressa. Alzo lo sguardo verso papà e vedo che continua a guardare fuori della finestra, senza ascoltare una parola di quello che stiamo dicendo. Sarà meglio che il suo regalo glielo dia più tardi.

«Allora, cos'è successo qui?» chiedo, prendendo una tazza di caffè dalle mani della mamma. «Come sta Martin? E Tom?»

«Stanno tutti e due bene, grazie» risponde Janice. «Tom sta con noi per un po'.»

«Ah» faccio io, annuendo.

Tom è il figlio di Janice e Martin e ha avuto un matrimonio disastroso. Lucy, la moglie, lo ha lasciato. Sostanzialmente perché lui non voleva farsi fare un tatuaggio uguale al suo.

«Hanno venduto la casa» mi spiega Janice con aria malinconica. «A dire il vero hanno ricavato una bella somma.»

«E lui sta bene?»

Mamma e papà si scambiano un'occhiata.

«Si è gettato a capofitto nei suoi hobby» risponde Janice, alla fine. «Si tiene occupato. Ora si interessa di falegnameria. Ha fatto ogni genere di cose per noi!» A dire il vero mi sembra un po' tormentata. «Tre panche da giardino... due tavoli... e ora sta lavorando a un capanno a due piani!»

«Accidenti! È fantastico!»

D'un tratto il timer del forno prende a suonare. Alzo lo sguardo, sorpresa. La mamma si è data alla cucina durante la mia assenza?

«Stai cuocendo qualcosa?» chiedo, cercando di vedere dentro il forno che, però, sembra spento.

«No!» risponde la mamma con una risata squillante. «È solo per ricordarmi di controllare eBay.»

«Controllare eBay?» Cosa può saperne la mamma di eBay? Lei non sa niente di computer. Due anni fa, a Natale, le ho suggerito di regalare un nuovo tappetino per il mouse a Luke e lei è andata in un negozio per animali.

«Ma sì che lo sai, tesoro! Shopping su Internet. Ho fatto un'offerta per un wok di Ken Hom, un paio di candelieri...» Estrae un'agendina con la copertina a fiori dalla tasca e la consulta. «Ah, sì... e un paio di forbici per potare la siepe, per papà. Usate solo una volta!»

«Sì, eBay è meraviglioso» aggiunge Janice. «È così divertente. L'hai mai usato, Becky?»

«Be'... no.»

«Oh, ti piacerebbe moltissimo» dice la mamma, pronta. «Anche se ieri sera non sono riuscita a collegarmi per controllare i miei piatti di Portmeirion. Non so proprio cosa ci sia che non va» aggiunge, facendo schioccare la lingua.

«Probabilmente i server erano intasati» le spiega Janice con l'aria di chi sa. «È tutta la settimana che ho dei problemi col collegamento. Vuoi un biscotto, Becky?»

Davvero non capisco. La mamma su eBay? Ora mi dirà che è al livello sei di Tomb Raider.

«Ma se non hai neppure un computer» dico. «Tu odi la tecnologia moderna.»

«Ora non più, tesoro. Janice e io abbiamo fatto un corso. Siamo passate alla banda larga.» Mi rivolge uno sguardo serio. «Lascia che ti dia un consiglio, Becky. Se pensi seriamente di passare alla banda larga, installati un firewall decente.»

No, no, no. È tutto sbagliato. I genitori non dovrebbero sapere più dei figli a proposito di computer. Annuisco distrattamente e bevo un sorso di caffè, cercando di non far capire che non ho la minima idea di che cosa sia un firewall.

«Jane, mancano dieci minuti a mezzogiorno» dice cauta Janice. «Se hai intenzione di…»

«No, non penso proprio. Vai tu.»

«Cosa c'è?» Rivolgo lo sguardo dall'una all'altra. «C'è qualche problema?»

«Certo che no!» risponde la mamma, posando la tazza. «È solo che oggi eravamo invitati al party dei Marshall con Janice e Martin. Ma non ti preoccupare. Ci scuseremo.»

«Non essere sciocca! Dovete andarci. Non vogliamo sconvolgervi la giornata.»

Segue un momento di silenzio.

«Ne sei proprio sicura?» fa la mamma.

Mi sento ferita. Non avrebbe dovuto dire così. Avrebbe dovuto dire: "Come potrebbe la mia adorata figliola sconvolgermi la giornata?".

«Ma certo!» rispondo, con tono un po' troppo allegro. «Voi andate pure al vostro party, e dopo faremo una bella chiacchierata.»

«Allora d'accordo» conviene la mamma. «Se sei proprio sicura.»

«Io faccio un salto a casa a prepararmi» dice Janice. «Sono felice che tu sia tornata, Becky.»

Mentre lei esce, guardo papà che sta ancora fissando fuori dalla finestra con aria pensierosa.

«Ti senti bene, papà? Sei così silenzioso…»

«Scusa» fa lui, voltandosi e rivolgendomi un breve sorriso. «Sono solo un po' svagato. Pensavo a… a una partita di golf che ho la prossima settimana. Molto importante.» Mima un colpo lento e preciso.

«Ah, certo.» Sto cercando di sembrare gioiosa, ma dentro di me mi sento sempre più turbata. Non sta realmente pensando al golf. Perché è così assorto?

Cosa sta succedendo?

D'un tratto mi viene in mente la donna sul marciapiede. Quella che ho visto prima che i miei cominciassero la loro ritirata strategica.

«Chi era la persona che ho visto insieme a voi, poco fa?» chiedo, con disinvoltura. «Quella donna...»

È come se avessi esploso un colpo di pistola. Mamma e papà sono entrambi paralizzati. Vedo che si scambiano occhiate frenetiche, e poi guardano me. Sembrano totalmente in preda al panico.

«Donna?» dice la mamma. «Io non…» Si volta verso papà. «Tu hai visto una donna, Graham?»

«Forse Becky si riferisce a… a quella passante» azzarda lui con voce incerta.

«Giusto!» esclama la mamma, di nuovo con quel suo tono teatrale. «C'era una donna che camminava in strada. Una che non conosco. Probabilmente è lei che hai visto, tesoro.»

«Già. Sarà così.»

Mi sforzo di sorridere, ma dentro di me sto male. Mamma e papà mi stanno mentendo?

«Be', andate pure al vostro party!» dico. «E divertitevi.»

Come sento chiudersi la porta d'ingresso, mi viene voglia di mettermi a piangere. Ho tanto aspettato questo giorno, ma ora quasi vorrei non essere tornata. Nessuno sembra particolarmente eccitato di vederci. Il mio tesoro raro ed esotico non è poi così esotico, e tanto meno raro. E cosa sta succedendo a mamma e papà? Perché si comportano in maniera così strana?

«Vuoi un'altra tazza di caffè?» chiede Luke.

«No, grazie.»

Abbattuta, striscio il piede sul pavimento.

«Ti senti bene, Becky?»

«No» ammetto con un filo di voce, dopo un attimo di pausa. «Per niente. Tornare a casa non è come pensavo.»

«Vieni qui.» Luke mi tende le braccia e io mi rannicchio contro il suo petto. «Cosa ti aspettavi? Che mollassero tutto e facessero una festa?»

«No! Certo che no!» Resto in silenzio. Alzo la testa e incontro lo sguardo di Luke. «Be'… magari. Qualcosa del genere. Siamo stati via tutto questo tempo ed è come se… come se avessimo fatto un salto al negozio in fondo alla strada!»

«Be', questo è il rischio, con le sorprese» osserva lui, con la voce del buon senso. «Non ci aspettavano per altri due mesi. Non c'è da meravigliarsi che siano un po' sconcertati.»

«Lo so. Ma non è solo questo.» Faccio un respiro profondo. «Luke, non ti sembra che mamma e papà stiano nascondendo qualcosa?»

«Sì.»

«*Sì?*»

Sono allibita. Mi aspettavo che dicesse: "Becky, come al solito lavori troppo d'immaginazione", come succede sempre.

«Di sicuro qualcosa c'è.» Luke fa una pausa. «E io credo di sapere cosa può essere.»

Lo guardo, impaziente.

«Quella donna che era con loro. Quella di cui non ci vogliono dire. Secondo me è un'agente immobiliare. Credo che stiano pensando di cambiare casa.»

«Cambiare casa?» ripeto, sgomenta. «E perché mai dovrebbero? Questa casa è bellissima! È perfetta!»

«È un po' grande per loro, ora che tu te ne sei andata.»

«Ma perché non dirmelo?» Il tono della mia voce si alza per l'angoscia. «Sono loro figlia! Sono la loro unica figlia! Dovrebbero confidarsi con me!»

«Forse pensavano che ti saresti arrabbiata» suggerisce Luke.

«Io non mi sarei arrabbiata!» esclamo, indignata.

D'un tratto mi rendo conto che *sono* arrabbiata.

«Be', d'accordo. Forse sì. Comunque non riesco a credere che me lo terrebbero nascosto!»

Mi sciolgo dall'abbraccio di Luke e vado alla finestra. Non

sopporto l'idea che mamma e papà vendano questa casa. Il mio sguardo si posa sul giardino e provo un'improvvisa nostalgia. Non possono abbandonare il nostro giardino. Non possono. Non dopo tutti gli sforzi di papà per far crescere quelle begonie.

All'improvviso la mia attenzione è catturata da Tom Webster nel giardino accanto. Indossa un paio di jeans e una T-shirt con su scritto: "Mia moglie mi ha lasciato e a me è rimasta solo questa schifosissima maglietta". Sta cercando di spostare la più grossa asse di legno che io abbia mai visto.

Accidenti. Ha un'aria davvero feroce.

«Potrebbe non trattarsi di questo» fa Luke alle mie spalle. «Potrei sbagliarmi.»

«Non ti sbagli» dico, e mi volto verso di lui. «Cos'altro potrebbe essere?»

«Be'... non pensarci. Su, domani c'è il battesimo. Vedrai Suze!»

«Sì. È vero.» Mi sento già meglio.

Luke ha ragione. Forse la giornata di oggi non è andata proprio secondo i piani, ma domani sarà fantastico. Mi ricongiungerò con Suze, la mia migliore amica. Non vedo l'ora.

5

Il battesimo dei gemelli si tiene dai genitori di Suze, nello Hampshire; è lì che vivono provvisoriamente Suze e Tarquin mentre l'ala est del castello di Tarquin in Scozia viene ristrutturata. Avrebbero potuto usare la casa nel Pembrokeshire, ma al momento è occupata da certi lontani cugini, mentre quella nel Sussex è utilizzata come set per un film su Jane Austen.

Con la famiglia di Suze è così: nessuno di loro possiede una casa soltanto, ma d'altro canto nessuno ha una vasca con l'idromassaggio.

Quando imbocchiamo il vialetto di ghiaia non sto più nella pelle per l'eccitazione.

«Fa' presto!» dico, mentre Luke fa manovra per parcheggiare. Non ha ancora spento il motore e io sono già saltata giù dalla macchina e sto correndo verso la casa. Non vedo l'ora di incontrare Suze!

Il pesante portone d'ingresso è socchiuso e lo apro con cautela. All'interno, lo sterminato atrio è addobbato con splendide composizioni di gigli. Due camerieri mi passano davanti a grandi passi portando vassoi carichi di bicchieri di champagne. Sulla poltrona antica accanto al camino è posata una vecchia sella. Qui non è cambiato niente.

I camerieri scompaiono lungo un corridoio, e io resto sola. Muovo qualche passo sul pavimento di pietra e mi sento improvvisamente nervosa. E se anche Suze prendesse le distanze da me, come i miei genitori? E se anche lei fosse diventata strana?

E poi la vedo, attraverso una porta aperta. È in piedi in

mezzo al salotto, i capelli biondi raccolti in uno chignon, e indossa uno splendido abito in tessuto stampato. Tiene fra le braccia un bambino piccolo, vestito con un lungo abitino da battesimo. Dev'essere uno dei gemelli.

Al suo fianco c'è Tarquin, con un secondo bimbo in braccio, anche quello avvolto in una veste da battesimo. Tarquin indossa un vecchio abito fuori moda, ma sta benissimo. Non ha più quell'aria da... furetto che aveva da ragazzo. Chissà, forse invecchiando continuerà a migliorare, e quando arriverà a cinquant'anni diventerà irresistibilmente sexy!

Un bimbetto biondo gli sta aggrappato alla gamba. Mentre li osservo, Tarquin scosta dolcemente le dita del bimbo.

«Ernie» lo riprende, con tono paziente.

Ernie? Provo uno shock fortissimo. Quello è Ernest, il mio figlioccio? Ma l'ultima volta che l'ho visto era piccolissimo!

«Wilfie sembra una bambina» sta dicendo Suze a Tarquin, corrugando la fronte con quell'espressione tipicamente sua, «e Clementine un maschio!»

«Tesoro, sembrano esattamente bambini in abito da battesimo» risponde Tarquin.

«E se fossero tutti e due gay?» ribatte Suze, guardando il marito con espressione preoccupata. «E se i loro ormoni si fossero mischiati mentre stavano nella pancia?»

«Sono a posto!»

Provo un'assurda timidezza, lì ferma sulla porta. Non voglio interromperli. Sembrano una famiglia. *Sono* una famiglia.

«Che ore saranno?» Suze cerca di guardare l'orologio, ma ora Ernie si è aggrappato al suo polso e tenta di saltarle in braccio. «Ernie, tesoro, devo darmi il rossetto! Lascia stare la mamma... Potresti tenerlo un secondo tu, Tarkie?»

«Aspetta che metto giù Clementine...» Tarquin si guarda attorno come se nella stanza potesse magicamente comparire una culla.

«La prendo io, se vuoi» dico, con voce un po' nervosa.

Silenzio. Suze si volta di scatto.

«Bex?» Mi vede e spalanca gli occhi. «Bex?»

«Siamo tornati!» faccio, con una risatina tremula. «Sorpresa!»

«Oh, mio Dio! Oh, mio Dio!»

Suze porge il bimbo a Tarquin, il quale, dando prova di notevole perizia, compie un gioco di destrezza con i due neonati. Corre verso di me e mi getta le braccia al collo.

«Bex! La signora Brandon!»

«La signora Cleath-Stuart!» ribatto, con gli occhi umidi. Sapevo che Suze non era cambiata. *Lo sapevo.*

«Non riesco a credere che tu sia tornata!» Suze è raggiante. «Raccontami della tua luna di miele. Voglio sapere tutto quello...» Si interrompe bruscamente, fissando la mia borsa. «Oh, mio Dio» esclama quasi senza fiato. «È una vera Angel Bag?»

Ah! Visto? La gente che sa, la riconosce.

«Certo.» La faccio dondolare con noncuranza. «Un piccolo souvenir di Milano.» E poi aggiungo, abbassando la voce: «Ma sarebbe meglio non parlarne di fronte a Luke. Lui non ne sa nulla».

«Bex!» esclama Suze, fra il divertito e lo scandalizzato. «Ma è tuo marito!»

«Appunto.» Incrocia il mio sguardo e tutte e due scoppiamo a ridere.

Dio, è proprio come ai vecchi tempi.

«Allora, com'è la vita da sposata?» chiede Suze.

«Perfetta» rispondo con un sospiro felice. «Assolutamente meravigliosa. Be', lo sai com'è in luna di miele.»

«Io in luna di miele ero incinta» osserva lei, quasi con rammarico. Allunga una mano e sfiora la mia borsa, ammirata. «Non sapevo neppure che saresti andata a Milano! Dove altro siete stati?»

«Dappertutto! Abbiamo fatto il giro del mondo.»

«Siete stati all'antico tempio di Mahakala?» dice una voce tonante dalla porta. Mi volto e vedo Caroline, la madre di Suze, che entra nella stanza. Indossa l'abito più strano che io abbia mai visto, fatto di una stoffa verde pisello che ricorda la iuta.

«Sì! Ci siamo stati!» rispondo, felice.

È stata Caroline a farmi venire voglia di viaggiare, la volta in cui mi ha spiegato che la sua migliore amica era una contadina boliviana.

«E nell'antica città inca di Ollantaytambo?»

«Ci abbiamo anche dormito!»

Gli occhi di Caroline hanno uno scintillio, come se io avessi superato la prova. Mi sento orgogliosa, sono una vera viaggiatrice! Non le dirò che alloggiavamo in un centro benessere a cinque stelle.

«Ho appena visto il pastore» sta dicendo Caroline a Suze. «Mi ha detto qualche stupidaggine a proposito di acqua tiepida per il battesimo. Io gli ho risposto che non se ne parla assolutamente. Un po' d'acqua fredda farà benissimo a questi bimbi.»

«Mamma!» geme Suze. «Sono stata io a chiedere espressamente che usasse acqua tiepida! Sono ancora così piccoli!»

«Sciocchezze» tuona Caroline. «Alla loro età tu nuotavi già nel lago. A sei mesi facevi trekking con me sulle colline Tsodila del Botswana. A casa mia non si usa acqua tiepida!»

Suze mi rivolge un'occhiata disperata e io rispondo con un sorriso comprensivo.

«Sarà meglio che vada» dice. «Bex, ci vediamo dopo. Ti fermi un paio di giorni, vero?»

«Mi farebbe molto piacere» rispondo, felice.

«Ah, devi assolutamente conoscere Lulu!» aggiunge, quando è già sulla porta.

«Chi è Lulu?» chiedo, ma lei non mi sente. È già andata.

Pazienza. Lo scoprirò presto. Sarà la sua nuova cavalla o qualcosa del genere.

Trovo Luke fuori, dove è stata installata una lunga copertura per riparare il sentiero che unisce la casa alla chiesa, proprio come per il matrimonio di Suze. Quando ci avviamo lungo la passatoia, non posso fare a meno di provare una leggera nostalgia. È stato qui che Luke e io abbiamo parlato per la prima volta di matrimonio, be', indirettamente. E poi Luke mi ha chiesto di diventare sua moglie.

E ora eccoci qui. Sposati da quasi un anno!

Sento dei passi avvicinarsi alle nostre spalle. Mi volto e vedo Tarquin che cammina a passo svelto, tenendo un bimbo fra le braccia.

«Ciao, Tarkie!» dico, quando ci raggiunge. «Che gemello è, questo?»

«Questa è Clementine» risponde lui, raggiante. «La nostra piccola Clemmie.»

La guardo meglio, da vicino, cercando di nascondere la mia

sorpresa. Accidenti. Suze ha ragione. Sembra proprio un maschio.

«È bellissima. Assolutamente splendida.»

Mi sto sforzando di trovare qualcosa da dire che enfatizzi le sue caratteristiche femminili, quando si sente un rumore sordo sopra di noi. Sembra di un elicottero e diventa sempre più forte. Alzo lo sguardo e, con mia grande sorpresa, vedo che si tratta proprio di un enorme elicottero nero che si sta abbassando fino a posarsi sul campo dietro la casa.

«Hai un amico con un elicottero?» domando, stupita.

«No, veramente è mio» risponde Tarquin arrossendo. «L'ho prestato a un amico per farci un giro.»

Tarquin possiede un elicottero?

Saresti portata a pensare che un tizio con un numero mostruoso di case e un elicottero possa permettersi un abito nuovo e decente.

Arriviamo alla chiesa, affollata di gente. Luke e io ci infiliamo in una panca verso il fondo, e io mi guardo attorno, alla ricerca dei parenti di Suze. C'è il padre di Tarquin, con una giacca da smoking color melanzana, c'è Fenella, la sorella di Tarquin. È vestita di blu e sta parlando animatamente con una ragazza bionda che non riconosco.

«Chi è quella, Agnes?» chiede una voce penetrante alle mie spalle. Mi volto e vedo una signora con i capelli grigi e una gigantesca spilla di rubini che sta scrutando la ragazza bionda con un binocolo da teatro.

«Quella è Fenella!» dice la donna in verde seduta accanto a lei.

«Non intendevo Fenella! Intendevo l'altra ragazza, quella che parla con lei.»

«Vuoi dire Lulu? Quella è Lulu Hetherington.»

Provo un pizzico di sorpresa. Dunque Lulu non è una cavalla. È una ragazza.

La osservo con attenzione. A dire il vero, l'aria da cavalla ce l'ha. È molto magra e slanciata, come Suze, e indossa un tailleur di tweed rosa. Mentre la guardo, scoppia a ridere per qualcosa che Fenella ha detto... ha uno di quei sorrisi che mettono in mostra una distesa di denti e gengive.

«È una delle madrine» sta dicendo Agnes. «Una ragazza fantastica. È la migliore amica di Susan.»

Cosa?

Alzo lo sguardo, presa alla sprovvista. È assurdo. Sono io la migliore amica di Suze. Lo sanno tutti.

«Lulu si è trasferita qui sei mesi fa e da allora sono diventate inseparabili» spiega Agnes. «Le vediamo uscire a cavallo insieme ogni giorno. È così simile alla cara Susan. Guardale, come stanno bene insieme!»

Suze è comparsa in chiesa, con in braccio il piccolo Wilfrid. E in effetti c'è una vaga somiglianza fra lei e Lulu. Sono tutte e due alte e bionde. Sono tutte e due pettinate allo stesso modo, con i capelli raccolti in uno chignon. Suze sta parlando con Lulu, il volto acceso per l'eccitazione e, mentre le osservo, scoppiano a ridere.

«E poi hanno così tanto in comune!» La voce di Agnes fende l'aria dietro di me. «I cavalli, i bambini... sono un magnifico sostegno l'una per l'altra.»

«Tutte le ragazze hanno bisogno di un'amica del cuore» osserva l'altra donna con aria saggia.

Si interrompe quando l'organo attacca a suonare. I presenti si alzano in piedi e io prendo il mio libretto come tutti gli altri. Ma non riesco a leggere una sola parola da quanto sono confusa.

Questa gente non sa cosa dice. Quella ragazza non è la migliore amica di Suze.

La migliore amica di Suze sono io.

Al termine della funzione torniamo tutti a casa. Nell'ingresso, sta suonando un quartetto d'archi e i camerieri servono da bere. Luke viene immediatamente avvicinato da un amico di Tarquin, conosciuto per lavoro, e io resto sola per un po', a meditare su quanto ho sentito in chiesa.

«Bex!» Sentendo la voce di Suze mi volto, sollevata.

«Suze! È stato bellissimo!» le dico, con un gran sorriso.

Vedere il volto sorridente di Suze allontana tutte le mie preoccupazioni. Certo che siamo ancora amiche del cuore. Sicuro!

Non devo dimenticare che sono stata assente per un lungo

periodo. E quindi Suze ha dovuto farsi delle amicizie fra la gente del posto. Ma il punto è che adesso sono tornata.

«Suze, andiamo a fare shopping insieme, domani!» dico, d'impulso. «Magari a Londra... ti darò una mano io con i bambini...»

«Bex, non posso» risponde, corrugando la fronte. «Ho promesso a Lulu che domani mattina sarei uscita a cavallo con lei.»

Per un attimo resto senza parole. Non può annullare l'impegno?

Il bambino fra le sue braccia ha cominciato a piangere forte e lei fa una smorfia.

«Adesso devo andare a dargli da mangiare. Ma dopo devo assolutamente presentarti Lulu. So già che andrete d'accordo!»

«Ne sono sicura» ribatto, sforzandomi di sembrare entusiasta. «Ci vediamo dopo.»

Resto a guardarla mentre scompare in biblioteca.

«Champagne, signora?» dice un cameriere alle mie spalle.

«Oh, sì. Grazie.»

Prendo un bicchiere dal vassoio. Poi, ripensandoci, ne prendo un altro. Vado verso la biblioteca e sto per aprire la porta, quando esce Lulu e si richiude la porta alle spalle.

«Oh, salve» dice con voce snob. «Veramente dentro c'è Suze che allatta.»

«Lo so» faccio io, con un sorriso. «Io sono la sua amica Becky. Le ho portato un bicchiere di champagne.»

Lulu ricambia il sorriso ma la sua mano non lascia la maniglia della porta.

«Credo che desideri un po' di privacy» insiste, con modi cortesi.

Per un attimo sono troppo stupita per parlare.

Privacy? Da me?

"Io ero con Suze quando ha partorito Ernie!" avrei voglia di ribattere. "Ho visto più cose di lei di quante ne vedrai mai tu!"

Ma no, non ho intenzione di mettermi a segnare punti con questa tizia un attimo dopo averla conosciuta. Su, facciamo uno sforzo.

«Dunque tu devi essere Lulu» dico, con la massima cordialità possibile, e le porgo la mano. «Io sono Becky.»

«Becky... sì, ho sentito parlare di te.»

Perché ha quest'aria divertita? Cosa le ha raccontato Suze?

«E tu sei la madrina di Clementine!» dico, amabile. «È... fantastico!»

Mi sto sforzando il più possibile per cercare di stabilire un contatto, ma c'è qualcosa in lei che mi respinge. Le sue labbra sono troppo sottili, gli occhi troppo freddi.

«Cosmo!» grida d'un tratto. Seguo il suo sguardo e vedo un bambino che si lancia a passo incerto fra i musicisti. «Vieni via, tesoro!»

«Cosmo? Che bel nome» osservo, cercando di apparire cortese. «Come la rivista?»

«*La rivista?*» Mi guarda come se fossi un'idiota integrale. «Veramente, viene dalla parola *kosmos*. Significa "ordine perfetto" in greco antico.»

Avverto un formicolio di imbarazzo, misto a risentimento. E io come avrei potuto saperlo?

E comunque, la stupida è lei, perché quante persone hanno sentito parlare della rivista "Cosmopolitan"? Almeno un milione. E quante conoscono questa parola in greco antico? Tre. Appunto.

«Hai bambini?» chiede, con garbato interessamento.

«Ehm... no.»

«Cavalli?»

«Ehm... no.»

Silenzio. Pare che Lulu abbia esaurito gli argomenti di conversazione. Suppongo che ora tocchi a me.

«E tu, quanti figli hai?»

«Quattro» risponde. «Cosmo, Ludo, Ivo e Clarissa. Due, tre, cinque e otto anni.»

«Uau! Devi essere piuttosto impegnata.»

«Oh, quando si hanno bambini è diverso» ribatte lei, compiaciuta. «Tutto cambia. Non puoi immaginare.»

«Probabilmente sì. Ho aiutato io Suze quando è nato Ernie. Quindi so cosa significa...»

«No.» Mi rivolge un sorriso di condiscendenza. «Finché non si diventa madri non si può capire.»

«Già.» Mi ha zittito.

Come può Suze essere amica di questa donna? Com'è possibile?

All'improvviso la porta della biblioteca si apre rumorosamente e compare Suze: con una mano tiene un bambino, con l'altra il cellulare. È l'immagine della preoccupazione.

«Ciao, Suze! Ti stavo portando un bicchiere di champagne» le dico, porgendoglielo, ma lei non sembra neppure vederlo.

«Lulu, Wilfie ha uno sfogo!» mormora. «I tuoi lo hanno mai avuto?»

«Fammi dare un'occhiata» dice Lulu, prendendo il bambino dalle braccia di Suze con gesti esperti. Lo esamina per un istante. «Credo sia dovuto al calore.»

«Davvero?»

«A me sembra orticaria» azzardo io, cercando di inserirmi nella conversazione. «È stato vicino alle ortiche, di recente?»

Nessuno sembra interessato alla mia opinione.

«Ci vuole un po' di Sudocream» dichiara Lulu. «Te la prendo io se vuoi. Devo fare un salto in farmacia, più tardi.»

«Grazie, Lulu. Sei un angelo!» Suze riprende Wilfie, grata, e proprio in quel momento squilla il suo cellulare.

«Ciao!» fa Suze. «Finalmente! Dove sei?» Mentre ascolta, il suo viso assume un'espressione costernata. «Stai scherzando!»

«Cosa c'è?» diciamo Lulu e io, contemporaneamente.

«È Mr Happy» risponde Suze con voce lamentosa, rivolgendosi a Lulu. «Ha forato una gomma! È dalle parti di Tiddlington Marsh.»

«Chi è Mr Happy?» chiedo, sconcertata.

«L'addetto all'intrattenimento dei bambini!» risponde Suze, disperata. «C'è una stanza piena di ragazzini che aspettano solo lui!» Fa un gesto in direzione di una porta a due battenti, oltre la quale vedo un mare di pargoli tutti eleganti, che si rincorrono come pazzi lanciandosi cuscini.

«Faccio un salto a prenderlo» decide Lulu, posando il bicchiere. «Se non altro sappiamo dov'è. Ci metterò dieci minuti. Digli di non muoversi e di stare attento se vede una Range Rover.»

«Lulu, sei un vero tesoro» sospira Suze. «Non so cosa farei senza di te.»

Provo una fitta di gelosia. Voglio essere io quella che aiuta Suze. Voglio essere io il vero tesoro.

«Posso andare io! Non mi pesa, davvero» dico.

«Non sai dov'è» ribatte Lulu, gentile. «È meglio se vado io.»

«E i bambini?» Suze lancia uno sguardo preoccupato in direzione della stanza, da dove provengono urla sempre più forti.

«Dovranno aspettare. Se l'intrattenitore non c'è, non c'è.»

«Ma...»

«Li intratterrò io!» dico, senza riflettere.

«*Tu?*» Si voltano tutte e due a guardarmi, stupite.

«Sì» ribatto, determinata.

Glielo faccio vedere io chi è la vera amica di Suze.

«Bex... sei proprio sicura?» chiede Suze, preoccupata.

«Che problema c'è?»

«Ma...»

«Suze...» Le poso una mano sul braccio. «Ti prego. Credo di essere in grado di far divertire una manciata di bambini per dieci minuti.»

Oh, mio Dio.

Questo è il caos più totale.

Non riesco neppure a pensare. Non riesco a sentire nulla tranne le urla di venti pargoletti sovreccitati che corrono per la stanza cercando di colpirsi a vicenda.

«Ehm... scusate...»

Le urla aumentano di volume. Sono sicura che ne stiano ammazzando qualcuno, qua dentro, ma non riesco a vedere quale perché è tutta una gran confusione.

«Seduti!» urlo per farmi sentire sopra il baccano. «Seduti! Tutti quanti!»

Non si fermano neppure per un istante. Salgo su una sedia e mi porto le mani a coppa intorno alla bocca.

«Tutti quelli che si siedono...» grido, «avranno una CARA-MELLA!»

Le urla si placano all'istante e si sente una specie di schianto quando venti bambini si siedono tutti contemporaneamente per terra.

«Ciao a tutti! Io sono Wacky Becky!» Dondolo la testa. «Dite ciao a Wacky Becky!»

Silenzio.

«Dov'è la mia caramella?» chiede una bimbetta con voce stridula.

«Ehm…»

Mi metto a frugare nella borsa, ma non c'è nulla, a parte qualche compressa per dormire che ho comperato in erboristeria contro il jet lag. Al gusto d'arancia.

Forse potrei…

No. No.

«Dopo!» dico. «Ora dovete restare fermi e in silenzio… e poi avrete la caramella.»

«Questa prestigiatrice è una schifezza» fa un maschietto con una camicia di Ralph Lauren.

«Io non sono una schifezza!» rispondo, indignata. «Guarda!»

Mi porto velocemente le mani sul viso e poi le scosto.

«Buuu!»

«Non siamo bambini piccoli» mi grida il ragazzino, sdegnato. «Noi vogliamo dei trucchi!»

«Perché non cantiamo una bella canzoncina, invece?» dico io con tono persuasivo. «Vola vola vola l'ape Maia… tara tara tara… l'ape Maia…»

«Facci un trucco!» urla la bambina.

«Sì! Vogliamo un trucco!» incalza il bambino.

«Un trucco! Un trucco! Un trucco!»

Oh, Dio. Stanno gridando tutti insieme. E i maschietti picchiano i pugni sul pavimento. Tra un minuto ricominceranno a correre e a prendersi a cuscinate. Un trucco… un trucco. La mia mente lavora, febbrile. Conosco qualche trucco?

«D'accordo!» grido, disperata. «Vi farò un trucco. State a vedere!»

Allargo le braccia con un gesto teatrale e poi le porto dietro la schiena con movimenti elaborati delle mani, tirandola per le lunghe più che posso.

Poi mi slaccio il reggiseno attraverso la camicia, cercando di ricordare di che colore è.

Ah, sì. È quello rosa con i fiocchi. Perfetto.

Tutti mi guardano con impazienza.

«Cosa stai facendo?» mi chiede una bimba spalancando gli occhi.

«Aspetta e vedrai!»

Cercando di mantenere un'aria misteriosa, prima abbasso una spallina del reggiseno, poi l'altra. I bambini mi guardano con espressione rapita.

Ora che ho ripreso fiducia, credo di cavarmela abbastanza bene. Anzi, mi viene proprio spontaneo!

«E ora osservate attentamente» dico, con tono solenne, da mago «perché farò comparire qualcosa!»

Un paio di bimbi si lasciano sfuggire un'esclamazione di sorpresa.

A questo punto ci starebbe bene un rullo di tamburi.

«Uno... due... tre...» In un turbine di rosa estraggo il reggiseno dalla manica e lo faccio girare in alto. «Ta-daaah!»

La stanza esplode in un applauso estatico.

«Ha fatto una magia!» urla un maschietto con i capelli rossi.

«Ancora!» strilla la bambina. «Fallo ancora!»

«Volete vederlo di nuovo?» chiedo, raggiante di soddisfazione.

«Sìììì!» urlano in coro.

«Non credo sia il caso» dice una voce gelida e squillante dalla porta. Mi volto... e vedo Lulu, ferma sulla soglia, che mi guarda inorridita.

Oh, no.

Oh, Dio. La mia mano sta ancora facendo roteare il reggiseno per aria.

«Volevano che facessi un trucco» spiego, con un'alzata di spalle che vorrebbe essere noncurante.

«Non credo proprio che questo sia il genere di trucco che i bambini possano apprezzare!» ribatte lei, inarcando le sopracciglia. Quindi si rivolge al mio pubblico con un sorriso raggiante, da mamma. «Chi vuole vedere Mr Happy?»

«Vogliamo Wacky Becky!» urla il ragazzino. «Si è tolta il reggiseno!»

Merda.

«Ehm... ora Wacky Becky deve andare!» dico, con tono vivace. «Ci vediamo la prossima volta, bambini!»

Senza incrociare lo sguardo di Lulu, appallottolo il reggiseno e lo infilo in borsa, quindi esco arretrando dalla stanza. Vado verso il tavolo del buffet, dove Luke si sta servendo del salmone.

«Ti senti bene?» mi chiede, un po' sorpreso. «Sei tutta rossa in faccia.»

«Sto benissimo.» Gli prendo il bicchiere dalla mano e bevo un generoso sorso di champagne. «Va tutto bene.»

Ma non va tutto bene.

Continuo ad aspettare che Lulu se ne vada, in modo da poter fare quattro chiacchiere con Suze, ma lei non molla. Si attarda, per aiutare a preparare il tè per i bimbi e per riordinare. Ogni volta che cerco di rendermi utile, mi trovo sempre lei fra i piedi, con uno straccio umido, una tazza di qualcosa o un consiglio. Lei e Suze continuano a parlare di bambini, e per me è impossibile inserirmi nella conversazione.

Sono ormai le dieci quando si decide a tornarsene a casa sua, e finalmente mi ritrovo sola in cucina con Suze. È seduta vicino alla stufa, sta allattando uno dei gemelli e sbadiglia ogni tre minuti.

«Allora, è stata una bella luna di miele?» dice, con aria sognante.

«È stato fantastico. Assolutamente perfetto. Siamo stati in un posto incredibile in Australia, dove si possono fare immersioni e...»

Mi interrompo, davanti all'ennesimo sbadiglio. Magari glielo racconto domani.

«E tu? Com'è la vita con tre figli?»

«Sai» dice, rivolgendomi un sorriso stanco, «è faticosa. Cambia tutto.»

«E... passi un sacco di tempo con Lulu» aggiungo, casualmente.

«Non è stupenda?» fa Suze, illuminandosi.

«Eh... sì.» Faccio una pausa. «Anche se mi sembra un tantino autoritaria...»

«Autoritaria?» Suze alza lo sguardo, scioccata. «Bex, come puoi dire una cosa del genere? Ma se mi ha salvato! Mi ha aiutato moltissimo!»

«Oh, certo.» Mi affretto a fare marcia indietro. «Non intendevo...»

«Lei sa esattamente cosa sto passando» aggiunge Suze con un sospiro. «Insomma, lei ne ha avuti quattro! Mi capisce.»

«Certo.»

E io, invece, no. Ecco cosa intende dire.

Fisso il bicchiere di vino che tengo in mano e provo un improvviso senso di pesantezza alla testa. Nessuno dei miei ricongiungimenti è andato come immaginavo.

Mi alzo e vado verso un pannello di sughero appeso alla parete. Ci sono un sacco di fotografie. Una di me e Suze abbigliate per una festa con boa di piume e trucco scintillante. E una di Suze e me in ospedale, con Ernie piccolissimo.

Poi, con una fitta, noto una foto nuovissima di Suze e Lulu, a cavallo, in giacca da equitazione e retine per capelli identiche. Sorridono all'obiettivo e sembrano due gemelle.

Osservando la foto, provo una crescente determinazione. Non ho intenzione di perdere la mia migliore amica per una amazzone con la faccia da cavalla. Qualunque cosa faccia Lulu, sono in grado di farla anch'io.

«Potrei venire a cavalcare con te e Lulu, domani, se hai un cavallo in più» dico, con noncuranza.

Sono anche disposta a indossare una reticella per i capelli, se è questo che ci vuole.

«Vieni anche tu?» Suze alza lo sguardo, sconcertata. «Ma... Bex... tu non sai montare.»

«Invece sì» ribatto, gaia. «Luke e io siamo andati a cavallo in luna di miele.»

Il che in un certo senso è vero. Quasi vero. Dovevamo fare una gita in cammello a Dubai, solo che alla fine abbiamo optato per un'immersione.

E comunque non ha importanza. Andrà tutto bene. Voglio dire, andare a cavallo non sarà poi così complicato. Ti siedi sul cavallo e guidi. Facile.

6

Alle dieci del mattino dopo sono pronta. Non per vantarmi ma, quando mi guardo allo specchio, sono realmente uno schianto. Questa mattina di buon'ora Luke mi ha accompagnato in macchina al villaggio vicino, in un negozio che vende articoli per l'equitazione, dove io ho comperato l'attrezzatura completa. Indosso calzoni bianchi, giacca nera avvitata, stivali lucidissimi e uno splendido berretto di velluto.

Fiera di me stessa, prendo il pezzo forte della mia mise, una coccarda rossa di nastro lucido. Ne avevano un sacco, in svendita, così ne ho acquistata una per ogni colore. La appunto con cura al bavero come una spilla, mi liscio la giacca e osservo l'effetto finale.

Dio, come sono elegante! Sembra che stia per vincere a Crufts.

No, lì si fanno le corse dei cani. Volevo dire quell'altro posto, quello dei cavalli.

Chissà, potrei cominciare a cavalcare ogni giorno a Hyde Park, penso, colta da un entusiasmo improvviso. Forse diventerò molto brava. E allora potrò venire qui ogni fine settimana e uscire a cavallo con Suze. Potremmo partecipare a delle gare e formare una squadra! E lei dimenticherà quella stupida Lulu!

«Tally-ho!» fa Luke, entrando nella stanza. «Sembri proprio una cavallerizza.»

«Sto bene, vero?» dico, con un sorriso.

«Sei molto sexy» osserva, inarcando le sopracciglia. «Belli, quegli stivali. Quanto starai fuori?»

«Non molto» rispondo, sicura. «Faremo solo una sgambata nei boschi.»

"Sgambata" è un termine che ho sentito usare nel negozio di articoli per l'equitazione.

«Becky...» Luke mi guarda attentamente. «Sei mai salita su un cavallo in vita tua?»

«Sì» rispondo, dopo una leggera esitazione. «Certo che sì!»

Una volta. Quando avevo dieci anni. E sono caduta. Ma probabilmente non ero concentrata.

«Sta' attenta, d'accordo? Non sono ancora pronto a rimanere vedovo.»

Insomma! Di cosa si preoccupa?

«Sarà meglio che vada» e lancio un'occhiata al mio nuovo orologio "equestre" con bussola incorporata. «Non voglio far tardi!»

Le stalle si trovano in un blocco di edifici un po' scostati rispetto alla casa e, avvicinandomi, sento i nitriti e lo scalpiccio degli zoccoli sul selciato.

«Ciao!» dice Lulu, comparendo da dietro un angolo. Indossa un vecchissimo paio di pantaloni e un pile. «Siamo pronte...» Vedendomi, si interrompe. «Oh, mio Dio!» esclama, ridendo. «Suze, vieni a vedere Becky!»

«Cosa c'è?» Suze gira l'angolo di corsa e si blocca.

«Bex! Come sei... tutta in tiro!»

Osservo i pantaloni vecchi e sudici di Suze, gli stivali sporchi di fango e il logoro berretto da equitazione.

«Volevo presentarmi al meglio!» faccio, sforzandomi di assumere un tono allegro e sicuro di me.

«E quella, cos'è?» Lulu sta guardando con aria incredula la mia coccarda.

«È una spilla. Le vendono nel negozio al villaggio» aggiungo, tagliente.

«È per i cavalli» mi spiega Suze con dolcezza. «Bex, quelle vanno sui cavalli.»

«Oh.»

Per un istante resto sconcertata. Ma poi... perché non dovrebbero portarle anche le persone? Dio, la gente che va a cavallo ha proprio i paraocchi!

«Eccoci qua!» Albert, l'uomo che si occupa delle stalle a casa dei genitori di Suze, ci interrompe. Porta un enorme cavallo marrone per le redini. «Oggi ti facciamo montare Ginger. Ha un ottimo carattere, vero, ragazzaccio?»

Mi sento gelare, inorridita. Questo? Si aspetta che io salga su questo mostro?

Albert mi porge le redini e io le afferro, automaticamente, cercando di non farmi prendere dal panico. Il cavallo fa un passo in avanti con uno zoccolo enorme e io faccio un salto indietro, spaventata. E se mi schiaccia un piede?

«Non sali?» chiede Lulu, balzando in sella a un cavallo che, se possibile, è ancora più grosso del mio.

«Certo!» rispondo con una risatina rilassata.

E come? Come dovrei arrivarci, lassù?

«Ti aiuto?» si offre Tarquin, che sta parlando con Albert poco più in là. Mi si avvicina da dietro e, prima che io me ne renda conto, mi ha issato in sella.

Oh, mio Dio.

Sono così in alto che, quando guardo giù, ho le vertigini. Improvvisamente Ginger fa un passo di lato e io devo farmi forza per non urlare di paura.

«Andiamo?» grida Suze che monta il suo vecchio cavallo Pepper, e varca il cancello, uscendo nei campi. Lulu fa schioccare la lingua, gira il cavallo, e la segue.

Bene. Ora tocca a me. Via.

Su, cavallo. Muoviti.

Non ho la minima idea di cosa fare. Devo dargli un calcio? Provo a tirare una delle redini, ma non succede niente.

«Arri!» dico, a voce bassa. «Arri, Ginger!»

Improvvisamente, come se si fosse accorto che i suoi compagni sono andati, parte anche lui. Ed è... okay. È tutto a posto. È solo un po' più traballante di quanto immaginassi. Guardo avanti, verso Lulu, e lei è perfettamente a suo agio. Anzi, tiene entrambe le redini con una mano sola. Penso lo faccia per mettersi in mostra.

«Chiudi il cancello!» mi grida.

Chiudere il cancello? E come faccio? penso, in preda al panico.

«Ci penso io!» grida Tarquin. «Divertitevi!»

«Okay!» rispondo a voce alta.

Bene. Fintanto che procediamo all'ambio, me la posso cavare. A dire il vero, potrebbe anche essere divertente. Il sole splende in cielo, una leggera brezza agita l'erba, i cavalli sono belli e lucenti, e noi siamo un gruppo molto pittoresco.

Non lo dico per pavoneggiarmi, ma credo proprio di essere io la migliore. I miei abiti sono decisamente i più eleganti. Ci sono delle persone lungo il sentiero che costeggia il campo e, quando le sorpassiamo, io rivolgo loro un'occhiata disinvolta, del tipo: "Non sono una bella vista sul mio cavallo?". E loro mi sembrano colpite. Penseranno che sia una professionista o qualcosa del genere.

Chissà, forse ho scoperto un mio naturale talento. Forse Luke e io dovremmo comperare dei cavalli e qualche ettaro di terra. Potremmo prenderci gusto e partecipare a degli eventi, a delle gare a ostacoli, come Suze...

Oh, merda. Cosa succede? Tutto d'un tratto, Ginger ha cominciato a sobbalzare più forte.

Che sia questo, il trotto?

Guardo Suze e Lulu, e vedo che entrambe stanno ballonzolando su e giù a tempo con i loro cavalli.

Come fanno?

Cerco di imitarle, ma riesco solo a sbattere dolorosamente contro la sella. Ahi! Dio, come è dura. Perché non le fanno imbottite? Se fossi un designer di selle le farei morbide e confortevoli, con dei bei cuscini di pelliccia e magari dei contenitori porta bibite...

«Andiamo al piccolo galoppo?» chiede Suze a voce alta, voltandosi appena. Prima che io possa rispondere, lei dà un calcio al cavallo che parte a razzo come Varenne, seguita a ruota da Lulu.

«Noi non dobbiamo andare al galoppo, Ginger» sussurro al cavallo. «Noi possiamo...»

Oh, mio Dioooooooo. È partito dietro agli altri due.

Cazzo. Oh, cazzo! Sto per cadere. Lo so. Sono tutta rigida. Stringo le redini con così tanta forza che mi fanno male le mani.

«Tutto a posto, Bex?» grida Suze.

«A postissimo!» rispondo con voce strozzata.

Voglio solo che questa storia finisca. Il vento mi sferza il viso. Mi sento male per la paura.

Sto per morire. La mia vita è finita. L'unica cosa positiva cui mi riesce di pensare è che farà un bell'effetto quando lo scriveranno sui giornali.

"Un'ardita amazzone, Rebecca Brandon (nata Bloomwood) è morta mentre galoppava con le amiche."

Oh, Dio. Mi pare che stia rallentando. Meno male. Stiamo trottando... quasi trotterellando... e finalmente ci fermiamo.

In qualche modo riesco ad aprire le mani.

«Non è fantastico?» dice Suze, voltandosi in sella a Pepper. Ciuffi di capelli biondi le sfuggono da sotto il berretto e ha le guance arrossate. «Ci facciamo una bella galoppata?»

Galoppata?

Stiamo scherzando? Se Ginger fa un altro passo, io vomito.

«Tu sai saltare, Bex?» aggiunge. «Ci sono un paio di piccoli salti più avanti, ma penso che dovresti farcela senza problemi» dice, con tono di incoraggiamento. «Sei proprio brava.»

Per un attimo non riesco neppure a parlare.

«Devo... regolarmi una staffa» riesco a bofonchiare, alla fine. «Voi andate.»

Aspetto che siano scomparse, quindi scivolo a terra. Mi sento le gambe malferme e ho una gran nausea. Non ho intenzione di staccare mai più i piedi da terra. Mai più. Non riesco a capire come questa gente possa fare una cosa simile per divertimento.

Col cuore che batte all'impazzata, mi siedo sull'erba. Mi tolgo il berretto nuovo – che, a essere sinceri, mi ha fatto male alle orecchie dal primo momento in cui l'ho indossato – e lo getto a terra, afflitta.

Probabilmente Suze e Lulu sono ormai a chilometri di distanza da qui. Galoppando e discutendo di pannolini.

Me ne resto lì per qualche minuto, cercando di ricompormi, e osservo Ginger che bruca l'erba. Alla fine mi scuoto e mi guardo attorno. Bene. E ora cosa faccio?

«Su, vieni, Ginger. Torniamocene a casa.» Mi alzo e afferro cautamente le redini. Con mio grande stupore, il cavallo mi segue, ubbidiente.

Ah, così va meglio. Ecco come si fa.

Camminando sull'erba, comincio a rilassarmi un pochino. In realtà un cavallo è un accessorio molto chic. Chi ha detto che bisogna salirci sopra? Potrei comunque andare a Hyde Park ogni giorno. Potrei comperare un bel cavallo e portarlo in giro come un cane. E se qualche passante mi chiedesse perché non lo monto, potrei rispondere, con un sorriso di sufficienza: "Oggi riposiamo".

Dopo aver vagato per un po', arriviamo finalmente a una strada. Mi fermo e guardo a destra e a sinistra. In una direzione la strada scompare con una curva oltre una collinetta. Nell'altra scorgo un paesino molto carino. Un gruppo di case con travi a vista, uno spiazzo erboso, e...

Ooh. Sono negozi, quelli che vedo?

Hmm. La giornata comincia a sorridermi.

Mezz'ora dopo mi sento molto meglio.

Ho comperato del delizioso formaggio con le noci, marmellata di uva spina ed enormi ravanelli che, sono sicura, a Luke piaceranno moltissimo. E la cosa più bella è che ho trovato un negozietto fantastico che vende cappelli. In questo paesino! A quanto pare la modista vive qui ed è destinata a diventare la prossima Philip Treacy. Certo, non che io indossi spesso cappelli... ma non passerà molto prima che venga invitata a un matrimonio o ad Ascot. E i prezzi erano incredibili. Così ne ho preso uno bianco decorato con piume di struzzo e uno di velluto nero coperto di strass. Sono un po' ingombranti, nelle loro cappelliere, ma ne valeva assolutamente la pena.

Ginger mi accoglie con un nitrito quando mi avvicino al lampione cui l'ho legato e batte uno zoccolo per terra.

«Non ti preoccupare. Non mi sono scordata di te.» Per lui ho acquistato un sacchetto di ciambelle e un flacone di shampoo "lucentezza e volume" per la criniera. Infilo una mano nella borsa e gli do da mangiare una ciambella, cercando di non rabbrividire quando mi copre la mano di bava.

Adesso, però, ho un piccolo problema da risolvere... dove metto i miei acquisti? Non posso portare tutti i sacchetti e allo stesso tempo condurre Ginger lungo la strada. Lo guardo e rifletto. Dovrei cercare di montarlo e portare io le borse? Come facevano un tempo? Poi, all'improvviso, noto un grosso coso a forma di fibbia su una delle cinghie della sella. Potrei benissimo appenderci una busta. Ne prendo una e ce la aggancio...

ci sta perfettamente! Guardando meglio, vedo che i finimenti di Ginger sono pieni di questi pratici ganci. Geniale! Devono servire proprio a questo!

Soddisfatta, comincio ad appendere borse e sacchetti a ogni gancio, fibbia e cinghia disponibile. È fantastico. Non mi ero mai resa conto che un cavallo potesse portare così tanta roba. Per ultime lego le due cappelliere su un lato. Sono così belle, tutte rosa a righe bianche...

Bene. Siamo pronti.

Libero Ginger e mi avvio fuori dal villaggio, cercando di non far sbattere troppo le cappelliere. Un paio di persone ci guarda a bocca aperta quando le superiamo, ma non ha importanza. Probabilmente, da queste parti non sono abituati agli sconosciuti.

Ci stiamo avvicinando alla prima curva quando sento un rumore di zoccoli davanti a me. Un attimo dopo, compaiono Suze e Lulu sui loro cavalli.

«Eccola qui!» dice Lulu, schermandosi gli occhi con la mano per proteggerli dal sole.

«Bex!» esclama Suze. «Eravamo preoccupate! Stai bene?»

«Benissimo!» rispondo. «Ce la siamo spassata un mondo.»

Quando si avvicinano, vedo che Suze e Bex si scambiano occhiate sbalordite.

«Bex... cosa hai fatto a Ginger?» chiede Suze, osservando incredula tutte le borse e le scatole appese.

«Niente. Sta benissimo. L'ho solo portato a fare spese. Ho comperato due cappelli fantastici!»

Mi aspetto che Suze mi dica "fammeli vedere!", ma invece mantiene quell'espressione allibita.

«Ha portato un cavallo... a fare shopping» dice Lulu lentamente. Mi lancia un'occhiata, poi si sporge verso Suze e le sussurra qualcosa all'orecchio.

Suze si lascia sfuggire una risatina, che subito cerca di nascondere con la mano.

Mi sento avvampare.

Sta ridendo di me.

Non ho mai pensato che Suze potesse ridere di me.

«Non sono molto brava a montare» dico, cercando di mantenere un tono di voce sicuro. «Ho pensato di lasciarvi andare avanti. E comunque... su, andiamo. Sarà meglio rientrare.»

Le altre due girano i cavalli e, lentamente, torniamo a casa di Suze, praticamente in silenzio.

Appena arriviamo, Lulu scappa a casa, e Suze deve correre dentro per allattare i gemelli. Io resto nel cortile delle stalle con Albert, che è un vero tesoro e mi aiuta a slegare tutte le mie buste e i miei sacchetti dai finimenti di Ginger.

Sto venendo via, carica di borse, quando si avvicina Luke, con indosso il suo Barbour e gli stivali.

«Allora, com'è andata?» mi chiede, tutto allegro.

«Bene» rispondo, lo sguardo fisso a terra. Aspetto che mi domandi cosa c'è che non va, ma sembra distratto.

«Becky, ho appena ricevuto una telefonata da Gary» dice. «Dobbiamo partire con il progetto Arcodas. Mi spiace, ma io devo tornare in città. Ma, senti, perché tu non resti qui ancora per qualche giorno?» Mi sorride. «So quanto desideravi stare un po' con Suze.»

D'un tratto mi sento sopraffatta dall'emozione. Luke ha ragione. Desideravo stare con Suze e lo farò. Chi se ne frega di quella stupida di Lulu? Farò una bella chiacchierata con la mia migliore amica, adesso.

Corro in casa con tutti i miei sacchetti e la trovo che allatta tutti e due i gemelli contemporaneamente, mentre Ernie cerca di conquistarsi un posto in braccio pure lui.

«Senti, Suze» le dico, eccitata, «presto sarà il tuo compleanno. Voglio farti un regalo superspeciale. Andiamo a Milano! Noi due sole!»

«A Milano?» Suze alza lo sguardo con un'espressione tirata. «Ernie, smettila, tesoro. Bex, non posso venire a Milano. E i bambini?»

«Possiamo portarli con noi!»

«No, non possiamo» ribatte Suze, secca. «Bex, tu non capisci!»

Alle sue parole provo un dolore cocente. Perché tutti continuano a dirmi che non capisco? Cosa ne sanno?

«E va bene» dico, cercando di mantenere un tono allegro.

«Allora facciamo una bella cena qui! Al mangiare ci penso io, tu non devi fare nulla...»

«Non posso» risponde Suze, senza guardarmi. «Veramente io... io ho già fatto altri programmi per festeggiare il mio compleanno. Lulu e io andremo in un centro benessere. Una giornata speciale, solo per noi mamme e i bambini. Mi ha invitato lei.»

La fisso, incapace di nascondere lo shock. Suze e io abbiamo sempre passato i nostri compleanni insieme.

«Bene.» Deglutisco più volte. «Bene... divertiti. Goditela!»

In cucina c'è silenzio. Non so cosa dire.

Non mi era mai capitato di non sapere cosa dire a Suze.

«Bex... tu non c'eri» fa lei, all'improvviso, e io avverto l'angoscia nella sua voce. «Tu non eri qui. Cosa avrei dovuto fare? Restare senza amiche?»

«Certo che no. Non essere sciocca!»

«Non ce l'avrei fatta senza Lulu. Mi è stata di grande aiuto.»

«Certo.» Gli occhi mi si riempiono di lacrime e io volto la testa, cercando di scacciarle. «Be'... divertitevi. Scusa se sono tornata e mi sono messa in mezzo.»

«Bex, non fare così. Senti... parlerò con Lulu per il centro benessere. Sono sicura che riusciremo a trovare un posto anche per te.»

Provo una fitta di umiliazione. Le faccio pena. Non lo sopporto.

«No!» Con uno sforzo sovrumano riesco a fare una risata. «Davvero, non è importante. E probabilmente non avrei tempo comunque. Anzi... ero appunto venuta a dirti che dobbiamo tornare a Londra. Luke ha degli impegni di lavoro.»

«Proprio adesso?» Suze sembra presa in contropiede. «Credevo vi sareste fermati qualche giorno.»

«Abbiamo un sacco da fare» dico, sollevando il mento. «Anche per me le cose sono cambiate, adesso, sai. Sono una donna sposata. Devo sistemare l'appartamento... occuparmi di Luke... organizzare qualche cena...»

«Giusto.» Suze ha un attimo di esitazione. «Be', mi ha fatto piacere rivederti.»

«Anche a me! È stato divertente. Dobbiamo... rifarlo.»

Le nostre parole suonano totalmente false.

Segue un momento di silenzio. Sento un groppo alla gola. Sto per piangere.

No, non lo farò.

«Allora… allora vado a preparare le valige» dico, alla fine. «Grazie di tutto.»

Esco dalla stanza, raccolgo le mie borse e mi allontano. Il sorriso stampato sulle mie labbra resiste finché non arrivo alle scale.

NETHER PLEATON GYMKHANA

MANOR STABLES
PLEATON
HAMPSHIRE

Rebecca Brandon
37 Maida Vale Mansions
Maida Vale
Londra NW6 OYF

30 aprile 2003

Gentile signora Brandon,

la ringrazio per la sua lettera riguardo la Nether Pleaton Gymkhana che si terrà il prossimo mese. Le confermo di aver eliminato il suo nome dalle seguenti prove:

Concorso completo.
Salto ostacoli all'aperto.
Dressage avanzato.

Potrebbe gentilmente farmi sapere se desidera ancora partecipare alla prova "Miglior pony"?

Distinti saluti

Marjorie Davies
Organizzatrice

7

E comunque, non ha importanza. Non ho bisogno di Suze.

La gente si sposa, cambia abitudini, cambia amicizie. È assolutamente normale. Lei ha la sua vita, io la mia. È tutto a posto. È passata una settimana dal battesimo e avrò pensato a lei sì e no una volta.

Bevo un sorso di succo d'arancia, prendo la copia del "Financial Times" che Luke ha lasciato sul bancone, e comincio a sfogliarla.

Ora che sono sposata, prevedo che farò un sacco di nuove amicizie. Non è che io sia Suze-dipendente. Mi iscriverò a un qualche corso serale, a un gruppo di lettura, a cose del genere. E i miei nuovi amici saranno persone davvero simpatiche che non vanno a cavallo e non hanno bambini dai nomi stupidi tipo Cosmo...

Sto girando le pagine con una tale furia che sono arrivata quasi in fondo al giornale. Lo guardo, sorpresa. Accidenti, come ho fatto presto! Forse senza rendermene conto sono diventata un'esperta di lettura rapida.

Bevo un sorso di caffè e spalmo ancora un po' di crema di cioccolato sul pane tostato. Sono seduta nella cucina dell'appartamento di Luke a Maida Vale, e mi sto godendo una bella colazione rilassata.

Voglio dire... il nostro appartamento a Maida Vale. Continuo a dimenticarmi che ora è per metà anche mio. Luke ha vissuto a lungo qui prima che ci sposassimo, ma quando siamo andati a vivere a New York lo ha rimesso a posto e lo ha affittato. Ed è il posto più trendy che abbia mai visto. Minimalista, con una incredibile cucina tutta in acciaio inossidabile, moquette beige pallido e qualche opera d'arte moderna qui e là.

Mi piace un sacco. Ovvio che mi piace.

Anche se, a voler essere totalmente, assolutamente sinceri, forse è un tantino spoglio per i miei gusti. In fatto di arredamento, lo stile di Luke e il mio divergono. Il suo approccio è fondamentalmente "niente da nessuna parte", mentre il mio e piuttosto "molta roba ovunque".

Ma non ha importanza, perché ho letto su una rivista di arredamento un articolo sulle coppie in cui si diceva che fondere due stili diversi non è necessariamente un problema. A quanto pare, dobbiamo semplicemente amalgamare le nostre idee e creare un nostro stile, *il nostro stile distintivo*.

E oggi è la giornata perfetta per cominciare, perché da un minuto all'altro ci consegneranno tutti gli acquisti effettuati durante la luna di miele. Luke è rimasto a casa dal lavoro appositamente per darmi una mano.

Sono davvero eccitata. Rivedere tutti i nostri souvenir della luna di miele! Sistemarli nell'appartamento. Questo posto cambierà con qualche oggetto personale qua e là.

«C'è una lettera per te» annuncia Luke, entrando in cucina. «Sembra importante» aggiunge, inarcando le sopracciglia.

«Ah, sì?» Prendo la busta con un certo nervosismo.

Da quando siamo tornati a Londra, ho contattato tutti i più famosi grandi magazzini alla ricerca di un lavoro come personal shopper. Barneys mi ha rilasciato delle referenze fantastiche e tutti sono stati molto gentili con me, ma finora mi sono sempre sentita dire: "Al momento non ci sono posizioni disponibili".

Il che, a essere sinceri, è stato un po' un colpo. Pensavo che avrei dovuto respingere le offerte. Avevo persino fantasticato che i capi di Harrods, Harvey Nicks e Selfridges mi invitassero fuori a pranzo e mi offrissero vestiti gratis per convincermi ad accettare le loro offerte.

Estraggo la lettera dalla busta, col cuore che batte forte. Viene da un nuovo negozio che si chiama The Look, che non ha ancora neppure aperto. Sono andata a parlare con loro un paio di giorni fa, e credo di essermela cavata bene, ma...

«Oh, mio Dio!» Alzo lo sguardo, incredula. «Ce l'ho fatta! Mi vogliono!»

«Fantastico!» Il volto di Luke si apre in un sorriso. «Congratulazioni!» Mi circonda con un braccio e mi dà un bacio.

«Solo che... comincerò fra tre mesi» dico, proseguendo nella lettura. «Quando apre il negozio.» Poso la lettera e lo guardo. «Tre mesi. È un sacco di tempo senza lavoro.»

E senza soldi, penso, dentro di me.

«Sono certo che troverai qualcosa da fare» mi rincuora Luke, allegro. «Riuscirai sicuramente a tenerti occupata.»

Improvvisamente suona il campanello e ci guardiamo.

«Devono essere gli uomini delle consegne!» dico, sentendomi subito più su di morale. «Vieni, scendiamo a vedere!»

L'attico di Luke ha un ascensore privato che arriva direttamente nel portone, cosa terribilmente "in". Appena ci siamo trasferiti qui, non facevo altro che andare su e giù. Questo finché i vicini non hanno cominciato a lamentarsi.

«Allora, dove gli diciamo di mettere la roba?» chiede, premendo il pulsante del piano terra.

«Pensavo che potremmo ammassare tutto nell'angolo del soggiorno» suggerisco. «Dietro la porta. Quando tu sarai al lavoro metterò io a posto.»

«Ottima idea» dice Luke, annuendo.

Per qualche istante resto in silenzio. Mi sono improvvisamente ricordata delle venti vestaglie di seta cinese. Forse riuscirò a portarle in casa senza che Luke le veda.

«E se ci fosse qualche eccedenza» aggiungo casualmente, «possiamo sempre metterla nella seconda camera da letto.»

«Eccedenza?» Luke aggrotta la fronte. «Becky, quanta roba aspetti?»

«Non molta!» mi affretto a rispondere. «Poco e niente! Lo dicevo solo nel caso l'avessero imballata in scatole molto grandi, o cose del genere. Tutto qui.»

Luke ha un'espressione dubbiosa e io mi volto dall'altra parte, fingendo di sistemare il cinturino dell'orologio. Ora che il momento è arrivato, sento un piccolissimo rimorso.

Ora mi pento di non avergli detto delle giraffe di legno. E se confessassi? Velocemente?

No. Non importa. Andrà tutto bene. L'appartamento di Luke è enorme. Voglio dire, è una piazza d'armi. Non si accorgerà neppure se c'è qualcosa in più.

Spalanchiamo il portone e usciamo in strada. Vediamo un uomo in jeans che aspetta vicino a un piccolo furgone parcheggiato accanto al marciapiede.

«Signor Brandon?» chiede, alzando lo sguardo.

Provo un gran sollievo. Lo sapevo che non avevamo comperato molte cose. Lo sapevo. Guardate quel furgone... è piccolissimo!

«Sì. Sono io.» Luke porge la mano con un sorriso cordiale.

«Ha idea di dove possiamo parcheggiare i camion?» chiede l'uomo, dandosi una grattatina alla testa. «Ora sono in divieto di sosta, dietro l'angolo.»

«Camion?» ripete Luke. «Come sarebbe a dire, camion?»

Il sorriso gli si è come gelato sulle labbra.

«Abbiamo due camion da scaricare. Possiamo portarli nell'area destinata al parcheggio?» L'uomo indica lo spiazzo antistante l'edificio.

«Ma certo!» rispondo io, visto che Luke non sembra in grado di parlare. «Fate pure.»

L'uomo si allontana e noi restiamo lì, in silenzio.

«Allora» dico, tutta allegra, «non è divertente?»

«Due camion?» ripete Luke con tono incredulo.

«Staranno facendo più consegne. Voglio dire, è ovvio che non abbiamo comperato due camion pieni di roba, no?»

Il che è vero.

Insomma, è assurdo. In dieci mesi non possiamo aver...

No, sono certa che non...

Oh, Dio.

Si sente un rombo, dietro l'angolo, e subito dopo compare un grosso camion bianco, seguito a ruota da un altro. Entrano in retromarcia nel cortile davanti allo stabile, e poi abbassano le piattaforme di scarico con un terrificante rumore di ferraglia. Luke e io ci avviciniamo per sbirciare l'interno stipato di roba.

Accidenti. È uno spettacolo impressionante. Il camion è pieno all'inverosimile di oggetti e mobili. Alcuni avvolti nella plastica, altri nella carta, altri neppure fasciati. Mi godo la vista di tutta quella roba e comincio a provare una certa emozione. È come vedere un filmino della nostra luna di miele. I kilim da Istanbul. I recipienti fatti con le zucche dal Perù. E mi ero totalmente dimenticata di aver comperato quella bambola navajo.

Alcuni uomini in tuta da lavoro cominciano a scaricare. Ci facciamo da parte per lasciarli passare, ma io continuo a sbirciare dentro, persa nei ricordi. Improvvisamente intravedo una piccola statua in bronzo e mi volto con un sorriso.

«Il Budda! Ricordi quando l'abbiamo acquistato, Luke?»

Luke non sta ascoltando. Seguo il suo sguardo e provo una certa apprensione. Sta fissando incredulo un uomo che porta un enorme pacco avvolto nella carta, da cui spunta una zampa di giraffa in legno.

Oh, merda.

E ora arriva un altro uomo in tuta con la compagna.

«Becky... cosa ci fanno qui quelle giraffe?» chiede Luke con voce piatta. «Credevo fossimo d'accordo di non comperarle.»

«Lo so» mi affretto a rispondere. «Lo so. Ma poi ce ne saremmo pentiti. E così ho democraticamente deciso. Davvero, Luke, faranno un figurone! Saranno il pezzo forte dell'appartamento.»

«E quelli da dove vengono?» Luke sta guardando una coppia di enormi vasi in porcellana che ho preso a Hong Kong.

«Ah, sì. Volevo appunto parlartene. Indovina? Sono copie di veri vasi ming. L'uomo del negozio ha detto...»

«Ma cosa diavolo ci fanno qui?»

«Io... io li ho comperati. Saranno perfetti nell'ingresso. Saranno il pezzo forte! Li ammireranno tutti.»

«E quel tappeto?» Mi indica un'enorme salsicciotto multicolore.

«In realtà si chiama dhurry...» Vedendo la sua espressione, mi interrompo. «L'ho preso in India» aggiungo debolmente.

«Senza consultarmi.»

«Ehm...»

L'espressione di Luke non mi piace.

«Oh, guarda!» esclamo, nel tentativo di distrarlo. «La rastrelliera per le spezie che hai scovato in quel mercatino in Kenya.»

Luke mi ignora. Sta guardando con aria stralunata un enorme, ingombrante aggeggio che viene scaricato dal primo camion. Sembra uno xilofono con una serie di tegami in rame appesi, il tutto in un unico pezzo.

«E quello, cosa diavolo è? Un qualche strumento musicale?»

I gong si mettono a suonare fragorosamente mentre gli uomini lo scaricano, e un paio di persone che stanno passando lì davanti si danno un colpetto col gomito e scoppiano a ridere.

Persino io comincio ad avere dei ripensamenti su questo acquisto.

«Ehm... sì.» Mi schiarisco la voce. «In effetti è un gamelan indonesiano.»

Segue un breve silenzio.

«Un gamelan indonesiano?» ripete Luke con voce appena strozzata.

«Ma è un oggetto intriso di cultura» dico, sulla difensiva. «Pensavo che avremmo potuto imparare a suonarlo. E sarà il pezzo forte...»

«Scusa, di quanti pezzi forti pensi di aver bisogno?» Luke sembra fuori di sé. «Becky, è nostra tutta questa roba?»

«Attenzione! Arriva il tavolo da pranzo!» grida il tizio che indossa la tuta.

Grazie al cielo. Okay, presto. Recuperiamo la situazione.

«Senti, tesoro» dico in fretta, «è il nostro tavolo da pranzo dello Sri Lanka. Ricordi? Il nostro tavolo personalizzato! Il simbolo del nostro amore coniugale.» Gli rivolgo un sorriso amorevole, ma lui scuote la testa.

«Becky...»

«Non rovinare questo momento!» Lo circondo con un braccio. «È il nostro tavolo, comperato in luna di miele! Il tavolo da tramandare ai nostri figli! Dobbiamo guardare quando lo scaricano.»

«D'accordo» fa lui alla fine. «Come vuoi tu.»

Gli uomini stanno portando con attenzione il tavolo giù per la rampa e devo dire che sono davvero impressionata. Considerando quello che pesa, pare proprio che se la cavino egregiamente.

«Non è emozionante?» Appena il tavolo esce dal camion stringo il braccio di Luke. «Pensa! Eravamo in Sri Lanka...»

Mi interrompo, perplessa.

Questo non è il nostro tavolo di legno. È un tavolo di vetro trasparente con gambe in acciaio curvato. Segue un altro tizio che porta due sedie moderne tappezzate di panno rosso.

Lo fisso, inorridita. Una sensazione di gelo si sta impadronendo di me.

Merda. Merda. Merda.

Il tavolo che ho comperato alla Fiera del Design a Copenaghen. Me ne ero totalmente scordata.

Come ho potuto dimenticarmi di aver acquistato un tavolo da pranzo? Come ho potuto?

«Un momento» dice Luke a voce alta, alzando una mano. «Gente, quello è il tavolo sbagliato. Il nostro è di legno. Un grosso tavolo di legno intagliato dallo Sri Lanka.»

«Sì, ce n'è uno» conferma il tizio della ditta. «Nell'altro camion.»

«Ma noi non l'abbiamo comperato, questo!» insiste Luke.

Mi lancia un'occhiata interrogativa e io mi affretto ad assumere un'espressione del tipo "sono sconcertata quanto te".

Il mio cervello lavora febbrile. Negherò di averlo mai visto, lo rimanderemo indietro e si aggiusterà tutto...

«"Spedisce Rebecca Brandon."» Il tizio legge a voce alta l'etichetta. «"Tavolo con dieci sedie. Luogo d'origine: Danimarca". Qui c'è la firma.»

Cazzo.

Luke si volta verso di me, molto lentamente.

«Becky, hai comperato un tavolo con dieci sedie in Danimarca?» dice, con tono quasi affabile.

«Ehm...» Mi passo la lingua sulle labbra, nervosa. «Ehm... io... è possibile.»

«Capisco.» Luke chiude gli occhi per un istante quasi stesse riflettendo su un problema matematico. «E poi hai comperato un altro tavolo – con altre dieci sedie – in Sri Lanka?»

«Mi ero scordata del primo!» ribatto, disperata. «Me n'ero totalmente dimenticata! Senti, è stata una luna di miele molto lunga, e io ho perso le tracce di qualche piccola cosa...»

Con la coda dell'occhio, vedo un tizio che sta prendendo il pacco con le venti vestaglie di seta. Merda.

Devo allontanare Luke da questo camion il più in fretta possibile.

«Sistemeremo tutto, Luke. Te lo prometto. Ma ora, perché non vai su in casa e ti bevi qualcosa? Rilassati. Io resto quaggiù a dirigere le operazioni.»

Un'ora dopo è tutto finito. Gli uomini chiudono i portelloni dei camion, e io consegno loro una mancia generosa. Mentre si allontanano alzo lo sguardo e vedo Luke uscire dal portone.

«Ehi, non è stato poi così male, vero?»

«Puoi venire di sopra con me un minuto?» mi chiede Luke con voce strana.

Provo una leggera apprensione. Che sia arrabbiato? Forse ha trovato le vestaglie cinesi.

Durante il tragitto in ascensore gli sorrido un paio di volte, ma lui non ricambia il sorriso.

«Allora… hai messo tutto in soggiorno?» chiedo, mentre ci avviamo verso la porta d'ingresso. «O in…»

La porta si apre e io resto senza parole.

Oh, mio Dio.

L'appartamento è totalmente irriconoscibile.

La moquette beige è scomparsa sotto un mare di pacchi, bauli e mobili. L'ingresso è invaso da scatole, che riconosco come quelle dell'outlet dello Utah, più i batik di Bali e i due vasi cinesi. Li oltrepasso con difficoltà ed entro in soggiorno, dove mi aspetta un'altra sorpresa. Ci sono scatole ovunque. Kilim e dhurry arrotolati sono stati addossati contro il muro in un angolo. In un altro angolo il gamelan indonesiano si contende lo spazio con un tavolino d'ardesia e un totem indiano.

Sento che tocca a me dire qualcosa.

«Perbacco!» faccio, con una risatina. «Abbiamo un bel po' di tappeti, vero?»

«Diciassette» puntualizza Luke, sempre con quella strana voce. «Li ho contati.» Scavalca un tavolino di bambù che ho acquistato in Thailandia e guarda l'etichetta di una grossa cassa di legno. «E, a quanto pare, questa contiene quaranta tazze.» Alza lo sguardo verso di me. «Quaranta tazze?»

«Lo so che sembrano tante, Luke. Ma costavano solo cinquanta penny l'una. Era un affare. Non dovremo mai più comperare tazze in vita nostra!»

Luke mi osserva per un istante.

«Becky, io non voglio mai più comperare niente in vita mia.»

«Senti...» Faccio un passo verso di lui, ma vado a sbattere col ginocchio contro una statua di legno dipinto che raffigura Ganesh, dio della saggezza e del successo. «Non è... non è così male! Lo so che sembra un sacco di roba, ma è come... un'illusione ottica. Una volta che avremo sballato e riposto tutto quanto, sarà fantastico.»

«Abbiamo cinque tavolini» continua Luke, ignorandomi. «Lo sapevi?»

«Ehm... be'...» Mi schiarisco la voce. «Non esattamente. Forse dobbiamo razionalizzare un pochino.»

«Razionalizzare?» Luke si guarda attorno, incredulo. «Razionalizzare tutta questa roba? È un casino!»

«Magari al momento può sembrare un po' un casino» mi affretto ad ammettere, «ma riuscirò a metterla assieme. E funzionerà, vedrai. Sarà il nostro stile distintivo. Basterà qualche...»

«Becky» mi interrompe Luke, «vuoi sapere di che umore sono in questo momento?»

«Ehm...»

Lo osservo, ansiosa, mentre sposta due pacchi provenienti dal Guatemala e si lascia cadere sul divano.

«Quello che voglio sapere è... come hai pagato tutta questa roba?» chiede, aggrottando la fronte. «Ho fatto un controllo veloce dei conti e non c'è traccia di vasi ming. Né di giraffe. O di tavoli da Copenaghen...» Mi guarda fisso. «Cosa sta succedendo, Becky?»

Sono con le spalle al muro. Anche se volessi fuggire, probabilmente finirei impalata sulle zanne dell'elefante in legno acquistato in Tanzania.

«Be'...» Non riesco a guardarlo negli occhi. «Ho... ho una carta di credito.»

«Quella che tieni nascosta nella borsa?» dice Luke senza battere ciglio. «Ho controllato anche quella.»

Oh, Dio.

Non c'è via di scampo.

«Veramente... non è quella» dico, deglutendo a fatica. «È un'altra.»

«*Un'altra?*» Luke mi guarda fisso. «Hai una seconda carta di credito segreta?»

«Ma è solo per le emergenze! Può capitare a tutti un'emergenza...»

«Emergenza dei tavoli da pranzo? Emergenza un gamelan indonesiano?»

Silenzio. Non so cosa rispondere. Ho le guance in fiamme e le dita aggrovigliate dietro la schiena.

«Così, hai continuato a pagare i conti in segreto?» Vedendo l'angoscia sul mio volto, la sua espressione cambia. «Non li hai pagati.»

«Il fatto è che...» Le mie dita si annodano ancora di più. «Mi hanno concesso un limite molto alto.»

«Per amor del cielo, Becky!»

«È tutto a posto. Pagherò! Tu non devi preoccuparti di nulla. Ci penserò io.»

«Con cosa?» ribatte Luke.

Segue un silenzio penetrante. Guardo Luke, offesa.

«Quando comincerò a lavorare» rispondo, con voce tremante. «Ho intenzione di guadagnare, sai, Luke. Non sono una scroccona.»

Luke mi guarda per un momento, poi sospira.

«Lo so» dice, con dolcezza. «Scusami.» Allunga le braccia. «Vieni qua.»

Dopo un attimo mi faccio strada sul pavimento ingombro e vado verso il sofà. Trovo un piccolo spazio per sedermi e lui mi mette un braccio intorno alle spalle. Per un po' restiamo a guardare in silenzio l'oceano di oggetti ammassati alla rinfusa. È come se fossimo due naufraghi su un'isola deserta.

«Becky, non possiamo andare avanti così» dice Luke, alla fine. «Lo sai quanto è costata la nostra luna di miele?»

«Ehm... no.»

D'un tratto mi rendo conto che non ne ho la minima idea. Io ho comperato i due biglietti aerei ma, a parte questo, è stato Luke che ha pagato tutto il resto.

La luna di miele ci ha ridotti sul lastrico?

Gli lancio un'occhiata e, per la prima volta, mi accorgo di quanto sia preoccupato.

Oh, Dio. Provo una paura improvvisa. Siamo rimasti senza soldi e Luke ha cercato di nascondermelo. Me lo sento. È il mio intuito di donna.

Mi sembra d'essere la moglie in *La vita è meravigliosa* quando James Stewart torna a casa e urla contro i bambini. Anche se siamo sull'orlo della rovina economica, il mio ruolo è quello di essere serena e coraggiosa.

«Luke, siamo molto poveri?» dico, con tutta la calma possibile.

Luke si volta e mi guarda.

«No, Becky» risponde con tono paziente. «Non siamo molto poveri. Ma lo saremo presto se continui a comperare montagne di stronzate.»

Montagne di stronzate?

Sto per lanciarmi in una replica indignata quando vedo la sua espressione. E così chiudo la bocca e annuisco umilmente.

«Quindi...» Luke fa una pausa «credo che dovremo fissare un budget.»

8

Un budget.

Non c'è problema. Sono in grado di gestire i miei soldi. Anzi, non vedo l'ora. Sarà una liberazione sapere esattamente quanto posso spendere.

Inoltre lo sanno tutti che il bello dei budget è che li rigiri come vuoi a tuo vantaggio. Appunto.

«Allora... quant'è il mio budget per oggi?» faccio, indugiando sulla soglia dello studio. È passata quasi un'ora dalla nostra discussione e Luke sta cercando qualcosa nella scrivania. Mi sembra un po' agitato.

«Prego?»

«Mi stavo chiedendo quanto è il mio budget per oggi. Venti sterline?»

«Suppongo di sì» risponde Luke, distratto.

«Allora... posso averle?»

«Cosa?»

«Posso avere le mie venti sterline?»

Luke mi fissa per un istante come se fossi completamente pazza, poi prende il portafoglio dalla tasca, tira fuori una banconota da venti sterline e me la porge. «Va bene?»

«Bene. Grazie.»

Osservo la banconota. Venti sterline. Ecco la mia sfida. Mi sento come una moglie in tempo di guerra che riceve la tessera annonaria.

È una sensazione strana, non avere un reddito mio. Né un lavoro. Per tre mesi. Come farò a sopravvivere per tre lunghi mesi? Dovrei trovarmi un altro impiego per questo periodo?

Potrebbe essere un'occasione irripetibile per tentare qualcosa di totalmente nuovo.

Mi vedo nelle vesti di una progettista di giardini. Potrei comperarmi degli stivali di gomma molto chic e specializzarmi in cespugli.

Oppure... sì! Potrei fondare una società che offre servizi unici, che nessun altro ha mai fornito, e guadagnare milioni di sterline! Tutti direbbero: "Becky è un genio! Perché non ci abbiamo pensato noi?". E i servizi unici potrebbero essere...

Potrebbero consistere in...

Vabbè, ci penserò dopo.

E poi, vedendo Luke che infila dei documenti in una cartellina della Brandon Communications, vengo colpita da un'idea brillante. Ma certo! Posso dargli una mano nel suo lavoro.

In fondo, lo scopo del matrimonio è proprio questo. Dovrebbe essere una società. Lo sanno tutti che i matrimoni migliori sono quelli in cui il marito e la moglie si aiutano in tutto.

Giusto ieri sera ho visto un film in televisione in cui una coppia si separa, e questo perché la moglie non si interessa al lavoro del suo uomo, ma la segretaria sì. Così il marito lascia la moglie, lei lo uccide, poi scappa e finisce con il suicidarsi. Ecco, visto cosa succede?

Sono carica di ispirazioni. Sarà questo il mio nuovo progetto. Moglie collaboratrice. Posso gettarmi a capofitto nella conduzione della sua azienda, come Hillary Clinton, e tutti capiranno che in realtà le idee brillanti vengono da me. Già mi vedo accanto a Luke, con un tailleur tinta pastello e un sorriso raggiante, mentre su di noi scende una pioggia di coriandoli.

«Luke, senti. Voglio aiutarti.»

«Aiutarmi?» Alza lo sguardo con espressione assente.

«Voglio aiutarti nel tuo lavoro. Nel nostro lavoro» aggiungo, timidamente.

Voglio dire, è come se fosse anche la mia società, adesso. Si chiama Brandon Communications, giusto? E ora io mi chiamo Rebecca Brandon, giusto?

«Becky, non sono sicuro che...»

«Io voglio aiutarti, e sono libera per tre mesi! È perfetto! Potrei farti da consulente. Non dovresti neppure pagarmi molto.»

Luke ha un'aria leggermente perplessa.

«E in cosa, esattamente, mi faresti da consulente?»

«Be'... così su due piedi non saprei» ammetto. «Ma potrei sicuramente portare idee nuove. Un approccio creativo.»

Luke sospira.

«Tesoro, siamo davvero molto impegnati con questo progetto Arcodas. Non ho tempo per prenderti con me. Magari, quando avremo finito...»

«Ma non dovrai perdere tempo!» ribatto, meravigliata. «Anzi, te ne farei risparmiare. Ti sarei d'aiuto. Una volta mi hai offerto un lavoro, ricordi?»

«Lo so. Ma lavorare a tempo pieno non è come trovarsi un'occupazione per tre mesi. Se invece vuoi cambiare, allora è diverso.»

Torna a esaminare i suoi documenti e io lo fisso, seccata. Sta facendo un grosso errore. Lo sanno tutti che le aziende devono fondere le proprie esperienze con quelle di altre aziende. La mia esperienza come personal shopper potrebbe essere preziosissima per lui. Per non parlare del mio background di giornalista finanziaria. Probabilmente rivoluzionerei l'intera Brandon C. nel giro di una settimana. Gli farei guadagnare milioni di sterline!

Mentre lo guardo, Luke cerca di riporre un fascicolo e picchia lo stinco contro uno scatolone pieno di sari.

«Cristo!» esclama, irritato. «Becky, se davvero vuoi aiutarmi...»

«Sì?»

«Vedi di mettere in ordine questo appartamento.»

Fantastico. Assolutamente fantastico.

Io sono qui, pronta a dedicarmi alla sua azienda, pronta a dimostrarmi la moglie più collaborativa del mondo, e lui pensa che dovrei *mettere in ordine*.

Sollevo una pesante scatola di legno e la poso sul tavolino d'ardesia, faccio leva sotto il coperchio con un coltello, e fiocchi di polistirolo bianco si spargono ovunque come neve. Infilo dentro le mani e tiro fuori un pacchetto avvolto nella plastica a bolle. Lo guardo perplessa per un istante e poi, d'un tratto, ricordo. Sono le uova dipinte a mano, quelle che ho preso in Cina. Su ognuna è rappresentata una scena della leggenda del Re Drago. Credo di averne comperate cinque.

Mi guardo attorno nella stanza ingombra. Dove posso mettere un set di fragili uova dipinte a mano? Non c'è una sola superficie libera. Persino la mensola del caminetto è piena zeppa.

Un crescente senso di frustrazione si sta impadronendo di me. Non c'è un posto dove posare un solo oggetto. Ho già riempito tutti gli armadi, il mio guardaroba, e pure lo spazio sotto il letto.

Perché mai ho comperato tutte queste stupide uova dipinte a mano? Cosa avevo nella testa? Per un attimo mi viene voglia di mollare la cassa per terra, accidentalmente di proposito. Ma non riesco a costringermi a farlo. Dovranno finire fra le cose in stand by.

Rimetto le uova nella scatola di legno, scavalco una pila di tappeti e la infilo dietro la porta, sopra sei pezze di seta thailandese. Poi scivolo seduta a terra, esausta. Dio, che stanchezza. E, come se non bastasse, adesso devo anche raccogliere quei maledetti fiocchi di polistirolo.

Mi passo il dorso della mano sulla fronte e guardo l'orologio. È un'ora che lavoro qui dentro e, in tutta sincerità, la stanza sembra esattamente come prima. Anzi, se possibile, peggio. Osservando tutto quel disordine vengo assalita dallo sconforto.

Ciò di cui ho bisogno è una bella tazza di caffè. Sì, una bella tazza di caffè.

Mi dirigo verso la cucina, sentendomi già più leggera, e accendo il bollitore. Magari mi mangio anche un biscotto. Apro uno dei mobiletti in acciaio inossidabile, prendo la scatola, scelgo un biscotto e rimetto a posto la scatola. Ogni singolo movimento produce un leggero rumore metallico che riecheggia nella stanza.

Dio, com'è silenziosa questa casa. Dobbiamo procurarci una radio.

Faccio scorrere le dita sul ripiano di granito e mi ritrovo a fare un gran sospiro.

Potrei dare un colpo di telefono alla mamma e fare una bella chiacchierata. Solo che si comporta ancora in maniera strana. L'altro giorno ho chiamato casa e lei mi è sembrata molto misteriosa: ha detto che doveva andare perché c'era lo spazzacamino. Mah, da noi non è mai venuto... probabilmente stava facendo vedere la casa a qualcuno.

Potrei chiamare Suze...

No. Provo una fitta di dolore. Suze, no.

Oppure Danny, penso, con un'ispirazione improvvisa. Danny era il mio miglior amico quando vivevamo a New York. Allora lottava per affermarsi come stilista, ma ora sta andando alla grande. Ho visto il suo nome su "Vogue"! Non gli ho ancora parlato da quando siamo tornati.

Non è l'ora migliore per chiamare New York. Ma non vuol dire, Danny non ha mai avuto orari normali. Compongo il suo numero e aspetto, impaziente, che risponda.

«Saluti!»

«Ciao, Danny! Sono...»

«Benvenuti nell'impero in continua crescita di Danny Kovitz!»

Oh, è una segreteria telefonica.

«Se desiderate consigli di moda... premete uno. Per ricevere un catalogo... premete due. Se desiderate mandare un regalo a Danny o invitarlo a una festa, premete tre...»

Attendo che l'elenco sia terminato e arrivi il segnale acustico.

«Ciao!» dico. «Danny, sono Becky! Dammi un colpo di telefono, quando puoi.» Gli lascio il mio numero e riattacco.

Il bollitore comincia a fischiare e io metto qualche cucchiaiata di caffè nella caffettiera, pensando a chi altri potrei chiamare, ma... non c'è nessuno. Il fatto è che sono due anni che non vivo più a Londra. E ho perso i contatti con gran parte delle mie vecchie amicizie.

Sono sola. Il pensiero mi attraversa la mente senza alcun preavviso.

No, non è vero. Sto benissimo.

Vorrei non essere mai tornata a casa.

Non essere sciocca. Va tutto bene. Alla grande! Sono una donna sposata, ho la mia casa e... un sacco di cose da fare.

Suona il campanello e io sollevo la testa di scatto, sorpresa. Non aspetto nessuno.

Probabilmente è un pacco. O magari è Luke che ha deciso di tornare a casa prima. Vado nell'ingresso e sollevo la cornetta del citofono.

«Chi è?»

«Becky, tesoro?» dice una voce familiare accompagnata dal crepitio del ricevitore. «Sono la mamma.»

Resto a bocca aperta. La mamma? Giù di sotto?

«Papà e io siamo passati a trovarti. Possiamo fare un salto su?»

«Ma certo!» esclamo, confusa, e premo il tasto apriporta. Cosa diavolo ci fanno qui, i miei?

Mi precipito in cucina, verso il caffè, sistemo qualche biscotto su un piatto, poi torno di corsa all'ascensore.

«Ciao!» dico, quando la porta si apre. «Entrate! Vi ho preparato un po' di caffè.»

Mentre li abbraccio, vedo che si scambiano un'occhiata preoccupata.

Cosa sta succedendo?

«Non vogliamo disturbarti, tesoro» dice la mamma, seguendomi nell'appartamento.

«No! Certo che no! Cioè, ovviamente ho delle cose da fare... delle cose da...»

«Oh, sì» dice la mamma, annuendo. «Be', non ti faremo perdere tempo. È solo che...» Lascia la frase in sospeso. «Possiamo sederci un attimo?»

«Oh...» Lancio un'occhiata in direzione del soggiorno. Il divano è circondato da scatole e scatoloni, e coperto da tappeti e fiocchi di polistirolo. «Non abbiamo ancora del tutto sistemato il soggiorno. Andiamo in cucina.»

Chiunque abbia progettato gli sgabelli ultramoderni della nostra cucina ovviamente non ha mai invitato i propri genitori a prendere una tazza di caffè. Ci vogliono più o meno cinque minuti prima che mamma e papà riescano a salirci sopra mentre io li osservo, terrorizzata all'idea che ruzzolino giù.

«Hanno delle gambe un po' ballerine, eh?» osserva papà ansante, al quinto tentativo. Nel frattempo la mamma si sta issando lentamente, un centimetro alla volta, afferrandosi con tutte le forze al bancone di granito.

Alla fine, in un modo o nell'altro, riescono entrambi ad appollaiarsi sui sedili di acciaio e lì restano, immobili, a disagio, come gli ospiti di un talk show.

«State comodi?» chiedo. «Perché altrimenti vado a prendervi delle altre sedie…»

«Sciocchezze!» ribatte pronto papà. «Siamo comodissimi.»

Mente. Vedo benissimo che stringe spasmodico i bordi del sedile liscio e guarda in basso verso il pavimento di ardesia come se si trovasse in bilico su un cornicione al quarantaquattresimo piano.

«Questi sgabelli sono un po' duri, vero tesoro?» azzarda la mamma. «Potresti metterci qualche bel cuscino di John Lewis, sai, di quelli che si legano con i fiocchetti.»

«Ehm… è un'idea.»

Porgo loro le tazze di caffè, avvicino uno sgabello per me e con disinvoltura salgo al volo.

Accidenti. Che male!

Sono davvero insidiosi. Stupidi sedili lucidi. E poi sono terribilmente instabili.

Okay, ce l'ho fatta. Ci sono.

«Allora… state tutti e due bene?» chiedo, allungando una mano per prendere la mia tazza.

Segue un breve silenzio.

«Becky, siamo qui per un motivo» attacca papà. «Dobbiamo dirti una cosa.»

Ha un'aria così seria, che vengo presa dal panico. Forse non si tratta della casa. Forse è qualcosa di peggio.

«Ha a che fare con me» prosegue.

«Sei malato» dico, prima di riuscire a trattenermi. «Oh, Dio. Oh, Dio. Sapevo che c'era qualcosa…»

«Non sono malato. Non si tratta di questo. Si tratta di… qualcos'altro.» Fa una pausa e si massaggia le tempie, per qualche istante, poi mi guarda. «Becky, anni fa…»

«Diglielo con delicatezza, Graham!» lo interrompe la mamma.

«Glielo sto dicendo con delicatezza!» ribatte papà, girandosi di scatto e facendo traballare pericolosamente lo sgabello. «È esattamente quello che sto facendo!»

«E invece no» lo rimbecca la mamma. «Stai precipitando le cose!»

A questo punto sono totalmente disorientata.

«Cos'è che dovrebbe dirmi con delicatezza?» chiedo, guardando dall'uno all'altra. «Cosa sta succedendo?»

«Becky, prima di conoscere tua madre...» incomincia papà, evitando di incrociare il mio sguardo «c'è stata un'altra donna... nella mia vita.»

«Bene» faccio io, con la gola stretta.

Mamma e papà stanno per divorziare ed è per questo che vogliono vendere la casa. Sto per diventare la figlia di divorziati.

«Avevamo perso i contatti» prosegue papà, «ma recentemente... sono accadute delle cose.»

«La stai confondendo, Graham!» esclama la mamma.

«Non la sto confondendo! Becky, ti sto confondendo?»

«Be'... un pochino» ammetto.

La mamma si sporge verso di me e mi afferra la mano.

«Becky, tesoro, per fartela breve... tu hai una sorella.»

Una sorella?

La fisso, senza capire. Cosa sta dicendo?

«Una sorellastra, per meglio dire» le fa eco papà, annuendo convinto. «Di due anni maggiore di te.»

Il mio cervello è in tilt. Non ha senso. Come posso avere una sorella e non saperlo?

«Papà ha una figlia, tesoro» dice la mamma con gentilezza. «Una figlia di cui noi non sapevamo nulla fino a poco tempo fa. Si è messa in contatto con noi mentre tu eri in luna di miele. Ci siamo visti qualche volta, vero, Graham?» Lancia un'occhiata a papà, il quale annuisce. «È... molto simpatica.»

In cucina c'è silenzio. Deglutisco più volte. Non riesco a capire.

All'improvviso, mi è tutto chiaro. Alzo lo sguardo.

«Quella ragazza! Il giorno in cui siamo tornati.» Ho il cuore che batte forte. «Quella che era con voi. Era lei...?»

Mamma guarda papà, e lui annuisce.

«Proprio lei. La tua sorellastra. Era venuta a trovarci.»

«Quando ti abbiamo visto, tesoro, non sapevamo cosa fare»

dice la mamma, con una risatina nervosa. «Non volevamo causarti uno shock.»

«E così abbiamo deciso che ti avremmo detto tutto quando ti fossi sistemata» aggiunge papà.

Mi sento stordita. Era lei. Quella che ho visto era la mia sorellastra.

«Come... come si chiama?» chiedo.

«Si chiama Jessica» risponde papà dopo un attimo di esitazione. «Jessica Bertram.»

Jessica. Mia sorella Jessica.

Ciao, ti presento mia sorella Jessica.

Guardo il volto preoccupato di papà e quello sorridente e fiducioso della mamma... e all'improvviso mi sento molto strana. È come se una bolla si stesse gonfiando dentro di me. Come se una ridda di emozioni fortissime stessero spingendo per uscire dal mio corpo.

Io non sono figlia unica.

Ho una sorella. *Ho una sorella.*

Ho una SORELLA!

9

È una settimana che non riesco a dormire. Né a concentrarmi. È tutto un po' confuso. Non posso pensare ad altro se non che io, Rebecca Brandon, nata Bloomwood, ho una sorella. Ho una sorella da quando sono nata!

E oggi, finalmente, la conoscerò!

Il solo pensiero mi rende euforica e nervosa al tempo stesso. In cosa saremo uguali? In cosa saremo diverse? Come sarà la sua voce? E i suoi vestiti?

«Sto bene?» chiedo a Luke per la milionesima volta, e mi osservo attentamente allo specchio. Sono nella mia camera, a casa dei miei, e sto dando gli ultimi ritocchi alla mia mise primo-incontro-con-la-sorella-ritrovata.

Mi ci sono voluti parecchi giorni per decidere, e dopo tanto pensare, ho optato per un look che è casual ma al tempo stesso speciale. Indosso un paio di jeans Seven, quelli che mi stanno meglio, un paio di stivaletti col tacco a spillo, una T-shirt che Danny aveva creato per me secoli fa, e una favolosa giacca rosa pallido di Marc Jacobs.

«Stai benissimo» risponde Luke, paziente, alzando lo sguardo dal cellulare.

«Sai... è un compromesso tra formale e informale» gli spiego. «La giacca indica che questa è un'occasione speciale, invece i jeans dicono "siamo sorelle, non c'è bisogno di strafare", mentre la T-shirt...»

Mi blocco. A essere sincera non sono del tutto sicura di cosa dica la T-shirt, a parte "sono amica di Danny Kovitz".

«Becky, sinceramente non penso che conti quello che indossi.»

«Cosa?!» Mi volto, incredula. «Ma certo che conta! Questo è uno dei momenti più importanti della mia vita. Ricorderò sempre cosa portavo il giorno in cui ho incontrato mia sorella. Voglio dire... tu ricordi cosa indossavi quando mi hai visto per la prima volta, vero?»

Silenzio. Luke ha un'aria assente.

Non se lo ricorda? Come può non ricordarlo?

«Be', *io* me lo ricordo» proseguo, irritata. «Tu indossavi un abito grigio con camicia bianca e una cravatta di Hermès verde scuro. E io portavo la gonna nera corta con gli stivali di camoscio e quell'orrenda camicetta bianca che mi fa due braccia grosse così.»

«Se lo dici tu.» Luke inarca le sopracciglia.

«Lo sanno tutti che la prima impressione è quella che conta» proseguo, lisciandomi la maglietta. «Io voglio solo avere l'aspetto giusto. Da sorella.»

«E che aspetto hanno le sorelle?» chiede Luke, divertito.

«Un aspetto... allegro!» Ci penso su un momento. «Affabile. Amichevole. Di chi ti avverte se ti si vede la spallina del reggiseno.»

«Allora hai tutta l'aria di una sorella.» Luke mi dà un bacio. «Becky, rilassati. Andrà tutto bene.»

«Okay. Mi rilasso.»

So di essere un po' nervosa, ma non posso farci niente. È solo che non riesco a mandar giù l'idea di essere una sorella dopo essere stata figlia unica per tutta la vita.

Insomma, non che mi dispiacesse essere sola. Mamma, papà e io ci siamo sempre divertiti un mondo, insieme. Ma, sapete, a volte sentivo le altre persone parlare dei propri fratelli o sorelle e mi chiedevo come ci si sentisse ad averne uno. Non ho mai pensato che un giorno lo avrei scoperto!

La cosa veramente inquietante è che per tutta la settimana non ho fatto altro che vedere sorelle. Sono ovunque! Per esempio, l'altro pomeriggio in televisione hanno danno *Piccole donne*, seguito subito dopo da un programma sulle Beverley Sisters! E ogni volta che vedo due donne insieme per strada, invece di far caso a come sono vestite, penso: "Chissà se sono sorelle?".

È come se, là fuori, ci fosse tutto un mondo di sorelle. E, finalmente, io ne faccio parte.

Avverto un bruciore agli occhi, e sbatto le palpebre. È assurdo, ma da quando ho saputo di Jessica, sono diventata più emotiva. Ieri sera stavo leggendo un bellissimo libro intitolato *Sorelle perdute: l'amore che non sapevano di avere*, e piangevo a dirotto. Che storie incredibili! Una parlava di tre sorelle russe rinchiuse, senza saperlo, nello stesso campo di concentramento durante la guerra.

Poi c'era questa donna cui avevano detto che la sorella era stata uccisa, ma lei non ci voleva credere, poi si è ammalata di cancro e non aveva nessuno che badasse ai suoi tre figli, e proprio allora si è scoperto che la sorella era viva, appena in tempo perché potessero dirsi addio…

Oh, mi viene da piangere solo a pensarci.

Inspiro a fondo e vado verso il tavolo dove ho posato il mio regalo per Jessica. È un grande cesto pieno di articoli per il bagno di Origins, più dei cioccolatini e un piccolo album con foto di me da piccola.

Le ho anche comperato una collana di Tiffany con un ciondolo a forma di fagiolo, uguale alla mia, ma Luke mi ha fatto notare che potrebbe essere un po' troppo impegnativo regalarle un gioiello al nostro primo incontro. Cosa che, a dire il vero, io proprio non capisco. Voglio dire, a me piacerebbe se qualcuno mi regalasse una collana di Tiffany. Non mi sentirei affatto "imbarazzata" o com'è che ha detto lui.

Ma Luke ha insistito e così l'ho tenuta per un'altra occasione.

Osservo il cesto, non del tutto soddisfatta. Forse dovrei…

«Il regalo è perfetto» mi anticipa Luke, come apro bocca per parlare. «Non devi aggiungere altro.»

Come ha fatto a sapere cosa stavo per dire?

«Va bene» acconsento, con riluttanza. Guardo l'orologio e provo un senso di vuoto per l'eccitazione. «Non manca molto. Presto sarà qui.»

L'accordo è che Jessica chiami quando il suo treno arriva alla stazione di Oxshott, e papà andrà a prenderla. È una pura coincidenza che sia a Londra questa settimana. Lei vive in

Cumbria, a chilometri da qui, ma a quanto pare doveva venire per una conferenza. Quindi ha anticipato di un giorno, e solo per incontrare me!

«Scendiamo?» dico, guardando di nuovo l'orologio. «Potrebbe essere in anticipo.»

«Aspetta.» Luke chiude il cellulare con un gesto secco. «Becky, prima che cominci tutta la confusione... volevo dirti due parole veloci. Sulla questione degli acquisti fatti in luna di miele.»

«Ah.»

Avverto una fitta di risentimento. Perché deve tirare in ballo l'argomento proprio adesso? Questo è un giorno speciale! Dovrebbe esserci una sospensione generale di qualsiasi discussione, come in tempo di guerra, quando giocavano a football il giorno di Natale.

Non che siamo in guerra o cose del genere. Ma ieri abbiamo avuto un piccolo litigio quando Luke ha trovato le venti vestaglie di seta nascoste sotto il letto. Lui continua a chiedermi di mettere in ordine l'appartamento. E io continuo a dirgli che è quello che faccio.

Il che è vero. Ci sto lavorando. Più o meno.

Ma è così logorante. E non c'è un posto dove mettere la roba. E poi ho ricevuto questa notizia di una sorella che non sapevo di avere! Non c'è da stupirsi che sia un pochino distratta.

«Becky, volevo solo dirti che ho parlato con il mobilificio. Verranno lunedì a ritirare il tavolo danese.»

«Ah.» Sono imbarazzata. «Grazie. Ci daranno un rimborso pieno?»

«Quasi.»

«Oh, bene! Quindi alla fine, non ci abbiamo rimesso?»

«No» conviene lui. «Se non consideriamo i costi di spedizione, magazzinaggio e le spese per imballarlo di nuovo...»

«Giusto. Certo. E comunque... tutto è bene quel che finisce bene.»

Azzardo un sorriso conciliante, ma Luke non mi sta neppure guardando. Sta aprendo la valigetta e tirando fuori un fascio di... oh, Dio.

Estratti conto della carta di credito. I conti della mia carta segreta "Emergenza codice rosso", per l'esattezza. Luke me li ha chiesti l'altro giorno e io non ho potuto fare altro che prenderli dal nascondiglio in cui li tenevo.

Però, avevo una mezza speranza che non li leggesse.

«Bene!» dico, e la mia voce si alza di due toni. «Allora... li hai guardati!»

«Li ho pagati. Tutti» puntualizza Luke, brusco. «Hai tagliato la carta?»

«Ehm... sì.»

Luke si volta e mi fissa. «Davvero?»

«Sì» ribatto, punta sul vivo. «Ho gettato i pezzi nella spazzatura.»

«Okay.» Luke torna a guardare i conti. «E non deve arrivare altro? Qualcosa che hai comperato di recente?»

Sento un leggerissimo spasmo alla bocca dello stomaco.

«Ehm... no. È tutto.»

Non posso dirgli della Angel Bag. Non posso. È ancora convinto che a Milano io abbia acquistato soltanto il suo regalo. Al momento, è l'unica cosa che mi salva.

E comunque, posso pagarla da sola, senza problemi. Voglio dire, fra tre mesi avrò un lavoro e un reddito. Sarà facile.

Il mio cellulare prende a squillare, con mio grande sollievo. Frugo nella borsa, lo tiro fuori e vedo il numero di Suze lampeggiare sul display.

Suze.

Improvvisamente provo una grande irritazione. Fisso il suo nome e sento crescere dentro di me un dolore familiare.

Dopo essere andata via da casa sua non le ho più parlato. Lei non mi ha chiamato, e io neppure. Se è così occupata e felice con la sua nuova vita, lo sono anch'io. Non sa neppure che ho una sorella.

Non ancora.

Premo il tasto verde e faccio un respiro profondo.

«Ciao, Suze!» esclamo con tono leggero. «Come stai? Come sta la famiglia?»

«Io sto bene» fa lei. «Stiamo tutti bene. Sai, la solita vita...»

«E Lulu? Immagino abbiate fatto un sacco di cose divertenti insieme...»

«Sta bene.» Suze mi sembra un po' imbarazzata. «Senti, Bex... a questo proposito, volevo...»

«A dire il vero, ho una notizia eccitante da darti» la interrompo. «Indovina? Ho scoperto di avere una sorella!»

Segue un silenzio attonito.

«Cosa?» fa Suze, alla fine.

«È vero! Ho una sorellastra di cui non sapevo nulla. La incontrerò oggi per la prima volta. Si chiama Jessica.»

«Io... io non posso crederci.» Suze sembra totalmente scioccata. «Hai una sorella?»

«Non è fantastico? Ho sempre desiderato una sorella!»

«E... e quanti anni ha?»

«Solo due più di me. Siamo quasi coetanee. Immagino che diventeremo ottime amiche» aggiungo, con tono naturale. «Anzi... saremo molto più che amiche. Voglio dire, abbiamo lo stesso sangue e tutto il resto. Fra noi nascerà un legame destinato a durare per sempre.»

«Sì, certo» dice Suze dopo una leggera esitazione. «Suppongo di sì.»

«E comunque, adesso devo andare. Arriverà da un momento all'altro! Non vedo l'ora!»

«Be', buona fortuna. Divertitevi.»

«Grazie. Ah, e salutami Lulu. Passa un bel compleanno con lei, d'accordo?»

«Sì, certo» risponde Suze, un po' abbattuta. «Ciao, Bex. E... congratulazioni.»

Mentre spengo il telefono, mi sento le guance accaldate. Suze e io non ci siamo mai comportate così, prima.

Ma non è colpa mia.

È lei quella che si è trovata un'altra amica del cuore. Non io.

Infilo il cellulare in borsa e alzo gli occhi. Vedo che Luke mi sta guardando con aria perplessa.

«Suze sta bene?»

«Sta bene» rispondo, con aria di sfida. «Su, andiamo.»

Mentre scendo le scale non sto più nella pelle per l'eccitazione. Sono quasi più emozionata del giorno in cui mi sono sposata. Questo è uno dei momenti più importanti della mia vita.

«Pronta?» dice la mamma, come entriamo in cucina. Indossa un elegante abito blu e sfoggia il trucco delle Occasioni

114

Speciali, quello con un sacco di ombretto brillante fin sotto le sopracciglia per "aprire gli occhi". L'ho visto sul manuale di cosmetica che Janice le ha regalato per Natale.

«Ho sentito bene? Avete intenzione di rivendere dei mobili?» dice, accendendo il bollitore.

«Abbiamo solo restituito un tavolo» risponde Luke. «A quanto pare ne abbiamo ordinati due per errore. Ma ora è tutto risolto.»

«Potevate venderlo su eBay» ci dice la mamma. «Ne avreste ricavato un bel po' di soldi.»

Su eBay.

È un'idea.

«E così… si può vendere qualsiasi cosa su eBay, vero?» chiedo, con naturalezza.

«Oh, sì! Qualunque cosa.»

Tipo, diciamo, uova dipinte a mano che illustrano la leggenda del Re Drago. Okay. Questa potrebbe essere la soluzione.

«Beviamoci un buon caffè» propone la mamma, prendendo delle tazze. «Intanto che aspettiamo.»

Automaticamente lanciamo tutti un'occhiata all'orologio. Il treno di Jessica dovrebbe arrivare a Oxshott fra cinque minuti. Cinque minuti!

«Ehilà!» Si sente bussare alla porta sul retro. Ci voltiamo tutti. È Janice che sbircia dal vetro.

Oh, mio Dio. Dove ha preso quell'ombretto azzurro luccicante?

Dio, fa che non lo passi alla mamma.

«Entra, Janice» dice la mamma, aprendo la porta. «C'è anche Tom! Che sorpresa!»

Accidenti! Che brutta cera ha Tom. I capelli sporchi e spettinati, le mani coperte di tagli e vesciche, la fronte piena di rughe.

«Abbiamo fatto un salto solo per augurarvi buona fortuna» sorride Janice. «Non che ne abbiate bisogno!» Molla una scatola di dolcificante sul bancone e si volta verso di me. «Allora, Becky. Una sorella!»

«Congratulazioni» fa Tom. «O comunque si dica.»

«Grazie! Non è incredibile?»

Janice scuote la testa e guarda la mamma con leggera aria di rimprovero.

«Non riesco a credere che tu ci abbia tenuto nascosta questa notizia, Jane!»

«Volevamo che Becky fosse la prima a saperlo» risponde la mamma, dandomi un colpetto sulla spalla. «Una girella alla nocciola, Janice?»

«Splendido!» risponde lei, prendendo un dolcetto dal piatto e sedendosi. Lo mordicchia pensierosa per qualche momento, poi alza lo sguardo. «Quello che non capisco è… perché questa ragazza si è fatta viva dopo tutto questo tempo?»

Ah! Aspettavo che qualcuno lo chiedesse.

«C'è un ottimo motivo» rispondo con aria solenne e drammatica. «È perché abbiamo una malattia ereditaria.»

Janice lancia un'esclamazione sorpresa.

«Una malattia! Jane! Non me l'hai mai detto!»

«Non è una malattia» puntualizza la mamma. «Becky, lo sai che non si tratta di una malattia, ma di un fattore.»

«Un fattore?» ripete Janice, ancor più inorridita. «Che tipo di fattore?» Vedo che guarda la sua girella alla nocciola quasi temesse un contagio.

«Non è mortale!» dice la mamma ridendo. «Fa solo coagulare il sangue. O qualcosa del genere.»

«Smettila!» Janice arriccia il naso. «Non posso sentir parlare di sangue!»

«I medici hanno detto a Jess che avrebbe dovuto informare gli altri membri della sua famiglia, perché si sottoponessero a un esame, e da lì è nato tutto. Aveva sempre saputo di avere un padre, da qualche parte, ma non ne conosceva il nome.»

«E così ha chiesto alla madre…» prosegue Janice, rapita, come se stesse seguendo una telenovela.

«La madre è morta» le spiega la mamma.

«Morta!» esclama Janice.

«Ma sua zia aveva scritto il nome del padre di Jessica su un vecchio diario» continua la mamma.

«E come si chiamava?» mormora Janice.

C'è un momento di pausa.

«Mamma, era Graham!» dice Tom, alzando gli occhi al cielo. «Graham Bloomwood! È evidente.»

«Ah, sì, certo» ammette Janice, quasi delusa. «E così... vi ha telefonato?»

«Ci ha scritto una lettera» racconta la mamma. «Dopo averci rintracciato. Noi non riuscivamo a crederci. Siamo rimasti sotto shock per giorni. Sai, è per questo che non siamo venuti a quella serata di quiz organizzata dalla parrocchia» aggiunge. «Non è vero che Graham aveva l'emicrania.»

«Lo sapevo!» esclama Janice, trionfante. «L'avevo detto allora, a Martin: "C'è qualcosa che non va a casa Bloomwood". Ma non potevo immaginare che si trattasse di una cosa del genere.»

«Be', come potevi saperlo?» osserva la mamma.

Janice resta in silenzio per un momento, riflettendo. Poi, di colpo, si irrigidisce e posa una mano sul braccio della mamma.

«Jane, sta' attenta. Ha avanzato qualche rivendicazione sui beni di Graham? Lui ha cambiato il testamento a suo favore?»

Decisamente Janice guarda troppi polizieschi in tivù.

«Janice!» esclama la mamma ridendo. «No. Non è così. Anzi, si dà il caso che la famiglia di Jess sia...» e qui abbassa la voce con discrezione «piuttosto ricca.»

«Ah!» fa Janice.

La mamma abbassa ulteriormente la voce. «Sono una potenza nel campo dei surgelati.»

«Oh, capisco» dice Janice. «Quindi non è sola al mondo.»

«Oh, no» conferma la mamma tornando a un tono di voce normale. «Ha un patrigno e due fratelli. O sono tre?»

«Ma nessuna sorella» mi intrometto io. «Avevamo entrambe quel vuoto nella nostra vita. Quel... desiderio inappagato.»

Tutti si voltano a guardarmi.

«Tu avevi un desiderio inappagato, Becky?» mi chiede Janice.

«Oh, sì. Decisamente.» Bevo un sorso di caffè con espressione assorta. «Ripensandoci, credo di aver sempre saputo di avere una sorella.»

«Davvero, tesoro?» dice la mamma, sorpresa. «Non me ne hai mai parlato.»

«Non ho mai detto nulla.» Rivolgo un sorriso coraggioso a Janice. «Ma dentro di me, sapevo.»

«Dio! E come potevi saperlo?» esclama Janice.

«Lo sentivo qui» e mi poso le mani sul cuore. «Era come se... come se mi mancasse una parte di me.»

Faccio un gesto ampio con la mano e compio l'errore di incrociare lo sguardo di Luke.

«Che parte in particolare ti mancava?» chiede lui con chiaro interesse. «Non un organo vitale, spero.»

Dio, non ha cuore. Neanche un briciolo. Ieri sera ha continuato a leggere dei pezzi del mio *Sorelle perdute*, dicendo "Dài, non puoi essere seria".

«La parte dell'anima gemella» ribatto.

«Grazie tante!» fa lui, inarcando le sopracciglia.

«Non quel genere di anima gemella! Un'anima gemella fraterna.»

«E Suze?» dice la mamma, alzando lo sguardo, sorpresa. «Lei è stata come una sorella per te. È una così cara ragazza.»

«Le amicizie vanno e vengono» ribatto, distogliendo lo sguardo. «Non è come una di famiglia. Non mi capisce come mi capirebbe una vera sorella.»

«Dev'essere stato un tale shock!» Janice guarda la mamma con aria comprensiva. «Specialmente per te, Jane.»

«In effetti» conferma la mamma sedendosi al tavolo. «Non posso negare che non lo sia stato. Anche se, ovviamente, quella relazione è avvenuta molto prima che Graham conoscesse me.»

«Ma certo!» si affretta a dire Janice. «Ma certo che è così! Non volevo minimamente insinuare che lui... che tu...»

Lascia la frase in sospeso, turbata, e beve un sorso di caffè.

«E in un certo senso...» La mamma fa una pausa, mescolando il caffè con un sorriso mesto. «In un certo senso c'era da aspettarselo. Graham era un dongiovanni da giovane. Non c'è da meravigliarsi che le donne gli si gettassero fra le braccia.»

«Già» fa Janice, con espressione dubbiosa.

Ci voltiamo tutti a guardare verso la finestrella, vedendo papà venire in direzione di casa attraverso il prato. Ha i capelli grigi tutti scompigliati, il volto rosso, e, anche se gli ho detto mille volte di non farlo, indossa i sandali con le calze.

«Le donne non hanno mai saputo resistergli» prosegue la

mamma. «È questa la verità.» Poi pare illuminarsi. «Ma siamo in terapia per superare la crisi.»

«In terapia?» ripeto, allibita. «Dici sul serio?»

«Certo!» risponde papà, entrando in cucina. «Abbiamo già fatto tre sedute.»

«È una ragazza molto simpatica, la nostra terapista» dice la mamma. «Anche se un po' sfacciata. Come tutti i giovani del giorno d'oggi.»

Uau! Questa mi giunge nuova. Non avevo idea che mamma e papà fossero in terapia. Ma d'altro canto, suppongo abbia un senso. Voglio dire, insomma, come mi sentirei io se Luke mi annunciasse di colpo di avere una figlia che non vede da tempo?

«Terapia!» Janice è sbalordita. «Non ci posso credere!»

«Siamo realistici, Janice. Non ci si può aspettare che una rivelazione di questo genere non causi ripercussioni» fa la mamma.

«Una scoperta di queste dimensioni può fare a pezzi una famiglia» conviene papà, infilandosi in bocca una girella alla nocciola. «Può scuotere le fondamenta di un matrimonio.»

«Bontà divina.» Janice si porta una mano alla bocca e guarda ora mamma ora papà con occhi spalancati. «Che... che genere di ripercussioni vi aspettate?»

«Collera, suppongo» dice la mamma con l'aria di chi sa. «Recriminazioni. Un po' di caffè, Graham?»

«Sì, grazie, tesoro» risponde lui con un sorriso.

«La psicoterapia è solo una stronzata» interviene Tom all'improvviso. «Io l'ho provata, con Lucy.»

Ci voltiamo tutti verso di lui. Stringe la tazza di caffè con tutte e due le mani e ci guarda con occhi torvi.

«La terapista era una donna» aggiunge, come se questo spiegasse tutto.

«Credo che molto spesso siano donne, caro» ribatte la mamma cauta.

«Ha preso subito le parti di Lucy. Ha detto che capiva le sue frustrazioni.» Le mani di Tom si serrano ancora di più attorno alla tazza. «E le *mie* frustrazioni? Lucy era mia moglie, ma non era interessata a nessuno dei miei progetti. Né la serra, né il bagno in camera da letto...»

Ho la sensazione che la cosa potrebbe andare avanti per un po'.

«A proposito, mi piace moltissimo il tuo capanno, Tom!» lo interrompo. «È molto... grande!»

Il che è vero.

In realtà, è mostruoso. Per poco non m'è venuto un colpo quando l'ho visto, stamattina, guardando fuori dalla finestra. È alto tre piani, con tanto di frontoni e terrazzo.

«Siamo solo un po' preoccupati per i regolamenti edilizi, vero?» dice Janice, lanciando un'occhiata nervosa in direzione di Tom. «Temiamo che possa venire classificato come abitazione.»

«Be', costruire una cosa del genere è una bella impresa!» osservo, con tono di incoraggiamento.

«A me piace lavorare col legno» dice Tom burbero. «Il legno non ti tradisce mai.» Scola la tazza e si alza. «Anzi, ora sarà meglio che torni al lavoro. Spero che vada tutto bene.»

«Grazie, Tom» faccio io. «Ci vediamo presto.»

Quando la porta si richiude alle sue spalle, segue un silenzio imbarazzato.

«È un caro ragazzo» dice la mamma alla fine. «Troverà la sua strada.»

«Ora vuole fare una barca» ci informa Janice, con aria stressata. «Una barca, sul prato!»

«Janice, prendi ancora un po' di caffè» suggerisce la mamma. «Ti ci metto un goccetto di sherry?» Per un istante Janice pare seriamente tentata.

«Meglio di no. Non prima di mezzogiorno.» Poi Janice fruga in borsa, tira fuori una pillolina e se la infila in bocca. Quindi richiude la borsa e fa un gran sorriso. «Allora! Com'è Jessica? Avete qualche foto?»

«Ne abbiamo fatta qualcuna, ma non è venuta» risponde la mamma, con rammarico. «Ma è... graziosa, non è vero, Graham?»

«Molto graziosa» conferma lui. «Alta... magra...»

«Capelli scuri» aggiunge la mamma. «Una ragazza molto riservata, se capisci cosa intendo.»

Ascolto avidamente la loro descrizione. Sebbene l'abbia vista di sfuggita per strada, il giorno in cui siamo tornati, la luce del sole era così forte, e io ero così distratta dallo strano comportamento dei miei, che non l'ho guardata bene. Così, è tutta la settimana che cerco di immaginare il suo aspetto.

Mamma e papà non fanno che dire quanto sia alta e snella, e così me la immagino tipo Courteney Cox. Flessuosa ed elegante, magari in un tailleur pantalone di seta bianca.

Continuo a immaginare il nostro primo incontro. Ci getteremo le braccia al collo, ci stringeremo con quanta forza abbiamo. Poi lei mi sorriderà, asciugandosi le lacrime, e io le sorriderò... e fra noi nascerà un legame immediato, come se ci conoscessimo già e ci comprendessimo meglio di chiunque altro al mondo.

Chissà? Forse scopriremo di condividere dei poteri telepatici. O forse saremo come le gemelle di cui ho letto su *Sorelle perdute*, separate alla nascita, che finirono con intraprendere lo stesso lavoro e sposare uomini con lo stesso nome.

L'idea mi avvince. Magari scoprirò che anche Jessica fa la personal shopper ed è sposata con un uomo che si chiama Luke! Si presenterà indossando la stessa giacca di Marc Jacobs che ho io, e parteciperemo ai programmi televisivi del mattino, e tutti diranno...

Solo che, adesso ricordo, lei non fa la personal shopper. Sta facendo tirocinio per diventare dottore. Dottore in geografia.

No. Geologia.

Ma d'altro canto... una volta non ho pensato anch'io di diventare dottore? Voglio dire, non può trattarsi di una semplice coincidenza.

«E dove vive?» sta chiedendo Janice.

«Su al Nord» risponde la mamma. «In un paese che si chiama Scully, in Cumbria.»

«Al Nord!» esclama Janice, rapita, quasi la mamma avesse detto che vive al Polo Nord. «È un viaggio lungo. A che ora arriva?»

«Be'...» La mamma guarda l'orologio e aggrotta la fronte. «Bella domanda. A quest'ora avrebbe dovuto essere già qui. Graham, tesoro, a che ora arriva il treno di Jess?»

«Più o meno adesso...» Papà aggrotta la fronte. «Forse farei bene a chiamare la stazione per vedere se c'è qualche problema.»

«Posso farlo io» dice Luke, alzando gli occhi dal giornale che sta leggendo.

«Ha detto che avrebbe telefonato...» sta dicendo la mamma, mentre papà va verso il telefono in corridoio.

All'improvviso squilla il campanello.

Ci guardiamo, impietriti. Qualche attimo dopo, papà dice dal corridoio: «Credo sia lei!».

Oh, mio Dio.

Il mio cuore prende a battere come un motore a pistoni.

È arrivata. La mia nuova sorella. La mia nuova anima gemella.

«Io scappo» fa Janice. «Vi lascio soli.» Mi stringe la mano con un gesto affettuoso e scompare dalla porta sul retro.

«Datemi il tempo di aggiustarmi i capelli» mormora la mamma, correndo allo specchio nell'ingresso.

«Presto!» dico io. «Dov'è il regalo?»

Non posso più aspettare. Devo vederla. Adesso!

«Eccolo!» E Luke mi porge il cestino avvolto nel cellophane. «E, Becky...» Mi posa una mano sul braccio.

«Cosa?» dico con impazienza. «Cosa c'è?»

«So che sei ansiosa di conoscere Jessica. Lo sono anch'io. Ma ricorda che siete due estranee. Io... ci andrei piano.»

«Non siamo due estranee!» ribatto, allibita. «È mia sorella! Nelle nostre vene scorre lo stesso sangue!»

Insomma! Ma Luke proprio non capisce?

Corro nell'ingresso, stringendo il cesto fra le mani. Attraverso il pannello di vetro satinato, vedo una figura indistinta. È lei!

«A proposito» dice la mamma mentre andiamo verso la porta, «preferisce essere chiamata Jess.»

«Pronte?» chiede Luke con una strizzatina d'occhio. Il momento è arrivato! Mi do un'aggiustatina veloce ai capelli, una lisciatina alla giacca e sfoggio il mio sorriso più affettuoso e accattivante.

La mamma abbassa la maniglia e apre la porta con gesto solenne.

E lì, sulla soglia, c'è mia sorella.

10

Il mio primo pensiero è che non assomiglia AFFATTO a Courteney Cox. E non indossa un tailleur pantalone di seta bianca.

I capelli scuri sono tagliati corti, e porta un'ordinaria camicia marrone da lavoro sopra un paio di jeans. Suppongo sia uno stile... casual chic.

Ed è graziosa! In un certo senso. Anche se devo dire che il suo trucco è un po' troppo naturale.

«Ciao» dice lei con tono piatto.

«Ciao!» faccio io con voce tremula. «Sono Becky! La tua sorella ritrovata!»

Sto per lanciarmi verso di lei e gettarle le braccia al collo, quando mi rendo conto di avere in mano il cesto. E così, glielo porgo. «Questo è da parte mia!»

«È un regalo, cara» aggiunge la mamma, venendo in mio aiuto.

«Grazie» dice Jess, guardandolo. «È fantastico.»

Segue un momento di silenzio. Mi aspetto che Jess laceri il cellophane con impazienza, oppure dica: "Posso aprirlo adesso?" o magari esclami: "Oh, Origins! La mia marca preferita!". Ma... non accade niente di tutto questo.

Probabilmente, penso, sta solo cercando di essere educata. In fondo, non mi ha mai visto prima d'ora. Forse pensa che sono un tipo formale, e crede di doverlo essere anche lei. Devo metterla a suo agio.

«Non riesco a credere che tu sia qui» le dico, con espressione intensa. «La sorella che non ho mai saputo di avere.» Le poso una mano sul braccio e la guardo negli occhi, che sono color nocciola con piccole pagliuzze dorate.

Oh, mio Dio. Stiamo legando. È proprio come una delle scene del mio libro.

«Lo sapevi, vero?» le faccio, sorridendo per nascondere la mia crescente emozione. «In un certo senso hai sempre saputo di avere una sorella?»

«No» risponde Jess con aria distaccata. «Non ne avevo idea.»

«Oh» faccio io, leggermente sconcertata.

Non avrebbe dovuto rispondere così. Avrebbe dovuto dire: "Ti ho sempre sentita nel mio cuore!", e scoppiare in lacrime.

Non so cosa aggiungere.

«E comunque» interviene la mamma tutta allegra «entra, Jess! Avrai voglia di un bel caffè dopo il viaggio.»

Mentre le fa strada, guardo con sorpresa lo zaino marrone che Jess porta con sé. Non è molto grande. E pare che si fermerà una settimana intera per quella conferenza.

«Tutto qua il tuo bagaglio?» domando.

«Tutto quello che mi serve.» E poi aggiunge, con una scrollata di spalle: «Io viaggio leggera».

Viaggia leggera! Ah, lo sapevo!

«Il resto lo hai spedito per corriere?» chiedo, a bassa voce, rivolgendole uno sguardo complice della serie "io ti capisco".

«No.» Jess lancia un'occhiata alla mamma. «Ho portato solo questo.»

«Non c'è problema.» La guardo, con un sorriso cospiratore. «Non dirò nulla.»

Sapevo che saremmo state due corpi e un'anima. *Lo sapevo*.

«È Jess?» dice papà dal corridoio. «Benvenuta, mia cara!»

Stringe Jess in un abbraccio e d'un tratto mi sento un po' strana. È come se il pensiero mi colpisse per la prima volta. Papà ha un'altra figlia. Non ha solo me. Ora la nostra famiglia è più grande.

Ma d'altronde… non è così che deve essere, con le famiglie? Crescere sempre. Accogliere nuovi membri.

«Questo è Luke, mio marito» lo presento.

«Come stai?» dice lui, cordiale, muovendo un passo avanti. Mentre le stringe la mano, provo una sensazione di orgoglio per entrambi. Guardo la mamma e lei mi rivolge un sorriso di incoraggiamento.

«Andiamo!» dice e fa strada verso il soggiorno; sul tavolo ci sono dei fiori e piatti di biscotti. Ci sediamo tutti e per un attimo restiamo in silenzio.

È irreale.

Ho di fronte mia sorella. Mentre la mamma versa il caffè la osservo, confrontando il suo viso col mio, cercando le somiglianze fra noi. E ce ne sono un sacco! O per lo meno... qualcuna.

D'accordo, non siamo esattamente gemelle, ma guardando bene c'è una marcata somiglianza. Per esempio, lei ha più o meno gli stessi miei occhi, solo che sono di un altro colore e di una forma leggermente diversa. E poi il suo naso sarebbe esattamente uguale al mio se non avesse quella punta così pronunciata. E anche i capelli sarebbero identici! Se solo lei se li facesse crescere un po', se li tingesse e magari usasse una maschera ristrutturante di quando in quando.

D'un tratto mi rendo conto che probabilmente lei mi sta studiando allo stesso modo.

«Non sono quasi riuscita a dormire!» le dico, con un sorriso timido. «È così eccitante conoscerti, finalmente!»

Jess annuisce senza parlare. Accidenti, se è riservata. Devo farla uscire dal suo guscio.

«Allora, sono come mi immaginavi?» chiedo con una risatina imbarazzata, e mi tiro indietro i capelli.

Jess mi osserva per un istante, facendo correre gli occhi sul mio viso.

«A dire il vero, non ti immaginavo in alcun modo» risponde, alla fine.

«Ah.»

«Io non fantastico molto sulle cose. Le prendo come vengono.»

«Un biscotto per te, Jess» offre la mamma, cordiale. «Questi sono allo sciroppo d'acero e noci pecan.»

«Grazie» dice Jess, prendendone uno. «Io adoro le noci pecan.»

«Anch'io!» Alzo lo sguardo, meravigliata. «Anch'io le adoro!»

Visto? I geni non mentono. Siamo cresciute a chilometri e

chilometri di distanza l'una dall'altra, in famiglie diverse... eppure abbiamo gli stessi gusti!

«Jess, perché non hai chiamato dalla stazione?» chiede papà, prendendo una tazza di caffè dalle mani della mamma. «Sarei venuto io. Non c'era bisogno che chiamassi un taxi.»

«Non ho preso un taxi» risponde Jess. «Sono venuta a piedi.»

«A piedi?» ripete papà, decisamente sorpreso. «Dalla stazione di Oxshott?»

«Da Kingston. Lì sono arrivata in autobus.» Beve il caffè tutto d'un sorso. «Era molto meno caro. Ho risparmiato venticinque sterline.»

«Sei venuta a piedi fin qui da Kingston?» La mamma è allibita.

«Non è lontano» ribatte Jess.

«Becky, Jess è un'appassionata camminatrice» mi spiega la mamma. Poi le sorride. «È il tuo sport preferito, vero, cara?»

Non è possibile. Dovremmo essere a un talk show, o qualcosa del genere.

«Anch'io!» esclamo. «È così anche per me. Non è incredibile?»

Nella stanza cala il silenzio. Osservo i volti perplessi dei miei familiari. Insomma. Cosa c'è?

«Camminare è il tuo sport preferito, tesoro?» chiede la mamma, incerta.

«Sicuro! Io cammino sempre per Londra. Non è vero, Luke?»

Luke mi rivolge un'occhiata interrogativa.

«Be', sì... i tuoi piedi hanno percorso in lungo e in largo certe strade di Londra» ammette.

«Allora, tu fai power walking?» dice Jess, interessata.

«Be'...» Ci rifletto per qualche istante. «Più che altro... lo combino con diverse attività. Per cambiare un po'.»

«Un allenamento misto?»

«Ehm... più o meno.» Annuisco, e mordo un biscotto.

Segue un'altra piccola pausa. È come se tutti aspettassero che parli qualcun altro. Dio, perché siamo così in imbarazzo? Dovremmo essere a nostro agio. In fondo siamo una famiglia!

«Ti piacciono i film?» chiedo, dopo un po'.

«Non tutti» risponde Jess, aggrottando la fronte. «Mi piacciono i film che hanno qualcosa da dire. Che contengono un messaggio.»

«Anch'io» convengo, con foga. «Ogni film dovrebbe mandare un messaggio.»

Il che è proprio vero. Prendete *Grease*, per esempio. Contiene un sacco di messaggi. Tipo: "Non preoccuparti se non sei la più in tiro della scuola, perché puoi sempre farti fare una permanente".

«Qualcuno desidera ancora un po' di caffè?» chiede la mamma, guardandosi attorno. «Ce n'è un'altra brocca pronta in cucina.»

«Vado io» dico, alzandomi di scatto. «E… Luke, perché non vieni a darmi una mano? Caso mai... caso mai non la trovassi.»

So che non suona molto convincente, ma non mi importa. Muoio dalla voglia di parlare con lui.

Come entriamo in cucina chiudo la porta e lo guardo, impaziente. «Allora, cosa ne pensi di mia sorella?»

«Sembra molto carina.»

«Non è fantastica? E ci sono così tante somiglianze fra di noi! Non credi?»

«Prego?» Luke mi guarda fisso.

«Jess e io! Siamo così simili!»

«Simili?» Luke sembra molto perplesso.

«Ma sì!» insisto, un po' spazientita. «Allora non mi ascolti. A lei piacciono le noci pecan, a me anche… a lei piace camminare, a me anche… tutte e due amiamo i film…» Faccio un gesto circolare con le mani. «È come se tra di noi ci fosse già un'intesa perfetta!»

«Se lo dici tu.» Luke inarca le sopracciglia e io mi sento leggermente offesa.

«Non ti piace?»

«Certo che mi piace! Ma ho scambiato sì e no due parole con lei. Come del resto tu.»

«Be'… sì» ammetto. «Ma è perché siamo tutti così impacciati là dentro. Non possiamo chiacchierare normalmente. Pensavo di proporle di andare da qualche parte insieme, noi due sole. Per avere la possibilità di legare veramente.»

«Andare dove?»

«Non so. A fare una passeggiata. O un giretto per negozi, magari!»

«Ha-ha» fa lui, annuendo. «Un giretto per negozi. Ottima idea. E suppongo che questo rientri nel tuo budget giornaliero di venti sterline?»

Cosa?

Non posso credere che parli di budget in un momento come questo. Voglio dire, quante volte ti capita di andare a fare spese per la prima volta con la sorella appena ritrovata?

«Questo è un evento straordinario, un'eccezione» spiego. «È chiaro che ho bisogno di un extra budget.»

«Credevo fossimo d'accordo, niente eccezioni, niente eventi straordinari. Non ricordi?»

Provo una vampata di sdegno.

«Bene! Vorrà dire che non legherò con mia sorella!» e incrocio le braccia.

Fra noi cala il silenzio. Faccio un sospiro profondo e lancio un'occhiata furtiva a Luke, ma lui sembra impassibile.

«Becky!» La voce della mamma rompe il silenzio. «Dov'è questo caffè? Stiamo aspettando.» Entra in cucina e ci osserva, allarmata. «C'è qualche problema? Non è che state litigando?»

Mi volto verso la mamma.

«Io voglio portare Jess a fare shopping, ma Luke dice che devo attenermi al mio budget!»

«Luke!» esclama la mamma con aria di rimprovero. «Io credo sia una splendida idea, Becky. Voi due ragazze dovreste stare un po' insieme. Perché non fate un salto a Kingston? Potreste fermarvi a mangiare là.»

«Appunto!» Lancio un'occhiata risentita a Luke. «Ma ho soltanto venti sterline.»

«E, come ho detto, abbiamo stabilito un budget» aggiunge Luke, implacabile. «Sono certo converrai con me che un buon budget è la prima regola per un matrimonio felice. Vero, Jane?»

«Sì, sì, sicuro...» risponde la mamma, con aria distratta. Di colpo il suo volto si illumina. «I Greenlow!»

I chi?

«I tuoi cugini australiani! Hanno mandato un assegno come regalo di nozze. Non avevo altro in mente che dartelo. È in dollari australiani ma, anche così, sono un bel po' di soldi...»

Si mette a frugare dentro un cassetto e alla fine lo tira fuori. «Eccolo! Cinquecento dollari australiani!»

«Uau!» Prendo l'assegno dalle sue mani e lo osservo. «Fantastico!»

«Così adesso puoi andare per negozi e acquistare qualcosa di carino per te e Jess!» La mamma mi stringe appena il braccio con un sorriso.

«Visto?» Lancio un'occhiata trionfante a Luke, il quale alza gli occhi al cielo.

«Okay. Hai vinto tu. Per questa volta.»

Torno di corsa in soggiorno, tutta eccitata.

«Ehi, Jess? Ti va di andare da qualche parte? Che so, per negozi?»

«Oh.» Jess sembra presa alla sprovvista. «Be'…»

«Vai, cara!» dice la mamma, venendo a mettersi dietro di me. «Andate a divertirvi!»

«Possiamo mangiare da qualche parte… per conoscerci… cosa ne pensi?»

«Be'… d'accordo» acconsente lei, alla fine.

«Ottimo!»

Non vedo l'ora: la prima spedizione di shopping con mia sorella! È così eccitante!

«Vado a prepararmi.»

«Aspetta» dice Jess. «Prima di andare… anch'io ti ho portato una cosa. Non è molto, ma…»

Va allo zaino, lo apre e tira fuori un pacchetto confezionato con della carta da regalo sulla quale è stampato: "Felice 1999".

Che forte!

«Io adoro la carta da regalo kitsch!» dico, ammirandola. «Dove l'hai trovata?»

«La regalavano in banca» risponde lei.

«Oh» faccio io, sorpresa. «Fantastico!»

Lacero la carta e trovo una scatola di plastica divisa in tre scomparti.

«Uau!» esclamo, pronta. «È bellissima! Grazie! È proprio quello che mi ci voleva!» Le getto un braccio al collo e le do un bacio.

«Che cos'è, cara?» chiede la mamma, guardandola con curiosità.

A essere del tutto sincera, non lo so.

«È un contenitore per cibi» spiega Jess. «Ci puoi mettere gli avanzi, e restano separati. Riso... pasticcio... qualunque cosa. Io non potrei vivere senza il mio.»

«È geniale. Mi sarà utilissimo.» Osservo pensierosa i tre scomparti. «Credo che ci metterò tutti i miei balsami per le labbra.»

«Balsami per le labbra?» ripete Jess, perplessa.

«Li perdo sempre. Tu no?» Rimetto il coperchio al suo posto e lo ammiro per qualche momento. Poi prendo la carta da regalo e la appallottolo.

Jess sobbalza come se qualcuno le avesse schiacciato un piede.

«Avresti potuto piegarla» fa lei. Io la guardo, perplessa.

Perché mai dovrei piegare della carta da regalo usata?

Mah! Sarà una delle sue manie cui dovrò abituarmi. Tutti noi abbiamo le nostre piccole fissazioni.

«Oh, certo. Che stupida!»

Spiano la carta appallottolata e la stiro con la mano, quindi la piego in quattro con cura.

«Ecco fatto» dico, con un sorriso e la getto nel cestino. «Andiamo!»

11

Ci vogliono solo quindici minuti di macchina per arrivare a Kingston, il centro commerciale più vicino a casa dei miei. Trovo un posto a pagamento e, dopo una ventina di tentativi, riesco a parcheggiare la macchina vagamente diritta.

Dio, il parcheggio è proprio uno stress. Tutti che continuano a suonarti. E poi è difficile entrare in retromarcia in un posto con tutta la gente che ti guarda e ti mette in imbarazzo. Dovrebbero capirlo, invece di star lì a darsi di gomito e a ridere.

E comunque, non ha importanza. L'importante è che siamo qui. È una giornata fantastica, soleggiata ma non troppo calda, con nuvole minuscole che corrono nel cielo azzurro. Scendendo dall'auto, mi guardo attorno, eccitata e impaziente. Il mio primo giro per negozi con mia sorella! Cosa possiamo fare per cominciare?

Mentre infilo le monete nel parchimetro, soppeso mentalmente tutte le opzioni. Sicuramente dobbiamo farci truccare gratis. E poi vedere quel nuovo negozio di biancheria intima di cui mi ha parlato la mamma...

«Quanto hai intenzione di fermarti qui?» chiede Jess, vedendomi infilare la sesta moneta da una sterlina.

«Ehm...» Sbircio il timer. «Con questa dovremmo averne fino alle sei... e dopo il parcheggio è gratuito!»

«Le sei?» Sembra sbalordita.

«Non ti preoccupare!» la rassicuro. «I negozi non chiudono alle sei. Restano aperti almeno fino alle otto.»

E dobbiamo assolutamente infilarci in un grande magazzino e provare una montagna di vestiti da sera. Una delle volte in cui mi sono divertita di più in assoluto è stata quando ho passato un intero pomeriggio con Suze a provare abiti elegantissimi da Harrods. Abbiamo continuato a indossare vestiti da milioni di sterline, pavoneggiandoci davanti allo specchio, con le commesse snob sempre più seccate che continuavano a chiederci se avevamo scelto, finché Suze ha detto che pensava di sì... ma per essere del tutto certa desiderava vedere l'abito insieme a un diadema di diamanti di Cartier, e ha chiesto se potevano farsene mandare su uno dal reparto gioielleria.

Credo sia stato a quel punto che ci hanno chiesto di andare via.

Mi scappa da ridere al ricordo, e provo un moto di nostalgia. Dio, quanto ci divertivamo insieme, io e Suze. Nessuno riesce a dirmi, come lei: "Su, avanti, comperalo!". Anche quando ero totalmente in bolletta, lei insisteva. "Prendilo! Lo pago io. Poi me li restituirai". Dopo ne acquistava anche lei uno uguale, e andavamo a berci un cappuccino.

E comunque, non ha senso farsi prendere dalla nostalgia.

«Allora!» dico, voltandomi verso Jess. «Cosa ti andrebbe di fare per prima cosa? Ci sono un sacco di negozi, qui. Due grandi magazzini...»

«Io odio i grandi magazzini» mi risponde. «Mi fanno star male.»

«Ah» faccio io.

Mi sembra giusto. Un mucchio di gente detesta i grandi magazzini.

«Be', ci sono anche un sacco di boutique» dico, con un sorriso di incoraggiamento. «Anzi, mi è appena venuto in mente un posto perfetto!»

La conduco per una stradina laterale lastricata di ciottoli, ammirando la mia immagine riflessa in una vetrina. La Angel Bag vale fino all'ultimo centesimo. Sembro una stella del cinema!

In effetti, sono leggermente sorpresa che Jess non abbia detto neppure una parola al riguardo. Se la mia sorella appena ritrovata avesse una Angel Bag, sarebbe la prima cosa di cui parlerei. Forse sta solo cercando di fare l'indifferente. La capisco.

«Allora... tu dove fai acquisti, solitamente?» le chiedo, tanto per fare conversazione.

«Dove costa meno» risponde lei.

«Anch'io» ribatto, con entusiasmo. «In un outlet dello Utah ho preso una favolosa maglia di Ralph Lauren scontata del novanta per cento!»

«Io tendo a fare acquisti all'ingrosso» dice Jess con aria di leggera disapprovazione. «Se comperi grandi quantità riesci a risparmiare parecchio.»

Oh, mio Dio. Siamo esattamente sulla stessa lunghezza d'onda. Sapevo che sarebbe stato così.

«Hai assolutamente ragione» esclamo, raggiante. «È quello che continuo a dire a Luke, ma lui non capisce.»

«Allora fai parte di un gruppo di acquisto?» mi chiede Jess, interessata. «O sei socia di una cooperativa alimentare?»

La guardo senza capire.

«Ehm... no. Ma in luna di miele ho fatto un sacco di ottimi acquisti all'ingrosso. Ho comperato quaranta tazze e venti vestaglie di seta!»

«Vestaglie di seta?» ripete Jess, spiazzata.

«Erano un vero affare! Ho cercato di spiegare a Luke che si trattava di un investimento, ma lui non vuole capire... oh, eccoci qui.»

Siamo arrivate davanti alla porta di vetro di Georgina. È una grande, luminosa boutique che vende abiti, gioielli e borse favolose. Vengo qui da quando avevo dodici anni, ed è in assoluto uno dei miei negozi preferiti.

«Questo posto ti piacerà moltissimo» dico a Jess, soddisfatta, aprendo la porta. Sandra, una delle commesse, sta sistemando su un espositore una serie di borse coperte di perline. Sentendo tintinnare il campanello alza lo sguardo. Il suo volto si illumina all'istante.

«Becky! Quanto tempo che non ci vediamo! Dove sei stata?»

«In luna di miele.»

«Ma certo. Allora, come va la vita matrimoniale?» E poi aggiunge con un sogghigno: «Avete già avuto la vostra prima litigata?».

«Ah-ah» faccio io, ricambiando la smorfia. Sto per presentarle Jess, quando lei lancia un urlo.

«Oh, mio Dio! È una Angel Bag, questa? È vera?»

«Sì» rispondo, al settimo cielo. «Ti piace?»

«Non ci posso credere. Becky ha una Angel Bag!» esclama a voce alta, rivolta alle altre commesse, e mi giungono un paio di esclamazioni soffocate. «Dove l'hai presa? Posso toccarla?»

«A Milano.»

«Solo Becky Bloomwood...» dice, scuotendo la testa. «Solo Becky Bloomwood poteva entrare qui dentro con una Angel Bag. Quanto costa?»

«Ehm... parecchio.»

«Uau.» La accarezza con delicatezza. «È assolutamente incredibile.»

«Cos'ha di tanto speciale?» chiede Jess imperturbabile. «Voglio dire, è soltanto una borsa.»

C'è un momento di silenzio, poi scoppiamo tutte a ridere. Dio, Jess è proprio spiritosa.

«Sandra, desidero presentarti una persona.» Prendo Jess per la mano e la tiro verso di noi. «Questa è mia sorella!»

«*Tua sorella?*» Sandra guarda Jess, scioccata. «Non sapevo che avessi una sorella.»

«Neanch'io. Ci siamo appena ritrovate, non è vero Jess?» dico, circondandola con un braccio.

«Sorellastre» puntualizza lei, sostenuta.

«Georgina!» chiama Sandra voltandosi verso il retro. «Georgina, devi assolutamente venire qui! Non ci crederai. C'è Becky Bloomwood... e ha una sorella. Sono in due!»

Dopo un attimo si apre una tenda e ne esce Georgina, la proprietaria del negozio. È una donna sulla cinquantina, con i capelli grigi e incredibili occhi color turchese. Indossa una camicia a tunica di velluto e tiene in mano una penna stilografica. Quando mi vede, i suoi occhi hanno uno scintillio.

«Due sorelle Bloomwood. Bene. Questa sì che è una bella notizia.»

Vedo che scambia un'occhiata con le commesse.

«Vi riserviamo due camerini di prova» fa Sandra, prontamente.

«Se non ne avete altri liberi, possiamo usarne uno in due, non è vero, Jess?» dico.

«Prego?»

«Siamo sorelle!» Le stringo appena il braccio con gesto affettuoso. «Tra di noi, non dovremmo vergognarci.»

«Non c'è problema» fa Sandra, lanciando un'occhiata alla faccia di Jess, «ci sono tutti i camerini che servono. Guardate pure con calma... e divertitevi.»

«Te l'avevo detto che è un gran bel posto!» squittisco, tutta felice, rivolta a Jess. «Allora... partiamo da qui?»

Mi dirigo verso un espositore pieno di camicie e top dall'aria invitante e comincio a frugare fra le grucce. «Non è splendida, questa?» Tiro fuori una T-shirt rosa con un piccolo motivo a farfalle. «E questa con le margherite? Ti starebbe benissimo!»

«Se volete provarle le metto nel camerino» propone Sandra.

«Sì, grazie!» Gliele porgo e faccio un sorriso a Jess.

Ma lei non contraccambia. Se ne sta lì, impalata, con le mani affondate nelle tasche.

Immagino possa essere un po' strano fare shopping con una persona che non si conosce. A volte va tutto alla perfezione e scatta subito l'intesa, come è successo la prima volta che sono andata in giro per negozi con Suze, e tutte e due abbiamo allungato la mano verso la stessa trousse.

Capisco, però che possa anche essere un po' imbarazzante. Non conosci ancora i gusti dell'altra, e continui a provare cose diverse, domandando: "Ti piace questa? O questa?".

Credo che Jess abbia bisogno di un po' di incoraggiamento.

«Queste gonne sono favolose!» dico, avvicinandomi a un altro espositore, pieno di vestiti da sera. «Quella nera con la rete sarebbe perfetta per te.» La prendo e gliela metto davanti. Lei allunga la mano verso il cartellino, lo guarda e sbianca.

«Questi prezzi sono incredibili» mormora.

«Piuttosto ragionevoli, vero?» rispondo, a bassa voce.

«Anche queste gonne?» chiede Sandra, materializzandosi alle nostre spalle.

«Sì, grazie. E la proverò anche in grigio... oh, e anche questa rosa» aggiungo, notando una gonna rosa pallido nascosta in fondo.

Venti minuti più tardi, abbiamo fatto il giro di tutto il negozio e due pile di abiti ci attendono nei camerini sul retro. Jess non ha detto molto. Anzi, è stata quasi sempre in silenzio. Ma io ho fatto anche la sua parte, scegliendo tutte le cose che pensavo le sarebbero state bene, e aggiungendole alla pila.

«Okay!» Sono euforica. «Andiamo a provarli! Scommetto che starai benissimo con quella gonna. Dovresti metterla con quel top senza spalline e magari...»

«Io non ho intenzione di provare niente» dice Jess. Infila le mani nelle tasche e si appoggia a una parete libera.

La guardo, allibita.

«Cos'hai detto?»

«Non ho intenzione di provare niente.» Accenna col capo ai camerini. «Ma tu fa' pure. Io aspetto qui.»

Sul negozio cala un silenzio incredulo.

«Ma... perché non vuoi provare nulla?» insisto.

«Non ho bisogno di vestiti nuovi.»

La fisso, sconcertata. Vedo che le commesse, all'altro lato della boutique, si guardano disorientate.

«Ma devi pur avere bisogno di qualcosa! Una T-shirt... un paio di pantaloni...»

«No. Sono a posto.»

«Non vuoi neppure provare una di queste splendide magliette?» Ne prendo una e la tengo alzata. «Solo per vedere come ti sta?»

«Non ho intenzione di comperarla» ribatte Jess, stringendosi nelle spalle «quindi, che scopo avrebbe provarla?»

«La pago io!» dico, realizzando, all'improvviso. «Avevi capito che è un mio regalo, vero?»

«Non voglio farti sprecare i tuoi soldi. Ma non ti preoccupare per me. Tu fa' pure.»

Non so proprio cosa dire. Non immaginavo che Jess non avrebbe provato nulla.

«La tua roba è tutta qui» s'intromette Sandra.

«Fai pure» dice Jess, con un cenno del capo.

«Be'... allora d'accordo. Non ci metterò molto.»

Entro nel camerino e provo quasi tutti i capi. Ma la mia eccitazione è svanita. Da sola non è la stessa cosa. Io volevo che provassimo delle cose insieme. Volevo che fosse divertente. Già ci vedevo entrare e uscire dai camerini, guardarci negli specchi, scambiarci i vestiti...

Io proprio non capisco. Com'è possibile che non voglia provare nulla?

Dev'essere perché ha gusti totalmente diversi dai miei, ecco cos'è. Solo che non ha detto nulla per educazione.

«Trovato qualcosa?» chiede Georgina quando, finalmente, emergo dal camerino.

«Ehm... sì!» rispondo, sforzandomi di apparire allegra. «Prendo due top e la gonna rosa. Mi sta benissimo!»

Guardo Jess, ma lei sta fissando il vuoto. Improvvisamente si riscuote, come se si fosse resa conto solo allora della mia presenza.

«Pronta?» dice.

«Sì. Vado a pagare.»

Ci dirigiamo alla cassa, e Sandra comincia a registrare i miei acquisti. Nel frattempo Georgina osserva Jess incuriosita.

«Se non hai voglia di vestiti» le si rivolge, d'un tratto, «cosa ne dici di un gioiello?» Estrae un vassoio espositore da sotto il bancone della cassa. «Ci sono appena arrivati dei braccialetti deliziosi. Solo dieci sterline. Questo potrebbe andarti.» Prende un bellissimo braccialetto fatto di semplici ovali d'argento uniti insieme. Trattengo il respiro.

«È bello» ammette Jess, annuendo, e io provo un gran sollievo.

«Per la sorella di Becky...» dice Georgina, e vedo che i suoi occhi si stringono nello sforzo di calcolare «solo tre sterline.»

«Uau!» esclamo, con un sorriso raggiante. «È fantastico, Georgina!»

«No, grazie» dice Jess. «Non ho bisogno di un braccialetto.»
Cosa?

Giro la testa di scatto, scioccata. Possibile che non abbia sentito?

«Ma... ma sono solo tre sterline» farfuglio io. «È... è un affare!»

«Non ne ho bisogno» ripete Jess con una scrollata di spalle.
«Ma...»

Sono senza parole. Come si può non comperare un braccialetto per tre sterline? Com'è possibile?

Voglio dire, va contro le leggi della fisica, o quello che è.

«Ecco qua, Becky!» Sandra mi porge i sacchetti. Sono rosa

137

pallido, lucidi e deliziosi, ma quando le mie mani si stringono intorno ai manici di cordoncino, non provo la solita sensazione di contentezza. Anzi, non provo quasi nulla. Sono troppo confusa.

«Bene... allora ciao» dico. «E grazie! Ci vediamo presto!»

«Ciao, Becky cara» mi saluta Georgina. «Ciao, Jess» aggiunge con minor calore. «Ci vediamo. Spero.»

«Becky!» chiama Sandra. «Prima di andartene prendi la brochure della nostra svendita.»

Si avvicina di corsa, mi consegna un cartoncino lucido, poi si sporge verso di me. «Sei proprio sicura che questa sia tua sorella?» mi sussurra all'orecchio.

Quando usciamo in strada, sono un po' intontita. Non è andata esattamente come mi aspettavo.

«Bene» dico, incerta. «È stato divertente!» Lancio un'occhiata a Jess, ma lei ha quella sua espressione calma e composta e io non capisco cosa stia pensando. Vorrei tanto che sorridesse almeno una volta. O dicesse: "Sì, è stato fantastico".

«È un peccato che tu non abbia trovato niente da Georgina» azzardo. «Ti piacevano... i vestiti?»

Jess fa spallucce e continua a non parlare. La disperazione mi assale. Lo sapevo. Lei odia il mio gusto. Tutto quel "non ho bisogno di vestiti" era solo una finzione dettata dalla cortesia.

Voglio dire, chi non ha bisogno di una T-shirt? Nessuno.

Be', pazienza, vorrà dire che troveremo dei negozi diversi. Negozi che piacciono a Jess. Mentre ci avviamo per la strada soleggiata, cerco di riflettere. Niente gonne... niente braccialetti... Jeans! I jeans piacciono a tutti. Perfetto.

«Ho proprio bisogno di un paio di jeans nuovi» dico, con naturalezza.

«Perché?» chiede lei, aggrottando la fronte. «Quelli che hai indosso non vanno bene?»

«Be'... sì. Ma me ne serve un altro paio. Li voglio un po' più lunghi di questi, non troppo a vita bassa, e magari più scuri, di un blu inchiostro...»

La guardo, speranzosa, aspettando che mi spieghi che tipo di jeans le piacciono. Ma invece resta in silenzio.

«E tu... hai bisogno di jeans?» chiedo, sentendomi come se stessi spingendo un enorme peso in salita.

«No. Ma tu fa' pure.»

Provo un guizzo di disappunto.

«Magari un'altra volta.» Mi sforzo di sorridere. «Non ha importanza.»

A questo punto siamo arrivate all'angolo e... sì! Da LK Bennett c'è una svendita!

«Guarda!» esclamo, tutta eccitata, correndo verso la grande vetrina piena di sandali coloratissimi. «Non sono splendidi? A te che scarpe piacciono?»

Jess fa scorrere lo sguardo sulla merce esposta.

«A me le scarpe non interessano molto» risponde. «Nessuno fa mai caso alle scarpe.»

Per un istante mi sento le ginocchia deboli per lo shock.

Nessuno fa mai caso alle scarpe?

Ma... ma certo! Sta scherzando! Dovrò abituarmi al suo umorismo sarcastico.

«Ma sentila!» dico, dandole una spintarella scherzosa. «Be'... se non ti dispiace, io entro e me ne provo qualcuna.»

Se ne provo un certo numero, penso, Jess sarà costretta a imitarmi.

E invece no. E neppure nel negozio seguente. Non prova neppure i profumi o i cosmetici da Space NK. Io sono carica di borse, ma Jess non ha fatto un solo acquisto. Non si sta divertendo. Penserà che sono uno schifo di sorella.

«Hai bisogno di utensili per la cucina?» suggerisco, ormai alla disperazione.

Potremmo comperare qualche grembiule particolare, o qualche aggeggio cromato... ma Jess sta scuotendo la testa.

«I miei li prendo tutti nei discount. Si spende molto meno che nei negozi.»

«Valige? Sacche?» chiedo, colpita da un'ispirazione improvvisa. «Gli articoli di valigeria sono una di quelle categorie che non bisogna dimenticare.»

«Io non ho bisogno di valige» dice Jess. «Ho il mio zaino.»

«Già.»

Ormai sono a corto di idee. Cos'altro ci può essere? Lampade, magari? O... tappeti?

All'improvviso lo sguardo di Jess si illumina.

«Aspetta un momento.» Sta dimostrando un entusiasmo mai visto in tutta la giornata. «Ti spiace se faccio un salto qui dentro?»

Mi blocco. Ci troviamo davanti a un piccolo, insignificante negozio che vende cancelleria, nel quale non sono mai entrata.

«Ma certo!» Le parole mi escono dalla bocca precipitosamente, sospinte dal sollievo. «Fa' pure!»

Cancelleria. Ecco cosa le piace. Ma certo. Perché non ci ho pensato prima? È una studiosa, scrive tutto il tempo... dev'essere appassionata di cancelleria.

Il negozio è così stretto che non sono sicura di entrarci con tutte le mie borse, e così l'aspetto fuori, sul marciapiede, pregustando di vedere cosa avrà acquistato. Splendidi taccuini? O forse cartoncini realizzati a mano? O magari una bella penna stilografica?

Voglio dire, onore al merito. Io, questo negozio, non lo avevo mai notato prima d'ora.

«Allora, cos'hai preso?» chiedo, eccitata, come la vedo uscire con due borse strapiene. «Fammi vedere! Fammi vedere!»

«Non ho comperato nulla.» Jess ha un'espressione vuota.

«Ma... e quei sacchetti? Cosa c'è dentro?»

«Non hai visto l'avviso?» Mi indica un cartellino scritto a mano esposto in vetrina. «Regalano buste imbottite usate.»

Apre le borse e mi mostra una serie di buste mezzo sfondate e un malloppo di plastica a bolle tutto spiaccicato e ingiallito. Le guardo, sentendo svanire tutta l'eccitazione.

«Devo aver risparmiato almeno dieci sterline» aggiunge, soddisfatta. «E tornano sempre utili.»

Sono senza parole.

«Ehm... fantastico!» dico, alla fine. «Sono davvero splendide. Specialmente... le etichette. E così... abbiamo fatto affari tutte e due. Andiamo a berci un cappuccino!»

C'è un caffè dietro l'angolo e, mentre ci avviciniamo, comincio a sentirmi già meglio. Magari lo shopping non è andato proprio come immaginavo, ma non importa. Il punto è che siamo qui, due sorelle che vanno a bere un cappuccino insieme e a fare qualche pettegolezzo. Ci sederemo a un bel tavolino di marmo e sorseggeremo i nostri caffè, parlando di noi...

«Ho portato un thermos» dice la voce di Jess alle mie spalle.

Mi volto, confusa, e vedo che sta estraendo un thermos di plastica bianca dallo zaino.

«Cosa?» domando, con un filo di voce.

«Non vorrai entrare in quel posto caro come il fuoco?» Lo indica con un gesto brusco del pollice. «In questi locali il ricarico è scandaloso.»

«Ma...»

«Possiamo sederci su questa panchina. Aspetta che la pulisco.»

La osservo con crescente sgomento. Non posso bere il primo caffè con la mia sorella ritrovata su una schifosissima panchina, bevendo a garganella da un thermos.

«Ma io voglio andare in un bel caffè!» Le parole mi escono di bocca prima che io possa trattenerle. «E sedere a un bel tavolino, e bere un buon cappuccino!»

Silenzio.

«Ti prego!» aggiungo con voce implorante.

«Oh» fa Jess. «Be', d'accordo.» Richiude il thermos. «Ma dovresti abituarti a fartelo da sola. Potresti risparmiare centinaia di sterline l'anno. È sufficiente comperare un thermos di seconda mano. E il caffè macinato puoi usarlo almeno due volte. Il gusto non cambia.»

«Me lo ricorderò» rispondo, ascoltandola appena. «Su, vieni!»

Il locale è caldo e odora di caffè. La luce dei faretti danza sui tavolini di marmo, e nell'aria c'è musica e un allegro chiacchiericcio.

«Visto? Non è carino?» Le rivolgo un sorriso raggiante. «Un tavolo per me e mia sorella, per favore» dico felice alla cameriera ferma all'ingresso.

Mi piace così tanto dire "mia sorella"!

Ci sediamo, poso tutte le borse per terra, e finalmente comincio a calmarmi. Così va meglio. Possiamo fare una bella chiacchierata, intima e rilassata, e legare per davvero. In realtà, è quello che avremmo dovuto fare come prima cosa.

Una cameriera, che sembra avere dodici anni e sfoggia una spilla con su scritto: "Questo è il mio primo giorno!", si avvicina al nostro tavolo.

«Salve!» dico con un sorriso. «Io vorrei un cappuccino... ma non so cosa prende mia sorella.»

Mia sorella. Ogni volta che le pronuncio, queste parole mi provocano una sensazione di calore.

«Veramente dovremmo bere champagne» aggiungo, non riuscendo a trattenermi. «Ci siamo appena ritrovate!»

«Uau!» fa la cameriera. «Che forte!»

«Io prendo un bicchiere d'acqua del rubinetto, grazie» dice Jess, chiudendo il menu.

«Non vuoi un bel caffè con latte e schiuma?» le domando, sorpresa.

«Non voglio pagare cifre enormemente gonfiate a una multinazionale del profitto.» Poi rivolge uno sguardo severo alla cameriera. «Lei ritiene che un profitto del quattrocento per cento sia etico?»

«Ehm...» La cameriera è imbarazzata. «Desidera del ghiaccio nell'acqua?» dice, alla fine.

«Prendi un cappuccino anche tu. Su, dài. Un cappuccino anche per lei.»

Mentre la cameriera si allontana in tutta fretta, Jess scuote la testa con aria di disapprovazione.

«Sai quanto costa realmente fare un cappuccino? Pochi pence. E ce lo fanno pagare quasi due sterline.»

«Però ti mettono un cioccolatino nel piattino.»

Dio, Jess si è proprio fissata. Pazienza. Basta cambiare argomento.

«Allora!» Mi appoggio allo schienale e allargo le braccia. «Raccontami di te.»

«Cosa vuoi sapere?»

«Tutto!» rispondo, entusiasta. «Tipo... quali sono i tuoi passatempi preferiti, a parte camminare.»

Jess ci riflette qualche istante. «Mi piace esplorare le caverne» dice alla fine, mentre la cameriera ci deposita davanti due cappuccini.

«Esplorare le caverne! E ci si va... dentro, a queste caverne?»

Jess mi guarda al di sopra della tazza.

«Sì, fondamentalmente sì.»

«Accidenti! Dev'essere proprio...»

Mi sforzo di trovare le parole. Che commenti si possono fare sulle caverne? A parte che sono buie, fredde e sdrucciolevoli?

«Dev'essere proprio interessante!» riesco a dire, alla fine. «Mi piacerebbe vederne una!»

«E ovviamente le pietre» aggiunge Jess. «Quello è il mio primo interesse.»

«Anche il mio! Specialmente quelle grosse e scintillanti da Tiffany!» Scoppio in una risata per farle capire che sto scherzando, ma lei non reagisce.

Non sono sicura che abbia capito.

«Ho un PhD in petrogenesi e geochimica dei depositi di fluorite-ematite» mi mette al corrente, dimostrando un inedito entusiasmo.

Non credo di aver capito una sola parola di quello che ha detto.

«Fantastico! E... come mai hai deciso di studiare le... pietre?»

«È stato mio padre a farmele conoscere» risponde Jess, e il suo volto si rilassa in un piccolo sorriso. «Anche lui è un appassionato.»

«Papà? Non sapevo gli piacessero!»

«Non tuo padre» dice, con un'occhiata feroce. «*Mio padre*. Il mio patrigno. L'uomo che mi ha cresciuta.»

Già.

Ovvio che non intendeva papà. Sono davvero una stupida.

Segue un silenzio imbarazzato, interrotto solo dal tintinnio delle tazze. Sono leggermente a corto di argomenti. Il che è assurdo. Su, insomma, questa è mia sorella!

«Allora, andrai in vacanza quest'anno?» chiedo, alla fine. Devo essere proprio disperata. Sembrano i discorsi che si fanno dal parrucchiere.

«Non lo so ancora» risponde. «Dipende.»

D'un tratto mi viene un'idea meravigliosa.

«Potremmo andare in vacanza insieme» propongo, tutta eccitata. «Non sarebbe fantastico? Potremmo affittare una villa in Italia o da qualche altra parte... e conoscerci meglio...»

«Rebecca, ascoltami.» Jess mi interrompe di punto in bianco. «Io non sto cercando un'altra famiglia.»

Segue un silenzio penetrante. Mi sento le guance in fiamme. «Io… lo so. Non intendevo…»

«Io non ho bisogno di un'altra famiglia» insiste. «L'ho già spiegato a Jane e Graham. Non è il motivo per cui vi ho cercato. Era mio dovere informarvi di questo problema medico, tutto qui.»

«Cosa... cosa intendi con "tutto qui"?» balbetto io.

«Voglio dire che mi ha fatto piacere incontrarti. E tua mamma e tuo papà sono simpatici. Ma voi avete la vostra vita…» Fa una pausa. «E io la mia.»

Sta dicendo che non vuole conoscermi meglio?

Me, sua sorella?

«Ma ci siamo appena ritrovate!» le grido quasi. «Dopo tutti questi anni! Non è incredibile?» Mi sporgo verso di lei e poso una mano vicino alla sua. «Abbiamo lo stesso sangue!»

«E allora?» Jess è imperturbabile. «È solo un fatto biologico.»

«Ma… non hai sempre desiderato una sorella? Non ti sei mai chiesta come sarebbe stato?»

«Non particolarmente.» Poi vede la mia faccia. «Non fraintendermi. È stato interessante conoscerti.»

Interessante? *È stato interessante?*

Abbasso gli occhi sul mio cappuccino, girando la schiuma con il cucchiaino.

Non vuole approfondire la mia conoscenza. Mia sorella non vuole conoscermi meglio. Cosa c'è in me che non va?

Niente sta andando come previsto. Pensavo che oggi sarebbe stato il più bel giorno della mia vita. Pensavo che fare shopping con mia sorella sarebbe stato divertente. Pensavo che a questo punto avremmo già legato. Pensavo che avremmo preso un cappuccino insieme, circondate dai nostri acquisti, ridendo e scherzando, decidendo cosa fare dopo…

«Allora, torniamo a casa dei tuoi?» Jess interrompe i miei pensieri.

«Di già?» Sono scioccata. «Ma abbiamo ore a disposizione. E tu non hai ancora comperato nulla!»

Jess mi guarda e sospira, spazientita.

«Senti, Becky. Io volevo essere educata, e così oggi sono venuta con te. Ma la verità è che *io odio* fare shopping.»

Mi sento mancare. Lo sapevo che non si stava divertendo. Devo salvare la situazione.

«So che non abbiamo ancora trovato i negozi giusti. Ma ce ne sono altri. Possiamo vederne di nuovi...»

«No.» Jess mi interrompe. «Tu non capisci. A me non piace fare shopping. Punto.»

«I cataloghi!» esclamo, con un'illuminazione improvvisa. «Potremmo andare a casa, procurarci un po' di cataloghi... sarà divertente.»

«Ma proprio non riesci a capirlo?» esclama Jess, esasperata. «Ascoltami bene: Io Odio Fare Shopping.»

Guido verso casa in stato di shock. È come se il mio cervello fosse andato in corto. Ogni volta che cerco di pensarci, tutto esplode in una cascata di scintille di incredulità.

Quando arriviamo a casa, Luke è nel giardino sul davanti e sta parlando con papà. Vedendoci imboccare il vialetto ci guarda sorpreso.

«Come mai siete tornate così presto?» dice, correndo verso la macchina. «C'è qualche problema?»

«Va tutto bene» rispondo, un po' smarrita. «È solo che... abbiamo fatto più in fretta del previsto.»

«Grazie per il passaggio» mi fa Jess, scendendo dall'auto.

«È stato un piacere.»

Mentre Jess va verso papà, Luke sale in auto accanto a me. Chiude la portiera e mi osserva.

«Becky, stai bene?»

«Sì... sto bene. Credo.»

Non riesco a farmi una ragione di questa giornata. La mia mente continua a riviverla come l'avevo immaginata. Noi due che gironzoliamo per negozi, ridendo felici e facendo oscillare le borse con i nostri acquisti... noi due che proviamo vestiti, ce li scambiamo... ci comperiamo braccialetti dell'amicizia... ci chiamiamo con soprannomi ridicoli...

«Allora, com'è andata?»

«Benissimo.» Mi sforzo di sorridere. «Ci siamo davvero divertite. Tutte e due.»

«Cos'hai comperato?»

«Un paio di magliette... una bellissima gonna... alcune scarpe...»

«Hmm.» Luke annuisce. «E Jess?»

Per un attimo non riesco neppure a parlare.

«Niente» rispondo alla fine, con un filo di voce.

«Oh, Becky.» Luke fa un sospiro e mi circonda col braccio. «Non ti sei divertita molto, non è vero?»

«No» ammetto con una vocina piccola piccola. «Non molto.»

«Ti confesso che avevo delle perplessità.» Mi fa una carezza sulla guancia. «Senti, Becky, so che volevi trovare un'anima gemella. So che volevi che Jess diventasse la tua nuova amica, ma forse devi accettare il fatto che siete troppo diverse.»

«Non siamo troppo diverse» ribatto, ostinata. «Siamo sorelle.»

«Tesoro, è normale. Se non andate d'accordo, puoi ammetterlo. Nessuno penserà che hai fallito.»

Fallito?

La parola mi colpisce sul vivo.

«Noi andiamo d'accordo! Davvero! Dobbiamo solo trovare qualche altro punto in comune. E va bene, a lei non piace fare shopping.» Mi interrompo per deglutire. «Ma non significa niente. A me piacciono anche altre cose oltre allo shopping.»

Luke sta scuotendo la testa. «Accettalo. Siete diverse e non c'è motivo per cui dovreste andare d'accordo.»

«Ma abbiamo lo stesso sangue! Non possiamo essere così diverse. Non è possibile!»

«Becky...»

«Io non mi arrendo così! Stiamo parlando della mia sorella appena ritrovata, Luke! Questa potrebbe essere la mia unica occasione per conoscerla.»

«Tesoro...»

«Io so che possiamo essere amiche» insisto interrompendolo. «Lo so.»

Con improvvisa determinazione spalanco la portiera dell'auto e scendo.

«Jess» chiamo, correndo attraverso il prato. «Dopo la tua

conferenza, ti andrebbe di tornare e restare per il fine settimana? Ti prometto che ci divertiremo.»

«È una bella idea, tesoro!» osserva papà, illuminandosi.

«Non saprei» risponde Jess. «Veramente dovrei andare a casa.»

«Ti prego. Solo un fine settimana. Non dobbiamo fare shopping!» Le parole mi escono senza che io possa farci nulla. «Non sarà come oggi. Possiamo fare tutto quello che vuoi tu. Un weekend tranquillo, rilassato. Cosa ne pensi?»

Silenzio. Ho le dita annodate. Jess lancia un'occhiata al volto speranzoso di papà.

«E va bene» dice, alla fine. «Mi farebbe piacere. Grazie.»

Rebecca Brandon
37 Maida Vale Mansions
Maida Vale
Londra NW6 OYF

12 maggio 2003

Gentile signora Brandon,

la ringraziamo per aver richiesto la High Status Golden Credit Card. Siamo lieti di informarla che la sua richiesta è stata accolta con esito positivo.

Per rispondere alle sue domande, la carta verrà spedita al suo indirizzo di casa e avrà l'aspetto di una carta di credito. Non può essere "camuffata da torta" come ci ha chiesto.

E non possiamo neppure creare un diversivo all'esterno, quando viene recapitata.

Se ha altre domande non esiti a contattarmi. Le auguriamo di godere appieno dei privilegi che la nuova carta le offre.

Distinti saluti

Peter Johnson
Responsabile Rapporti con la Clientela

PGNI First Bank Visa

7 Camel Square
Liverpool LI 5NP

Jessica Bertram
12 Hill Rise
Scully
Cumbria

12 maggio 2003

Gentile signorina Bertram,

la ringrazio per la sua lettera. Mi scuso per averle proposto una High Status Golden Credit Card. Non era assolutamente mia intenzione offenderla.

Dicendo che lei era stata personalmente selezionata per un limite di credito di ventimila sterline, non intendevo insinuare che lei fosse una persona "irresponsabile e carica di debiti", né diffamare il suo buon nome.

Per dimostrarle la mia buona fede, accludo un buono omaggio di venticinque sterline, e resto a sua disposizione nel caso lei dovesse cambiare opinione in merito alle carte di credito.

Distinti saluti

Peter Johnson
Responsabile Rapporti con la Clientela

12

Non ho intenzione di arrendermi.

D'accordo. Forse il mio primo incontro con Jess non è andato esattamente come previsto. Forse non abbiamo legato come
pensavo. Ma questo fine settimana andrà meglio, lo so. Voglio
dire, col senno di poi, era inevitabile che durante il nostro primo incontro fossimo un po' impacciate. Ma questa volta saremo rilassate e a nostro agio. Proprio così.

Inoltre, ora sono più preparata. Dopo che Jess se n'è andata,
sabato scorso, mamma e papà hanno visto che ero un po' giù,
e così ci siamo seduti a fare una bella chiacchierata davanti a
una tazza di tè. E abbiamo convenuto che è impossibile andare d'accordo con una persona appena conosciuta se non sai
nulla di lei. Così i miei si sono spremuti il cervello alla ricerca
di tutti i particolari che conoscevano della vita di Jess e li hanno annotati. Ed è tutta la settimana che li studio.

Per esempio, ha conseguito il diploma col massimo dei voti in tutte e nove le materie. Non mangia avocado. Oltre a
camminare e a esplorare caverne, pratica un'altra attività che
si chiama "speleologia". Ama la poesia. E il suo cane preferito è il...

Merda.

Prendo il foglio e consulto gli appunti.

Ah, sì. Il border collie.

È sabato mattina e sono nella camera degli ospiti. Sto dando
gli ultimi ritocchi in attesa dell'arrivo di Jess. In settimana ho
comperato un libro che si intitola *La perfetta padrona di casa*. C'è
scritto che la stanza degli ospiti deve essere "ben studiata, con

piccoli tocchi personalizzati che facciano sentire benvenuto l'ospite".

Così, sulla toeletta ci sono dei fiori e un libro di poesie, e accanto al letto ho sistemato alcune riviste scelte con cura: "A spasso fra i nostri monti", "Il nuovo speleologo" e "Mensile di potholing", una rivista che si può avere solo ordinandola su Internet. (A dire il vero, sono stata costretta a fare un abbonamento biennale per averne almeno una copia. Ma non c'è problema. Le altre ventitré posso sempre mandarle a Jess.)

E sulla parete il vero pezzo forte, quello di cui sono più orgogliosa: un enorme poster di una caverna! Con tutte le stalam... le stalag... le stalacose, insomma.

Rassetto i cuscini, pregustando l'arrivo di Jess. Questa sera sarà tutto diverso dall'ultima volta. Tanto per cominciare non ci avvicineremo neppure a un negozio. Ho in programma una serata semplice e tranquilla, in casa. Possiamo guardare un film mangiando popcorn, farci le unghie, rilassarci, insomma. Più tardi, io andrò a sedermi sul suo letto – dopo aver indossato un pigiama uguale al suo – e chiacchiereremo fino a tardi, mangiando caramelle alla crema di menta.

«Qui è tutto molto carino» osserva Luke, avvicinandosi da dietro. «Hai fatto un bel lavoro.»

«Grazie» rispondo, con una modesta scrollata di spalle.

«A dire il vero, tutto l'appartamento è sorprendente!» Esce dalla stanza e io lo seguo. Sì, non è niente male, anche se me lo dico da sola. C'è ancora qualche scatola qua e là, ma è molto più sgombro.

«Non ho ancora finito» e lancio un'occhiata alla nostra camera, dove c'è ancora un sacco di roba infilata sotto il letto.

«Lo vedo. Ma è comunque un gran passo avanti.» Luke si guarda attorno con espressione ammirata.

«È bastata solo un po' di visione creativa» dico, con un sorriso modesto. «Un po' di inventiva.»

Entriamo nel soggiorno, che risulta completamente trasformato. Le pile di tappeti, casse e scatoloni sono scomparse. Ci sono solo due divani, due tavolini e il gamelan indonesiano.

«Complimenti, Becky! Ottimo lavoro!»

«Non è stato difficile.»

«No» insiste lui con espressione seria. «Sento di doverti delle scuse. Tu mi hai detto che ce l'avresti fatta e io ho dubitato di te. Ma ci sei riuscita. Non avrei mai immaginato che si potesse trovare un posto per tutta quella roba.» Si guarda attorno, incredulo. «C'erano così tante cose ammassate qua dentro! Dove sono finite?» dice, ridendo, e per un istante mi unisco alla sua risata.

«Ho solo... ho solo trovato una casa per ciascuna» rispondo, allegra.

«Be', sono davvero colpito» prosegue, facendo correre la mano sulla mensola del camino, totalmente libera, tranne che per le cinque uova decorate a mano. «Dovresti fare la consulente di sgombero.»

«Chissà!»

Voglio chiudere questo argomento. Tra un minuto Luke si guarderà attorno con più attenzione e dirà qualcosa tipo: "Dove sono finiti i vasi cinesi?" oppure: "Dove hai messo le giraffe di legno?".

«Scusa... è acceso il computer?» chiedo, con noncuranza.

«Sì» risponde Luke, prendendo in mano un uovo e osservandolo.

«Bene! Allora vado a controllare la mia posta elettronica. Perché nel frattempo non prepari un caffè?»

Aspetto che Luke sia in cucina, poi corro al computer e batto www.eBay.co.uk.

Ecco, eBay mi ha salvato la vita. Decisamente.

Cosa facevo, prima di eBay? È l'invenzione più brillante e geniale da... dal tempo in cui, chiunque sia, ha inventato i negozi.

Sabato scorso, un attimo dopo essere tornata da casa dei miei, mi sono registrata e ho messo in vendita i vasi ming, le giraffe di legno e tre tappeti. Nel giro di tre giorni era tutto venduto! E così, il giorno seguente è stato il turno di altri cinque tappeti e due tavolini. E da allora, non ho più smesso.

Clicco su "Articoli che voglio vendere", lanciando di quando in quando un'occhiata alla porta. Devo fare in fretta, altrimenti Luke mi scoprirà, ma muoio dalla voglia di vedere se qualcuno ha fatto un'offerta per il totem.

Un attimo dopo compare la pagina e... sì! C'è un contatto!

Qualcuno ha offerto cinquanta sterline! Avverto una scarica di adrenalina e mi lancio in un'esclamazione di esultanza (senza sonoro, in modo che Luke non senta). Dà una tale euforia vendere delle cose! Sono diventata totalmente dipendente.

Il bello è che, così facendo, prendo due piccioni con una fava. Ho risolto i nostri problemi di sovraffollamento casalingo e sto facendo soldi. Un sacco di soldi. Non per vantarmi, ma ogni giorno ho ricavato un utile. Sono come un operatore di Borsa della City!

Per esempio, ho realizzato duecento sterline dal tavolino in ardesia, e di sicuro non lo abbiamo pagato più di cento. Ne ho prese cento per i vasi cinesi e centocinquanta per ognuno dei kilim, che in Turchia saranno costati sì e no quaranta sterline. E, meglio di tutto, ho portato a casa ben duemila sterline per dieci orologi di Tiffany che non ricordavo neppure di avere! Il tizio mi ha addirittura pagato in contanti ed è venuto di persona a ritirarli! A dire il vero me la sto cavando così bene che potrei farlo per lavoro.

Sento Luke che prende le tazze in cucina e chiudo la pagina.

Poi, velocemente, clicco su "Articoli per cui sto facendo un'offerta".

Ovviamente mi sono iscritta a eBay più come venditrice che come compratrice. Ma l'altro giorno stavo curiosando qua e là quando mi sono imbattuta in un favoloso cappottino anni Cinquanta, arancione con grandi bottoni neri. È un modello unico, e non c'erano offerte, così ho fatto una piccola eccezione, proprio per quello.

E per un paio di scarpe di Prada che avevano ricevuto una sola offerta di cinquanta sterline. Insomma, un paio di scarpe di Prada per cinquanta sterline!

E quel fantastico abito da sera di Yves Saint Laurent che alla fine è andato a un altro compratore. Ecco, quello mi ha proprio dato fastidio. Non commetterò lo stesso errore un'altra volta.

Clicco sul cappotto arancione e... non posso crederci. Ieri ho offerto ottanta sterline e sono stata battuta da un'offerta di cento. Be', questo non ho intenzione di farmelo fregare. In nessun modo. Batto velocemente "120 £" e chiudo, un attimo prima che Luke entri con un vassoio.

«Qualche messaggio?» domanda.

«Ehm... qualcuno» rispondo, sorridente, e prendo una tazza di caffè. «Grazie!»

Non ho detto a Luke della faccenda di eBay perché non c'è nessun bisogno che lui venga coinvolto in ogni singolo, irrilevante dettaglio della gestione delle finanze familiari. Anzi, il mio compito è quello di evitarglielo.

«Ho trovato questi in cucina.» Luke accenna col capo a una scatola di sontuosi biscottini al cioccolato di Fortnum & Mason posata sul vassoio. «Squisiti.»

«Un piccolo lusso» dico, sorridendo. «E non ti preoccupare. Rientra tutto nel budget.»

Il che è vero. Ora il mio budget è talmente alto che posso permettermi di scialacquare!

Luke beve un sorso di caffè. Il suo sguardo cade su un fascicolo rosa posato sulla sua scrivania.

«Cos'è questo?»

Mi chiedevo quando l'avrebbe notato. È l'altro progetto cui ho lavorato questa settimana. Titolo: "Moglie collaboratrice".

«È per te» dico, con naturalezza. «Una piccola cosa che ho messo assieme per aiutarti. Le mie idee per il futuro dell'azienda.»

L'illuminazione mi è venuta mentre ero in bagno, l'altro giorno. Se Luke si aggiudica questo grosso incarico, dovrà per forza ampliare l'azienda. E io so tutto sulle espansioni.

Il motivo è che, quando lavoravo come personal shopper da Barneys, avevo una cliente, Sheri, che faceva l'imprenditrice. E sono stata testimone di tutta la sua triste vicenda, di come si è espansa troppo in fretta e degli errori che ha commesso, come prendere in affitto seicento metri quadrati di uffici a TriBeCa, che poi non ha mai utilizzato. E pensare che, allora, mi pareva una cosa molto noiosa. Ero arrivata a temere gli appuntamenti con lei. Ma ora mi rendo conto che questo può venire utile a Luke!

Così ho deciso di riportare tutto quello che mi aveva detto, come "consolidare i mercati chiave" e "acquisire i concorrenti". Ed è allora che mi è venuta un'idea ancora migliore. Luke dovrebbe accaparrarsi un'altra società di PR!

E so anche quale potrebbe essere. David Neville, che lavorava per la Farnham PR, si è messo in proprio tre anni fa, quando io facevo ancora la giornalista finanziaria. Ha molto talento e tutti continuano a dire che se la cava benissimo. Ma io so che è in difficoltà, perché me l'ha detto sua moglie Judy che ho incontrato dal parrucchiere la settimana scorsa.

«Becky...» dice Luke, adombrandosi, «non ho tempo per queste cose.»

«Ma ti tornerà utile! Quando ero da Barneys ho imparato che...»

«Da Barneys? Becky, io dirigo una società di pubbliche relazioni, non un negozio di moda.»

«Ma mi è venuta un'idea...»

«Becky» Luke mi interrompe, spazientito, «al momento la mia priorità è acquisire nuovi clienti. Nient'altro. Non ho tempo per le tue idee, okay?» Infila la cartellina in valigetta senza aprirla. «La guarderò in un altro momento.»

Mi siedo, sentendomi un po' mortificata. Suona il campanello e io alzo la testa, sorpresa.

«Oh! Magari è Jess, in anticipo!»

«No, sarà Gary» dice Luke. «Vado ad aprirgli.»

Gary è il vice di Luke. Ha diretto l'ufficio di Londra quando noi stavamo a New York, e poi quando eravamo in luna di miele. Lui e Luke vanno molto d'accordo. Ha persino fatto da testimone a Luke quando ci siamo sposati.

In un certo senso.

Veramente, quella del matrimonio è una storia lunga.

«Cosa ci fa qui, Gary?» chiedo, sorpresa.

«Gli ho detto io di venire» risponde Luke, andando al citofono e premendo il pulsante dell'apriporta. «Dobbiamo lavorare alla presentazione. E poi andremo fuori a pranzo.»

«Ah.» Cerco di nascondere la mia delusione.

Veramente, oggi speravo di passare un po' di tempo insieme a Luke, prima che arrivasse Jess. È così impegnato, ultimamente. Non viene mai a casa prima delle otto, e ieri sera erano le undici!

Insomma, so che stanno lavorando come pazzi. So che la presentazione per la Arcodas è importante. Però... per mesi e mesi, Luke e io siamo stati insieme ventiquattr'ore su ventiquattro, mentre ora non lo vedo quasi mai.

«Magari potrei darvi una mano con la presentazione» dico, seguendo un'ispirazione improvvisa. «Potrei unirmi alla squadra.»

«Non credo» fa Luke, senza neppure guardarmi.

«Dev'esserci pure qualcosa che io possa fare» insisto, sporgendomi verso di lui. «Luke, io desidero davvero aiutarti con la società. Sono disposta a fare qualsiasi cosa!»

«È tutto sotto controllo, Becky. Ma grazie comunque.»

Provo un certo risentimento. Perché non vuole che me ne interessi? Pensavo che mi sarebbe stato grato.

«Vuoi venire a pranzo con noi?» aggiunge, cortese.

«No» rispondo con una piccola scrollata di spalle. «Divertitevi. Ciao, Gary» aggiungo, vedendolo comparire sulla soglia.

«Ciao, Becky!» mi saluta Gary, allegro.

«Vieni» dice Luke, facendo strada verso lo studio. La porta si chiude, poi si riapre quasi immediatamente e Luke mette fuori la testa. «Becky, se suona il telefono, ti spiacerebbe rispondere? Non voglio essere disturbato per qualche minuto.»

«D'accordo.»

«Grazie.» Sorride e mi fa una carezza. «Mi sei di grande aiuto.»

«Figurati!» La porta si richiude e io sono tentata di prenderla a calci.

Quando dicevo che volevo fare qualcosa per la Brandon Communications, non intendevo "rispondere al telefono".

Mi allontano lentamente lungo il corridoio, immusonita, entro in soggiorno e chiudo la porta con un tonfo risentito. Sono una persona intelligente, creativa. Potrei aiutarli, ne sono certa. Voglio dire, dovremmo essere una società. Dovremmo fare le cose insieme.

Squilla il telefono e io faccio un salto. Sarà Jess. Magari è già qui! Corro all'apparecchio e sollevo il ricevitore.

«Pronto?»

«Signora Brandon?» È una voce maschile, aspra.

«Sì!»

«Parla Nathan Temple.»

Vuoto totale. Nathan? Io non conosco nessun Nathan.

«Si ricorda di me? Ci siamo conosciuti a Milano qualche settimana fa.»

Oh, mio Dio. È l'uomo del negozio! Avrei dovuto riconoscerlo subito dalla voce.

«Salve!» dico, con gioia. «Certo che mi ricordo di lei! Come sta?»

«Bene, grazie. E lei? Si sta godendo la sua borsa nuova?»

«La adoro!» esclamo. «Ha cambiato la mia vita. Grazie ancora per quello che ha fatto.»

«È stato un piacere.»

Segue un momento di silenzio. Non so cosa dire.

«Potrei invitarla a pranzo» esclamo, d'impulso. «Come ringraziamento. Dove desidera lei.»

«Non è necessario.» Sembra divertito. «E poi il mio medico mi ha messo a dieta.»

«Oh, che peccato...»

La sua voce aspra mi interrompe. «Comunque, come ha detto lei stessa a Milano... chi fa del bene riceve del bene.»

«Ma certo. Io le sono debitrice. Se c'è qualcosa che posso fare, qualunque cosa...»

«Pensavo a suo marito Luke. Speravo potesse farmi un piccolissimo favore.»

«Ne sarà felicissimo!» esclamo. «Sono sicura.»

«È lì? Potrei dirgli una parola?»

La mia mente macina veloce.

Se chiamo Luke al telefono adesso, dovrò disturbarlo. E spiegargli chi è Nathan Temple... e come l'ho conosciuto... e dirgli della Angel Bag...

«Sa» sussurro nel ricevitore, «purtroppo in questo momento non è in casa. Ma posso riferirgli un messaggio.»

«La situazione è questa. Sto per aprire un albergo a cinque stelle sull'isola di Cipro. Sarà un complesso turistico di lusso e ho in mente un lancio alla grande. Feste con personaggi celebri, ampia copertura dei media. Mi farebbe molto piacere che se ne occupasse suo marito.»

Fisso il telefono, strabiliata. Una festa di celebrità a Cipro? Un albergo a cinque stelle? Oh, mio Dio! È incredibile.

«Sono sicura che ne sarà felicissimo» esclamo, ritrovando l'uso della parola. «Sembra una cosa fantastica!»

«Suo marito ha molto talento. E un'ottima reputazione. Che è quello che a noi interessa.»

«Be', è piuttosto bravo nel suo lavoro.» Sono raggiante d'orgoglio.

«Mi sembra di capire, però, che sia specializzato in istituti finanziari. Il lancio di un albergo potrebbe essere un problema?»

Il mio cuore comincia a battere all'impazzata. Non posso lasciarmi sfuggire questa occasione. Devo vendere bene la Brandon Communications.

«Assolutamente no» rispondo con tono suadente. «Alla Brandon Communications siamo qualificati in tutti i campi delle pubbliche relazioni, dalla finanza all'industria agli alberghi. Versatilità è il nostro motto.»

Sì! Sembro proprio una professionista.

«Dunque lei lavora nell'azienda?»

«Io... ho un piccolo incarico come consulente» rispondo, incrociando le dita. «Sono specializzata in strategie. E guarda caso una delle nostre attuali strategie è l'espansione nel... nel campo del turismo di lusso.»

«Allora sembra proprio che potremmo darci una mano a vicenda» dice Nathan Temple, con tono compiaciuto. «Pensa che potremmo fissare un incontro per questa settimana? Come le ho detto, siamo molto impazienti di avere con noi suo marito.»

«La prego, signor Temple» sto usando il tono più affascinante che mi riesce, «lei mi ha fatto un favore. Ora tocca a me ricambiare. Mio marito sarà felice di aiutarla. Anzi, darà la precedenza a questo progetto!» Sorrido al ricevitore. «Mi dia il suo numero. Dirò a Luke di richiamarla oggi stesso.»

«Aspetto con impazienza la sua telefonata. Mi ha fatto molto piacere parlare nuovamente con lei, signora Brandon.»

«La prego! Mi chiami Becky!»

Mentre abbasso il ricevitore, ho un sorriso da un orecchio all'altro.

Sono una star.

Una vera star.

Mentre Luke e Gary sgobbano per la presentazione, io ho procurato loro un nuovo cliente favoloso senza il minimo sforzo. E non una noiosissima banca. Un hotel a cinque stelle a Cipro. Un incarico enorme, prestigioso!

Proprio in quel momento la porta si apre ed esce Luke, con un fascicolo stretto fra le mani. Prende la valigetta da terra e mi rivolge un sorriso distratto.

«Tutto a posto, Becky? Noi andiamo a pranzo. Chi era al telefono?»

«Oh, un mio amico» rispondo, istintivamente. «A proposito, Luke... quasi quasi vengo a pranzo con voi.»

«Okay. Fantastico.»

Mi ha sottovalutato. Lui non immagina neppure quanto. Quando saprà che ho trattato per suo conto con un grande magnate dell'industria, resterà sbalordito. E allora, forse, capirà quanto posso essergli d'aiuto. Allora, forse, comincerà ad apprezzarmi un po' di più.

Aspetta solo che gli dia la notizia. Aspetta!

Durante il tragitto verso il ristorante, mi tengo stretto il mio segreto. Francamente, Luke dovrebbe assumermi. Dovrei diventare una specie di ambasciatrice dell'azienda.

Voglio dire, è evidente che sono molto portata nell'intrecciare rapporti. Mi viene naturale. Un incontro casuale a Milano... e questo è il risultato. Un nuovo cliente per la società. E senza il minimo sforzo!

È tutta una questione di istinto. O ce l'hai o non ce l'hai.

«Tutto bene, Becky?» dice Luke mentre entriamo nel ristorante.

«Benissimo!» Gli rivolgo un sorriso misterioso. Resterà colpito quando gli comunicherò la notizia. Probabilmente ordinerà subito una bottiglia di champagne. O magari organizzerà una piccola festa per me. Non è quello che fanno quando si aggiudicano un grosso cliente?

E questa potrebbe essere un'incredibile occasione per Luke. Potrebbe segnare la nascita di una nuova divisione dedicata agli alberghi e ai centri benessere a cinque stelle. Brandon Communications Luxury Travel. E io ne sarei il direttore, oppure l'incaricato che va a sperimentare i centri benessere.

«Allora... per concludere la questione della cena che offriremo» sta dicendo Gary mentre ci sediamo al tavolo, «hai scelto i regali?»

«Sì. Li ho a casa. E il trasporto? Abbiamo già prenotato le auto?»

«Darò incarico a qualcuno di farlo.» Gary prende nota, poi mi guarda. «Scusa, Becky. Dev'essere noioso per te, ma lo sai, questa presentazione è molto importante.»

«Non c'è problema» rispondo, con un sorriso modesto. «Luke mi stava appunto dicendo che al momento aggiudicarsi nuovi clienti è una vostra priorità.»

«Assolutamente» conferma Gary, annuendo.

Ah!

«Immagino sia piuttosto dura acquisire nuovi clienti» aggiungo con fare innocente.

«Sì. Può essere dura» conviene Gary con un sorriso.

Ta-dah!

Mentre il cameriere versa dell'acqua minerale per Luke e Gary, mi accorgo che tre ragazze sedute a un tavolo vicino stanno ammirando la mia Angel Bag. Cercando di non lasciar trasparire il mio compiacimento, sistemo la borsa sul bracciolo della sedia in modo che l'angelo e la parola "Dante" siano ben visibili.

È incredibile. Ovunque vada, le persone notano la mia borsa. Ovunque! È in assoluto il capo migliore che io abbia mai comperato. E ora ha pure procurato nuovi affari a Luke. È un portafortuna!

«Salute!» dico, sollevando il bicchiere quando il cameriere si allontana. «Ai nuovi clienti!»

«Ai nuovi clienti!» ripetono Luke e Gary all'unisono. Gary beve un sorso d'acqua, poi si rivolge a Luke. «Allora Luke, riguardo all'ultima proposta, ho parlato con Sam Church, l'altro giorno, e…»

Non posso aspettare un minuto di più. Devo assolutamente dirglielo.

«A proposito!» interrompo, con tono allegro.

C'è un attimo di sgomento.

Luke mi guarda con aria preoccupata.

«Dunque, Church mi fa venire in mente chiese… e… edifici religiosi in generale… suppongo abbiate sentito parlare di un certo Nathan Temple, giusto?» E va bene. Avrei potuto farlo con un po' più di tatto. Ma pazienza.

Guardo ora Luke ora Gary, incapace di nascondere la mia euforia. Entrambi mi ascoltano con curiosità.

«Certo che ho sentito parlare di Nathan Temple» dice Luke.

Ah! Lo sapevo.

«È un pezzo grosso, vero? Uno piuttosto importante?» Inarco le sopracciglia con aria criptica. «Probabilmente è uno con cui vorreste fare affari. Magari averlo come cliente privilegiato?»

«Affatto!» Luke scoppia in una risata fragorosa e beve un sorso d'acqua.

Mi blocco, incerta. Cosa significa "affatto"?

«Ma figuriamoci!» insisto. «Sarebbe un cliente fantastico!»

«No, Becky. Non lo sarebbe.» Luke posa il bicchiere. «Scusa, Gary, cosa stavi dicendo?»

Lo guardo, confusa.

Non sta andando secondo i piani. Avevo già tutta la conversazione pronta nella mia testa. Luke avrebbe detto: "Ovvio che mi piacerebbe avere Nathan Temple come cliente, ma come si fa a prenderlo?". Gary avrebbe aggiunto con un sospiro: "Nessuno può arrivare a Nathan Temple". E allora io mi sarei sporta in avanti attraverso il tavolo, con un sorriso cospiratorio...

«E così ho parlato con Sam Church» riprende Gary, tirando fuori alcune carte dalla valigetta. «E lui mi ha dato queste. Guarda un po' tu.»

«Un momento!» Li interrompo cercando di riportare la conversazione sui binari prestabiliti. «Luke, perché non vorresti Nathan Temple come cliente? Voglio dire, è ricco... è famoso...»

«A modo suo, famoso lo è» aggiunge Gary con un sorriso.

«Becky, tu sai chi è Nathan Temple?» chiede Luke.

«Certo che lo so. È un importante uomo d'affari... proprietario di alberghi...»

Luke inarca le sopracciglia.

«Becky, quell'uomo possiede la catena di motel più squallida che esista al mondo.»

Mi si gela il sorriso sulle labbra. Per qualche istante non riesco neppure a parlare.

«Cosa?» dico, alla fine.

«Ora non più» puntualizza Gary. «Sii giusto.»

«Be', un tempo erano suoi» insiste Luke. «È così che ha fatto i soldi. Con i Value Motel. Materassi ad acqua. Per non parlare di quello che succedeva dietro quelle porte chiuse.» Fa un'espressione disgustata e beve un sorso d'acqua.

«Hai sentito cosa si dice in giro, che starebbe considerando di comperarsi il "Daily World"» aggiunge Gary.

«Già» fa Luke con una smorfia. «Dio ce ne scampi. Lo sapevi che è stato condannato per lesioni personali aggravate? Quell'uomo è un criminale.»

Mi gira la testa. Nathan Temple un criminale? Ma... se sembrava così gentile. Così cortese! E mi ha procurato una Angel Bag!

«Dicono che sia cambiato» fa Gary stringendosi nelle spalle. «È diventato un'altra persona. Almeno, così pare.»

«Un'altra persona? Gary, è praticamente un gangster.»

Ci manca poco che non lasci cadere il bicchiere per terra. Io sono debitrice di un favore a un gangster?

«Definirlo gangster è un po' eccessivo» ribatte Gary, divertito. «È successo tanti anni fa.»

«Certa gente non cambia mai» insiste Luke, fermo.

«Tu sei un po' troppo inflessibile, Luke» osserva Gary, ridendo. Poi, di colpo, vede la mia espressione. «Becky, ti senti bene?»

«Benissimo!» rispondo, con voce stridula, e bevo un sorso di vino. «Perfettamente!»

Sono assalita da brividi e vampate di calore allo stesso tempo. Non sta affatto andando come previsto.

Proprio per niente.

Il mio primo trionfo nel campo dei contatti. Il primo grosso cliente conquistato per la Brandon Communications. E si scopre che è un re dei motel equivoci condannato per reati gravi.

Ma come potevo saperlo, io? Come? Sembrava un tipo così affascinante! Era talmente ben vestito!

Deglutisco più volte.

E io gli ho promesso che Luke avrebbe lavorato per lui.

Più o meno.

Voglio dire... in realtà io non gli ho promesso nulla, no?

Oh, Dio.

Sento la mia voce che cinguetta gaia. "Mio marito sarà felice di aiutarla. Anzi, darà la precedenza a questo progetto!"

Fisso il menu, cercando di restare calma. Okay, quello che devo fare è ovvio. Devo dirlo a Luke. Semplice. Devo confessargli tutto. Milano... la Angel Bag... la telefonata di oggi... tutto.

Ecco cosa devo fare. È quello che farebbe una persona matura.

Lancio un'occhiata all'espressione tesa di Luke mentre scorre i documenti e sento uno spasmo di apprensione stringermi lo stomaco.

Non posso.

Non posso e basta.

«Strano che tu abbia parlato di Nathan Temple, Becky» dice Gary, sorseggiando la sua acqua. «Non te l'ho ancora detto, Luke, ma ci ha contattato per il lancio di un suo nuovo albergo.»

Fisso il volto ampio e amabile di Gary e provo un gran sollievo.

Grazie al cielo. Grazie al cielo!

Ovvio che abbiano tentato anche un approccio ufficiale. Mi stavo preoccupando per nulla! Luke accetterà l'incarico, io mi sarò sdebitata con Nathan Temple e fine della vicenda...

«Suppongo che rifiuteremo?» aggiunge Gary.

Rifiutare? Alzo la testa di scatto.

«Riesci a immaginare che colpo sarebbe per la nostra reputazione?» dice Luke con una risatina. «Rifiuta l'incarico. Ma con tatto» aggiunge, preoccupato. «Se davvero ha intenzione di comperare il "Daily World" non dobbiamo offenderlo.»

«Non rifiutate!» grido, prima di riuscire a trattenermi.

Si voltano entrambi a guardarmi, sorpresi, e io mi sforzo di fare una risata allegra. «Voglio dire... non dovreste considerare le due facce della medaglia? Prima di prendere una decisione.»

«Becky, per quanto mi riguarda, c'è una sola faccia della medaglia» ribatte, secco, Luke. «Nathan Temple non è il genere di persona con cui desidero che venga associato il mio nome.» Apre il menu. «Sarà meglio che ordiniamo.»

«Non pensi di essere un po' drastico?» Sono disperata.

«"Chi di voi è senza peccato scagli la prima accusa" eccetera, eccetera.»

«Cosa?» Luke sembra allibito.

«Lo dice Gesù!»

Luke mi lancia un'occhiataccia.

«Forse intendevi dire "pietra".»

«Ehm…»

Ah. Probabilmente ha ragione. Insomma, pietra… accusa… che differenza fa?

«Il punto è…» insisto.

«Il punto è che la Brandon Communications non desidera essere associata a una persona con precedenti penali. Lasciando perdere il resto.»

«Ma è così… antico! Un sacco di gente ha precedenti penali, oggigiorno!» Faccio un gesto con le braccia. «Voglio dire, chi fra le persone sedute a questo tavolo non ha un piccolo precedente?»

Silenzio.

«Be', io no» ribatte Luke. «Gary, no. Tu, neppure.»

Lo guardo, colta in contropiede. Suppongo abbia ragione.

A dire il vero, è una sorpresa. Ho sempre pensato a me stessa come a una che vive ai limiti della legalità.

«Comunque sia…»

«Becky, perché stai parlando di questo?» chiede Luke aggrottando la fronte. «Perché sei così ossessionata da questo Nathan Temple?»

«Io non sono ossessionata!» ribatto, pronta. «Sono solo… interessata ai tuoi clienti. E ai *futuri* clienti.»

«Be', lui non è un mio cliente. Né un mio futuro cliente» dichiara Luke con tono irrevocabile. «Né mai lo sarà.»

«Giusto.» Deglutisco. «Be', questo è piuttosto chiaro.»

Studiamo i menu in silenzio, o meglio, loro studiano i menu. Io fingo di interessarmi al mio, mentre la mia mente schizza di qua e di là.

Non posso convincere Luke. In qualche modo dovrò risolvere la situazione. Questo è ciò che fanno le mogli collaboratrici. Risolvono i problemi con discrezione ed efficienza. Scommetto che Hillary Clinton lo ha fatto milioni di volte.

Andrà tutto a posto. Telefonerò a Nathan Temple, lo ringrazierò per la sua gentile offerta e gli spiegherò che, purtroppo, Luke è molto, molto impegnato...

No. Gli dirò che ha provato a chiamare, ma che nessuno ha risposto...

«Becky? Ti senti bene?»

Alzo gli occhi e vedo che tutti e due mi stanno fissando. Di colpo mi rendo conto che stavo battendo freneticamente sul tavolo con una delle matite di Gary.

«Benissimo!» rispondo, e mi affretto a posare la matita.

Okay. Ho un piano. Ecco cosa farò... dirò che Luke è malato. Geniale.

Nessuno può mettere in dubbio una cosa del genere.

E così, appena arriviamo a casa e Luke si rinchiude nello studio con Gary, corro al telefono in camera da letto. Chiudo la porta con un calcio e compongo il numero che mi ha dato Nathan Temple. Con mio grande sollievo, scatta subito la segreteria telefonica.

E ora che ascolto bene, ha proprio la voce da re dei motel con un passato criminoso. Perché mai non me ne sono accorta prima? Devo essere sorda o qualcosa del genere!

Arriva il segnale acustico, e io sobbalzo, spaventata.

«Salve!» dico, cercando di mantenere un tono allegro e casuale. «Questo è un messaggio per il signor Temple. Sono Becky Brandon. Ehm... ho parlato con mio marito del suo albergo, e lui la ritiene un'occasione favolosa... ma... purtroppo al momento non sta molto bene. E non potrà occuparsi del lancio. È un vero peccato! Comunque, spero proprio che lei trovi qualcun altro. Arrivederci!»

Abbasso il ricevitore e mi lascio cadere sul letto.

Ecco fatto.

«Becky?» Luke apre la porta e io lo fisso, terrorizzata.

«Eh? Cosa c'è?»

«È tutto a posto» fa lui, ridendo. «Va tutto bene. Volevo solo dirti che è arrivata Jess.»

13

«È in ascensore. Sta salendo» mi informa Luke, aprendo la porta d'ingresso. «Con chi eri al telefono?»

«Con nessuno» rispondo, pronta. «Stavo solo chiamando... l'ora esatta.»

È tutto a posto, dico a me stessa, con fermezza. È tutto sistemato.

Sento il ronzio dell'ascensore, giù in basso. Sta arrivando Jess!

Afferro il foglio con gli appunti e lo rileggo un'ultima volta. Border collie... odia l'avocado... il suo insegnante di matematica si chiamava Mr Lewis...

«Becky, io lo metterei via prima che arrivi» suggerisce Luke, divertito.

«Oh, sì.»

Me lo infilo in tasca e faccio qualche bel respiro profondo per prepararmi. Ora che è qui, comincio a sentirmi un tantino nervosa.

«Senti, Becky» dice Luke, guardandomi, «prima che arrivi... spero sinceramente che questa volta le cose vadano meglio. Ma vorrei che tu non perdessi il senso della misura. Non avrai riposto tutte le tue speranze su questa visita, vero?»

«Ma Luke! Per chi mi hai preso?»

Ovvio che ripongo tutte le mie speranze su questa visita. Ma non c'è problema, perché funzionerà. Stavolta le cose andranno diversamente. Tanto per cominciare, non faremo nulla che Jess non desideri. Mi lascerò guidare da lei.

E l'altra cosa che devo ricordare è un consiglio che mi ha

dato Luke. Ha detto che era molto bello che io fossi aperta nei confronti di Jess, ma visto che lei è così riservata, forse i baci e gli abbracci non sono nel suo stile. E quindi mi ha suggerito di essere un po' più controllata, almeno finché non ci conosceremo meglio. Il che è un ottimo consiglio.

Dall'ingresso mi giunge il rumore dell'ascensore che si avvicina. Non riesco quasi a respirare. Perché questo ascensore è così lento?

E poi all'improvviso le porte si aprono, rivelando Jess in jeans e maglietta grigia, col suo solito zaino stretto in una mano.

«Ciao!» esclamo, precipitandomi verso di lei. «Benvenuta! Questo weekend faremo tutto quello che vuoi tu! Qualunque cosa. Decidi tu. Tu sei il capo!»

Jess resta immobile. A dire il vero sembra impietrita.

«Ciao, Jess» la saluta Luke, più calmo. «Benvenuta a Londra.»

«Entra!» dico, spalancando le braccia. «Fai come se fossi a casa tua! Qui non ci sono avocado!»

Jess mi fissa confusa, poi lancia un'occhiata ai pulsanti dell'ascensore quasi volesse scendere di nuovo.

«Lascia che prenda lo zaino» si offre Luke. «Com'è andata la tua conferenza?»

Le fa strada e, finalmente, lei entra, guardandosi attorno con diffidenza.

«È andata bene, grazie. Ciao, Becky.»

«Ciao. È così bello averti qui! Ti mostro la tua stanza.»

Apro la porta della stanza degli ospiti, orgogliosa, e aspetto che lei faccia qualche commento sul poster della caverna, o sul "Mensile di potholing". Ma lei non dice nulla, a parte un "grazie" quando Luke posa il suo zaino.

«Guarda!» le dico, indicando la parete. «È una caverna!»

«Ehm... sì» fa lei, un po' sconcertata.

Segue un momento di silenzio e io vengo presa dall'ansia. Non possiamo essere impacciate anche questa volta.

«Beviamo qualcosa!» esclamo. «Apriamo una bottiglia di champagne!»

«Becky... sono solo le quattro» mi fa notare Luke. «Forse una tazza di tè sarebbe più indicata.»

«Una tazza di tè mi farebbe molto piacere» dice Jess.

«E vada per il tè!» esclamo. «Ottima idea.»

Faccio strada in cucina, e Jess mi segue, guardandosi attorno. «Bel posto» osserva.

«È tutto merito di Becky» dice Luke, amabile. «Avresti dovuto vederlo una settimana fa. Ci hanno consegnato gli acquisti fatti in luna di miele... e non si poteva neppure passare dalla roba che c'era.» Scuote la testa. «Non so proprio come tu abbia fatto, Becky.»

«Oh.» Faccio un sorriso modesto. «È solo questione di organizzarsi.»

Sto accendendo il bollitore quanto Gary entra in cucina.

«Questo è il mio socio Gary» dice Luke. «Questa è la sorellastra di Becky, Jess. Viene dalla Cumbria.»

«Ah!» fa Gary, stringendole la mano. «Conosco la Cumbria! Bellissima regione. Da dove, esattamente?»

«Da un villaggio che si chiama Scully. Una zona rurale. Molto diversa da qui.»

«Ci sono stato a Scully!» esclama Gary. «Anni fa. Non c'è una famosa escursione da quelle parti?»

«Probabilmente ti riferisci allo Scully Pike.»

«Proprio quello! Abbiamo tentato l'ascensione, ma poi il tempo è cambiato. C'è mancato poco che non precipitassimo.»

«Può essere pericoloso» conviene Jess. «Bisogna sapere quello che si fa. Ci sono un sacco di idioti che vengono dal Sud e si cacciano nei guai.»

«Me compreso» ammette Gary, tutto allegro. «Ma il paesaggio giustifica la difficoltà. Quei muretti a secco sono spettacolari» aggiunge, rivolto a Luke. «Vere opere d'arte. Si estendono per chilometri e chilometri attraverso la campagna.»

Ascolto la conversazione, affascinata. Mi piacerebbe tanto conoscere meglio l'Inghilterra rurale. Mi piacerebbe vedere qualche muro a secco. Insomma, io conosco solo Londra e il Surrey, che poi è praticamente Londra.

«Dovremmo acquistare un cottage in Cumbria!» dico, con entusiasmo, servendo il tè. «Nel villaggio di Jess. Così potremmo vederti più spesso» aggiungo, rivolta a Jess. «Non sarebbe fantastico?»

Segue un silenzio piuttosto prolungato.

«Sì» fa lei, alla fine. «Fantastico.»

«Non credo proprio che compreremo un cottage nel prossimo futuro» dice Luke, guardandomi con aria di rimprovero. «Abbiamo stabilito un budget, ricordi?»

«Sì, lo so» ribatto, inarcando le sopracciglia. «E io lo sto rispettando, giusto?»

«Be', sì» ammette lui. «Incredibile ma vero.» Guarda la scatola di latta di biscotti di Fortnum posata sul bancone. «Anche se, in tutta sincerità, non ho idea di come tu faccia.» Va ad aprire il frigorifero. «Guarda qua. Olive ripiene... salmone affumicato... e tutto questo rispettando il budget.»

Non posso fare a meno di provare una calda sensazione di orgoglio. Queste leccornie sono frutto della vendita degli orologi di Tiffany! Ero così contenta che sono corsa fuori a comperare un grosso cesto con tutte le specialità preferite di Luke.

«È solo grazie a una buona gestione delle spese di casa» dico con noncuranza, e gli porgo il vassoio. «Prendi un biscotto al cioccolato.»

«Hmm.» Luke mi rivolge un'occhiata sospettosa, poi si volta verso Gary. «Noi dobbiamo continuare.»

Si dirigono fuori dalla cucina e io resto sola con Jess. Le verso un'altra tazza di tè e mi appollaio su uno sgabello di fronte a lei.

«Allora! Cosa ti piacerebbe fare?»

«A me va bene tutto» fa lei, con una scrollata di spalle.

«Scegli tu. Davvero.»

«Non importa.» Jess sorseggia il suo tè.

C'è silenzio, a parte il lento sgocciolio del rubinetto nel lavandino.

Ma va bene così. È uno di quei silenzi rilassati e comunicativi che si possono avere solo con i propri familiari. In realtà dimostra che siamo a nostro agio, insieme. Non è affatto imbarazzante o cose del genere...

Oh, Dio! Parla. Ti prego.

«Mi piacerebbe fare un po' di allenamento con i pesi» dice Jess d'un tratto. «Solitamente mi alleno ogni giorno, ma questa settimana non mi è stato possibile.»

«Bene! Che bello! Lo farò anch'io.»

«Davvero?» Jess pare sconcertata.

«Certo!» Bevo un'ultima sorsata di tè e poso la tazza. «Vado a prepararmi.»

Che idea fantastica. Fare ginnastica insieme è il massimo per legare. Possiamo andare al Taylor Health Club dietro l'angolo, di cui io sono Gold Member, fare un po' di allenamento e poi andare al Juice Bar. Il bar è aperto, lo so per certo perché ci sono andata un milione di volte a quest'ora.

E penso che anche la palestra al piano di sotto sia aperta.

O è al piano di sopra?

Comunque sia, non ha importanza.

Spalanco le ante del guardaroba ed estraggo il cassetto che contiene l'abbigliamento per la ginnastica. Potrei mettere la tuta Nike, ma ho paura che mi tenga troppo caldo... o magari quel bel top rosa, se non fosse che ho visto una ragazza al Juice Bar che ne indossava uno identico...

Alla fine opto per un paio di pantajazz neri e le favolose scarpe da ginnastica high-tech che ho comperato negli Stati Uniti. Costavano una cifra ma sono bilanciate biomeccanicamente con una soletta interna a doppia densità. Inoltre la loro tecnologia avanzata ti permette di passare indifferentemente dalla pista della maratona al terreno accidentato di un sentiero di campagna.

Indosso velocemente la tenuta scelta, raccolgo i capelli in una coda di cavallo, e aggiungo lo splendido orologio sportivo dell'Adidas. (Il che dimostra quanto avesse torto Luke. Sapevo che un giorno o l'altro avrei avuto bisogno di un orologio sportivo.) Corro alla stanza degli ospiti e busso alla porta.

«Ehi!»

«Entra.» La voce di Jess mi giunge attutita e un po' strana. Apro la porta con cautela. Si è cambiata. Indossa un paio di vecchi calzoncini grigi e una maglietta, e, con mia grande sorpresa, è sdraiata a pancia sotto sul pavimento.

Sta facendo delle flessioni, mi rendo conto, quando il suo torace si alza interamente da terra. Accidenti. È proprio brava.

E ora è il turno di quei piegamenti laterali che io non sono mai riuscita a fare.

«Allora... andiamo?» chiedo.

«Dove?» risponde lei, senza perdere il ritmo.

«In palestra. Credevo volessi...» Lascio la frase in sospeso. Ora sta sollevando anche le gambe da terra.

Lo fa per mettersi in mostra.

«Io non ho bisogno di andare da nessuna parte. Posso benissimo allenarmi qui.»

Qui? Sta dicendo sul serio? Ma qui non ci sono specchi. Non c'è MTV. Non c'è un Juice Bar.

Mi cade lo sguardo su una cicatrice serpeggiante su uno stinco di Jess. Sto per chiederle come se l'è procurata, quando lei mi scopre a osservarla e arrossisce. Forse si vergogna. Sarà meglio che non ne parli.

«Non hai bisogno di pesi?»

«Li ho.» Fruga nello zaino ed estrae due vecchie bottiglie d'acqua piene di sabbia.

Quelli sono i suoi pesi?

«Io in palestra non ci vado» dice, cominciando a sollevare le bottiglie sopra la testa. «È uno spreco di denaro. Metà delle persone che si iscrivono non ci vanno. Comperano tute costosissime che poi finiscono per non indossare mai.»

«Sono totalmente d'accordo con te.»

Jess si ferma e aggiusta la presa su uno dei pesi. Poi le cade l'occhio sul dietro dei miei pantajazz.

«Cos'è quello?» chiede.

Mi tasto con una mano.

Accidenti. È il cartellino del prezzo che pende.

«Ehm... niente!» rispondo, affrettandomi a infilarlo dentro. «Vado... vado a prendere i miei pesi.»

Mentre torno dalla cucina con due bottiglie di acqua minerale, non posso fare a meno di provare un certo sconcerto. Non è esattamente quello che avevo in mente. Già ci vedevo correre senza sforzo su due macchine adiacenti, accompagnate da una musica allegra, con i faretti che ci illuminano i capelli facendoli sembrare più lucidi.

«Allora... ti seguo, okay?» e mi sdraio vicino a lei sulla moquette.

«Ora passo a lavorare sui bicipiti» dice Jess. «È piuttosto facile.» Comincia a sollevare le braccia su e giù, e io copio i suoi movimenti. Dio, come va veloce!

«Vuoi che metta un po' di musica?» chiedo, dopo qualche istante.

«No, io non ho bisogno di musica.»

«No. Neanch'io.»

Cominciano a dolermi le braccia. Questo esercizio non può fare bene. Lancio un'occhiata a Jess, ma lei continua a pompare, imperterrita. Mi chino verso il basso con aria indifferente, fingendo di allacciarmi una stringa. Poi, d'un tratto, mi viene un'idea.

«Vengo subito» dico, correndo di nuovo in cucina. Un attimo dopo sono di ritorno, con due sottili bottiglie color argento.

«Ecco, un integratore» esclamo, porgendogliene una. «Così puoi compensare.»

«Così posso... cosa?» Jess poggia i pesi.

«C'è scritto qui, sulla bottiglia... guarda. È una miscela unica di erbe e vitamine.»

Jess sta esaminando l'etichetta.

«È solo acqua e zucchero. Guarda. Acqua... sciroppo di glucosio...» La posa. «No, grazie.»

«Ma ha proprietà speciali!» insisto, sorpresa. «Riequilibra, rivitalizza e idrata la pelle dall'interno.»

«E come fa?»

«Non lo so.»

«Quanto costa?» Jess riprende in mano la bottiglia e guarda l'etichetta del prezzo. «Due sterline e novantacinque?» esclama, scandalizzata. «Tre sterline per un po' d'acqua e zucchero? Potresti comperarci un sacco di patate da venti chili!»

«Ma io non ho bisogno di un sacco di patate da venti chili» ribatto, confusa.

«E invece dovresti. Le patate sono uno dei cibi più nutrienti, oltre a essere vantaggiose in termini di costo.» Mi guarda con aria di rimprovero. «La gente le sottovaluta. Lo sapevi che la buccia di una patata contiene più vitamina C di un'arancia?»

«Ehm... no» rispondo, agitata. «Non lo sapevo.»

«Si potrebbe vivere di patate e latte» dice lei e riprende a sollevare pesi. «Da soli bastano a fornirci tutte le sostanze nutrienti di cui il corpo ha bisogno.»

«Bene! È... davvero un'ottima cosa! Be', io vado a farmi una doccia.»

Quando chiudo la porta della stanza, sono totalmente confusa. Cos'era quella faccenda delle patate? Non so neanche come siamo arrivate a parlare dell'argomento.

Mi dirigo lungo il corridoio e, attraverso la porta dello studio, vedo Luke che sta prendendo qualcosa da uno scaffale.

«Hai un'aria molto sportiva» mi fa, alzando lo sguardo. «Vai in palestra?»

«Jess e io abbiamo fatto un po' di ginnastica insieme» dico, gettando indietro i capelli.

«Ottimo. Andate d'accordo?»

«D'accordissimo!» rispondo, e proseguo lungo il corridoio. Il che è la verità, credo.

Anche se, in tutta sincerità, è un po' difficile da dire, con Jess. Non è esattamente il tipo che ti conquista.

Comunque, fin qui, tutto bene. E ora che abbiamo fatto ginnastica, possiamo concederci una piccola ricompensa. Quello che ci serve è qualcosa da bere, un po' di musica e un'atmosfera festosa. Allora ci rilasseremo veramente.

Mentre faccio la doccia, comincio a sentirmi eccitata. Non c'è niente di meglio di una bella serata in casa fra amiche. Suze e io ne abbiamo trascorse tante, quando vivevamo insieme. Ricordo ancora quella volta che Suze era stata mollata da quell'odioso del suo ragazzo, e noi abbiamo passato la serata a riempire moduli a suo nome per richiedere informazioni sulla cura per l'impotenza. E quella volta che abbiamo preparato un Mint Julep e abbiamo rischiato tutte e due l'avvelenamento da alcol. E ancora quando avevamo deciso di diventare rosse... e siamo state costrette a trovare un parrucchiere aperto ventiquattr'ore su ventiquattro.

E poi un sacco di serate in cui non è successo niente di speciale... in cui abbiamo semplicemente guardato un film, mangiando pizza, chiacchierando, ridendo e divertendoci.

Mi blocco, asciugandomi i capelli. È strano non parlare più

con Suze. Non mi ha più richiamato, dopo che le ho detto che avevo una sorella. E neanch'io l'ho più cercata.

E comunque… la mia espressione si irrigidisce. Sono cose che succedono, nella vita. La gente trova nuovi amici, nuove sorelle. Si chiama selezione naturale.

Jess e io ci divertiremo un sacco, stasera. Molto più di quanto mi sia mai divertita con Suze.

Pregustando già la serata, indosso un paio di jeans e una maglietta con su scritto in argento "sorella". Poi tiro fuori tutti i cosmetici che possiedo. Frugo in una scatola sotto il letto e prendo le mie tre parrucche, i quattro toupet, le ciglia finte, i brillantini spray e i tatuaggi. Quindi apro l'armadio dove tengo tutte le scarpe.

Io amo la mia scarpiera.

La adoro. È la cosa più bella del mondo. Tutte le mie scarpe sono sistemate in fila, e c'è persino una luce interna, così posso vederle meglio. Osservo con occhio adorante le file per qualche istante, poi prendo quelle più divertenti, luccicanti e con i tacchi alti, e le getto sul letto.

Pronti per la trasformazione!

Poi, passo a preparare il soggiorno. Tiro fuori tutti i miei video preferiti e li sistemo a ventaglio sul pavimento, aggiungo pile di riviste e accendo qualche candela. Quindi vado in cucina, verso patatine, popcorn e dolcetti in alcune ciotole, e tiro fuori lo champagne. Mi guardo attorno: il granito luccica, l'acciaio è illuminato dalla luce soffusa delle candele. È così bello!

Lancio un'occhiata veloce all'orologio. Sono quasi le sei. A questo punto Jess deve aver finito l'allenamento. Vado verso la camera degli ospiti e busso alla porta.

«Jess?» chiamo piano.

Nessuna risposta. Dev'essere nella doccia. Oh, be', non c'è fretta.

Ma, tornando in cucina, sento la sua voce provenire dallo studio. È strano. Mi avvicino alla porta e la apro con delicatezza. Vedo Jess seduta al computer con Luke e Gary che scrutano lo schermo luminoso del computer, uno per parte.

«Si possono sovrapporre i grafici così» sta dicendo, e intanto batte sulla tastiera. «E sincronizzarli con la colonna sonora. Posso farvelo io, se volete.»

«Cosa succede?» chiedo, sorpresa.

«È il nuovo CD-rom di presentazione dell'azienda» risponde Luke. «I tizi che lo hanno preparato non capivano niente. Bisogna rieditarlo tutto.»

«Tua sorella è un vero mago con questo software!» dice Gary.

«Lo conosco come le mie tasche» spiega Jess, battendo rapidissima sui tasti. «Un anno fa tutta l'università lo ha adottato. E io sono un'appassionata di queste cose.»

«È fantastico!» dico. Resto sulla soglia per qualche istante, mentre Jess continua a battere sui tasti. «Allora... vuoi venire a bere qualcosa? Ho tutto pronto per la nostra serata fra ragazze.»

«Scusa» dice Luke, guardandomi e rendendosi conto di colpo. «Ti sto trattenendo, Jess. Da qui in poi ce la possiamo cavare anche da soli. Grazie.»

«Grazie!» gli fa eco Gary.

La guardano entrambi con una tale ammirazione che non posso fare a meno di provare una leggera fitta di gelosia.

«Su, vieni, Jess! Lo champagne ci aspetta.»

«Grazie ancora» le dice Luke. «Sei un tesoro.»

«Figurati.» Jess si alza e mi segue fuori dallo studio.

«Ah, gli uomini!» esclamo, appena ci troviamo lontane dalla loro portata d'orecchio. «Non pensano che ai computer!»

«A me piacciono i computer» fa lei, con una scrollata di spalle.

«Ehm... anche a me.» Mi affretto a fare marcia indietro. «Assolutamente.»

Il che, in un certo senso, è vero.

Io adoro eBay.

Mentre accompagno Jess in cucina provo una crescente eccitazione. Eccoci. Il momento tanto atteso è arrivato. Prendo il telecomando del lettore CD e un attimo dopo gli altoparlanti della cucina sparano le Sister Sledge a tutto volume. L'ho comperato apposta!

«We are family!» canto a squarciagola, facendo un gran sorriso a Jess. Prendo la bottiglia di champagne dal secchiello e faccio saltare il tappo. «Bevi un po' di champagne!»

«Preferirei qualcosa di analcolico, se ce l'hai» dice lei, infilando le mani nelle tasche. «Lo champagne mi fa venire il mal di testa.»

«Oh... Oh, d'accordo.»

Le verso un bicchiere di Aqua Libra e mi affretto a riporre la bottiglia prima che lei veda l'etichetta col prezzo e ricominci a parlare di patate.

«Pensavo che stasera avremmo potuto rilassarci. Chiacchierare... divertirci...»

«Ottimo» dice Jess, annuendo.

«La mia idea era quella di giocare alle trasformazioni.»

«Trasformazioni?» Jess mi guarda senza capire.

«Vieni con me!» La prendo per mano e la conduco per il corridoio fino in camera mia. «Possiamo truccarci... provare vestiti... potrei farti la messa in piega, se vuoi...»

«Non saprei.» Jess se ne sta lì con le spalle curve, a disagio.

«Ci divertiremo un mondo! Guarda, siediti davanti allo specchio. Prova una delle mie parrucche.» Mi metto quella bionda da Marilyn sulla testa. «Non è fantastica?»

Jess si ritrae.

«Io odio gli specchi. E non mi trucco mai.»

La fisso, sconcertata. Com'è possibile odiare gli specchi?

«E poi il mio aspetto mi va benissimo così com'è» aggiunge, leggermente sulla difensiva.

«Ma certo! Non è questo il punto. È solo per... per divertimento!»

Silenzio.

«E comunque» proseguo, cercando di nascondere la mia delusione, «era soltanto un'idea. Non dobbiamo farlo per forza.»

Mi tolgo la parrucca da Marilyn e spengo alcune luci. La stanza piomba immediatamente nella semioscurità, una condizione perfettamente in sintonia col mio umore. Mi sarebbe davvero piaciuto truccare Jess. Avevo delle idee fantastiche per gli occhi.

Pazienza. Troveremo un altro modo per divertirci.

«Allora! Cosa ne dici di guardare un film?» suggerisco.

«Certo.»

Sotto molti aspetti un film è ancora meglio. A tutti piace guardare un film, senza contare che possiamo chiacchierare nei momenti noiosi. Faccio strada in soggiorno e indico i video posati in bella mostra sulla moquette. «Scegli. Sono tutti lì.»

Bene. Jess comincia a vagliarli.

«Preferisci *Quattro matrimoni e un funerale*...» la esorto «o magari *Insonnia d'amore... Harry ti presento Sally*...»

«Non importa» risponde lei, alla fine. «Scegli tu.»

«Devi pur avere una preferenza.»

«In realtà questo non è il mio genere» dice lei con una leggera smorfia. «Io guardo cose di un certo peso.»

«Oh. Be'... posso andare a noleggiare qualcosa al negozio, se vuoi. Ci metto solo cinque minuti. Dimmi cosa vorresti vedere e...»

«No, non voglio che ti disturbi. Va bene uno di questi.»

«Non essere sciocca!» dico, con una risatina. «Se non ti piacciono possiamo fare qualcos'altro, davvero.»

Le sorrido, ma dentro di me sono un po' in ansia. Non so cos'altro suggerire. Il mio piano d'emergenza era il karaoke, ma qualcosa mi dice che non le andrebbe neppure quello. E poi senza le parrucche...

Perché è tutto così difficile? Pensavo che a quest'ora avremmo dovuto ridere come pazze, che ci saremmo divertite.

«Senti, Jess» dico, sporgendomi in avanti. «Io voglio fare quello che *tu* vuoi fare. Ma devi darmi delle indicazioni. Quindi... sii sincera. Se non ti avessi invitato qui per il fine settimana, cosa faresti in questo momento?»

«Be'...» Jess ci riflette un istante. «Dovevo partecipare a un incontro di ambientalisti. Sono un'attivista di un gruppo locale. Promuoviamo la presa di coscienza, organizziamo picchetti e marce di protesta... quel genere di cose.»

«Bene! Facciamolo» esclamo, con entusiasmo. «Organizziamo un picchetto! Ci divertiremo un sacco. Potrei preparare degli striscioni...»

Jess sembra perplessa.

«Un picchetto per cosa?»

«Ehm... quello che vuoi tu. Qualunque cosa. Sei tu l'ospite... scegli tu.»

Jess mi fissa con un'espressione incredula.

«Non si organizza un picchetto così come viene. Si parte da

una problematica. Da questioni relative all'ambiente. Non devono essere *divertenti*.»

«Okay. Lasciamo perdere il picchetto. E se non fossi andata a quell'incontro? Cosa faresti adesso? Qualunque cosa sia, la faremo. Insieme!»

Jess ci pensa, aggrottando la fronte. La guardo, piena di speranza e di improvvisa curiosità. Per la prima volta, ho la sensazione che scoprirò qualcosa di mia sorella.

«Probabilmente controllerei i miei conti. In realtà li ho portati con me, nel caso avessi avuto tempo.»

I conti. Di venerdì sera, i conti.

«Bene!» riesco a dire dopo un po'. «Fantastico! Allora facciamo i conti.»

Okay. Tutto a posto.

Siamo sedute in cucina a fare i conti. O meglio, Jess sta facendo i conti. Io... io non so cosa sto facendo.

Ho scritto "Conti" in cima a un foglio di carta e l'ho sottolineato due volte.

Ogni tanto Jess alza lo sguardo e io mi affretto a scarabocchiare qualcosa, giusto per far vedere che mi sto applicando. Finora sulla mia pagina c'è scritto: "20 sterline... budget... 200 milioni di sterline... Ciao, mi chiamo Becky...".

Jess sta studiando una pila di estratti conto bancari, sfogliandoli in avanti e all'indietro.

«Qualcosa non va?» chiedo, solidale.

«Sto cercando di rintracciare una piccola somma che è andata persa. Forse è su un altro estratto.» Poi si alza. «Torno tra un momento.»

Quando lei esce dalla cucina, bevo un sorso di champagne e lancio un'occhiata verso la pila di documenti.

Ovviamente non ho nessuna intenzione di guardarli. Sono una proprietà privata di Jess e io questo lo rispetto. E in ogni caso, non sono affari miei. Assolutamente.

L'unica cosa è che mi prude una gamba. Davvero, sul serio. Mi sporgo in avanti per grattarmi... poi un po' di più... ancora un po' di più... finché non riesco a leggere la cifra in fondo al primo foglio.

£ 30.002,00.

Provo un tuffo al cuore e mi affretto a tornare seduta, ri-schiando di rovesciare il bicchiere di champagne. Mi batte for-te il cuore per lo shock. Trentamila sterline? *Trentamila sterline?*

È uno scoperto ben maggiore di quanto io abbia mai avuto. In tutta la mia vita.

Ora ogni cosa comincia ad avere un senso. Ora capisco. Ec-co perché si prepara lei i pesi. Ecco perché si porta dietro il caffè in un thermos. Probabilmente è in un momento di ri-strettezze, come è successo a me una volta. Avrà letto *Come non perdere di vista il proprio denaro* di David E. Barton!

Dio, chi lo avrebbe mai detto?

Quando Jess torna in cucina, non posso fare a meno di guardarla con occhi diversi. Afferra un estratto conto e fa un gran sospiro... e io provo un moto di solidarietà nei suoi con-fronti. Quante volte ho preso in mano un estratto conto della banca e ho sospirato? Siamo sorelle anche in questo.

Sta esaminando attentamente le cifre con aria afflitta. Be', non c'è da meravigliarsi, con uno scoperto stellare come quello!

«Ehi» dico, con un sorriso comprensivo, «stai ancora cer-cando di rintracciare quella piccola somma?»

«Da qualche parte dev'essere.» Aggrotta la fronte e passa a un altro foglio.

Dio, magari la banca sta per toglierle il fido. Dovrei darle qualche consiglio.

Mi sporgo in avanti, con l'aria di chi sta per confidarsi.

«Le banche sono proprio un incubo, non è vero?»

«Sono soprattutto incapaci.»

«Sai, a volte il trucco sta nello scrivere una bella lettera. Ba-sta dire che ti sei rotta una gamba. O che ti è morto il cane.»

«Prego?» Jess solleva la testa di scatto. «Perché mai dovrei fare una cosa del genere?»

Dio, proprio non capisce! Non c'è da meravigliarsi che sia nei guai fino al collo.

«Ma sì! Per ottenere un po' di comprensione. Potrebbero an-nullarti le penali per lo scoperto. O magari estenderlo!»

«Io non ho uno scoperto!» ribatte lei, perplessa.

«Ma...»

Mi blocco appena le sue parole si fanno strada nel mio cer-vello. Non ha uno scoperto. Il che significa...

179

Mi sento svenire.

Che quelle trentamila sterline sono in realtà…

Sono soldi veri?

«Becky, ti senti bene?» Jess mi guarda in maniera strana.

«Certo!» rispondo con voce strozzata, e bevo parecchie sorsate di champagne, cercando di riprendermi. «Allora… non sei in rosso. Bene. Fantastico.»

«Non sono mai andata in rosso in vita mia» ribatte lei con fermezza. «Non credo sia necessario. Chiunque può vivere secondo le proprie possibilità economiche, se vuole. La gente che si indebita manca di autocontrollo. Non ci sono scusanti.» Raddrizza le carte, poi si blocca. «Ma tu facevi la giornalista finanziaria, non è vero? Tua mamma mi ha mostrato qualcuno dei tuoi articoli. Quindi queste cose le sai benissimo.»

I suoi occhi nocciola incrociano i miei, e io provo un'assurda fitta di paura. D'un tratto non sono sicura di volere che lei sappia la verità sulle mie finanze. Non proprio l'esatta verità.

«Io… ehm, certo! Certo. È solo questione di… pianificare e gestire accuratamente le proprie risorse economiche.»

«Esattamente» conferma Jess, guardandomi con approvazione. «Quando mi entrano dei soldi, la prima cosa che faccio è accantonarne la metà, come risparmio.»

Cos'è che fa?

«Ottimo! È la cosa giusta.»

Sono sotto shock. Quando facevo la giornalista finanziaria, scrivevo articoli in cui consigliavo alle persone di mettere da parte una fetta dei guadagni. Ma non ho mai pensato che qualcuno lo facesse davvero.

Jess mi sta guardando con rinnovato interesse.

«Dunque anche tu fai così, Becky?»

Per qualche secondo non riesco a trovare la risposta.

«Be'…» dico, e mi schiarisco la voce. «Magari non esattamente la metà ogni mese, ma…»

«Anch'io.» Il suo volto si rilassa in un sorriso. «A volte riesco a mettere via soltanto il venti per cento.»

«Il venti per cento!» ripeto, con un filo di voce. «Be'… non ti preoccupare. Non devi sentirti in colpa.»

«E invece sì» dice lei, sporgendosi sopra il tavolo. «Tu mi capisci, vero?»

Non ho mai visto un'espressione così aperta sul suo viso.

Oh, mio Dio. Stiamo legando.

«Il venti per cento di cosa?» Questa è la voce di Luke. Lui e Gary entrano in cucina con aria soddisfatta.

Provo un certo allarme.

«Ehm... niente» rispondo io.

«Stavamo parlando di finanze» risponde Jess. «Stavamo verificando i nostri conti.»

«I vostri conti?» fa Luke, con una risata incredula. «Quali conti, Becky?»

«Ma sì, le mie operazioni finanziarie e così via.»

«Ah.» Luke annuisce, tirando fuori dal frigo una bottiglia di vino. «Avete già chiamato la squadra di Pronto Intervento? E la Croce Rossa?»

«Cosa intendi dire?» chiede Jess, sconcertata.

«Solitamente sono loro ad accorrere sui luoghi dei disastri, no?» dice, facendomi una smorfia.

Ah-ah. Spiritoso.

«Ma... Becky faceva la giornalista finanziaria!» ribatte Jess, piuttosto scioccata.

«Giornalista finanziaria?» Luke è molto divertito. «Vuoi sentire una storia sui trascorsi di tua sorella come giornalista finanziaria?»

«No» rispondo pronta. «Non la vuole sentire.»

«Ma sì, la tessera del Bancomat» interviene Gary, con l'aria di chi ricorda un fatto remoto.

«La tessera del Bancomat!» Luke batte il palmo della mano sul tavolo, sempre più divertito. «Questo è successo nel corso dell'illustre carriera di Becky come esperta finanziaria televisiva» spiega a Jess. «Stava filmando un pezzo sui pericoli connessi all'utilizzo del Bancomat. Infila la sua tessera per fare una dimostrazione...» S'interrompe e riprende a ridere. «E la macchina se l'è mangiata davanti alle telecamere.»

«L'hanno fatta rivedere l'altra sera in una trasmissione di spezzoni di vecchi filmati» mi dice Gary. «Il pezzo in cui tu cominci a percuotere il Bancomat con la scarpa ormai è un classico!»

Gli lancio un'occhiata furibonda.

«Ma perché se l'è mangiata?» domanda Jess, perplessa. «Eri... in rosso?»

«Becky in rosso?» Luke è sempre più ilare. «Che domande!»

Jess è sempre più confusa.

«Ma, Becky, mi hai detto che metti da parte metà del tuo stipendio ogni mese.»

Merda.

«Come?» Luke si volta lentamente verso di me. «Cos'ha detto?»

«Non... non ho detto esattamente questo» ribatto, innervosita. «Ho detto che è una buona idea mettere da parte metà dello stipendio. In linea di principio. E infatti lo è. È un'ottima idea!»

«E non accumulare enormi conti sulla carta di credito di nascosto dal marito?» fa Luke, inarcando le sopracciglia. «Anche questa è una buona idea, in linea di principio?»

«Conti sulla carta di credito?» dice Jess, guardandomi inorridita. «Dunque tu... sei indebitata?»

Dio, deve proprio usare quel tono? *Indebitata.* Come se avessi la lebbra. Come se stessi per finire ai lavori forzati. Siamo realistici. Questo è il ventunesimo secolo. Tutti sono indebitati.

«Sai come si dice, che i medici sono i peggiori pazienti?» faccio, con una risatina. «Be', i giornalisti finanziari sono i peggiori... ehm...»

Aspetto che rida, o che mi rivolga almeno un sorriso comprensivo. Ma lei continua ad avere quell'aria sgomenta.

Sento un improvviso bruciore dentro di me. E va bene, a suo tempo ho avuto qualche piccolo debito, ma questo non le dà il diritto di avere quell'aria di disapprovazione.

«A proposito, Jess» dice Gary, «abbiamo un piccolo problema con il nostro CD-rom.»

«Davvero?» Lei alza la testa di scatto. «Se vuoi vengo a dare un'occhiata.»

«Sei sicura?» Gary mi lancia uno sguardo. «Non vogliamo interrompere la vostra serata...»

«Figurati» dico, con un gesto della mano. «Fate pure.»

Quando sono scomparsi tutti nello studio, me ne vado in soggiorno. Mi lascio cadere sul divano e resto a fissare il televisore spento.

Jess e io non abbiamo legato neanche un po'.

Non andiamo d'accordo. Questa è la verità.

La delusione mi provoca un'improvvisa stanchezza. Mi sono sforzata in tutti i modi da quando è arrivata. Ho comperato il poster della caverna... ho preparato quegli spuntini appetitosi... ho cercato di pianificare la serata al meglio. E lei non ha fatto il minimo sforzo per partecipare. D'accordo, magari i miei film non le piacevano. Però avrebbe potuto fingere, no? Se fossi stata io, lo avrei fatto.

Perché deve essere sempre così depressa? Perché non sa divertirsi?

Mentre tracanno il mio champagne comincio ad avvertire sottili fitte di risentimento.

Come può odiare lo shopping? Come? Ha trentamila sterline sul conto, cavolo! Dovrebbe adorare lo shopping.

E un'altra cosa. Perché ha questa ossessione per le patate? Cosa c'è di così fantastico in queste stramaledette patate?

Io proprio non la capisco. È mia sorella, ma proprio non la capisco. Luke aveva ragione fin dall'inizio. Dipende tutto dall'educazione. La natura non c'entra.

Faccio un gran sospiro, poi comincio a frugare fra i video, sconcertata. Me ne guarderò uno da sola. E mangerò un po' di popcorn. E anche qualcuno di quei deliziosi cioccolatini.

Probabilmente Jess non lo mangia neppure, il cioccolato. A meno di non averlo fatto lei stessa, in casa, con le patate.

Be', buon per lei. Io mi strafogo e mi guardo un bel film.

Sto per prendere *Pretty Woman* quando squilla il telefono.

«Pronto?» faccio io, sollevando il ricevitore.

«Pronto, Bex?» dice una voce acuta e familiare. «Sono io.»

«Suze!» Provo un impeto di gioia. «Oh, mio Dio! Ciao! Come stai?»

«Oh, io sto bene! E tu?»

«Bene! Sto bene.»

D'un tratto vorrei solo che Suze fosse qui. Come ai bei vecchi tempi a Fulham. Mi manca così tanto. Così tanto.

Ma ora tutto è diverso.

«Allora, com'è andata al centro benessere con Lulu?» chiedo, cercando di sembrare naturale.

«È andata... bene» risponde lei, dopo un attimo di esitazione. «Sai, una cosa diversa... ma divertente.»

«Sono contenta!»

Segue un silenzio impacciato.

«E tu... come va con la tua nuova sorella?» dice lei, esitante. «Siete... siete diventate amiche?»

Sento un dolore cocente dentro.

Non posso ammettere la verità con Suze. Non posso confessarle che è stato un fallimento. Che lei va nei centri benessere con la sua nuova amica, e io non riesco neppure a passare una serata decente con mia sorella.

«Certo! Andiamo d'accordissimo!»

«Davvero?» fa Suze, e mi sembra un po' avvilita.

«Assolutamente. Anzi, stasera è venuta da me. Passiamo una serata in casa fra ragazze. Un film... qualche risata... ci rilassiamo, sai com'è!»

«Cosa state guardando?» chiede lei, subito.

«Ehm...» Fisso lo schermo vuoto. «*Pretty Woman*.»

«Io adoro *Pretty Woman*.» Suze ha un tono nostalgico. «Sai, la scena nel negozio!»

«Sì. È la migliore in assoluto!»

«E la fine, quando Richard Gere si arrampica.» Le sue parole escono come un fiume, per l'entusiasmo. «Oh, Dio, come vorrei vederlo in questo momento!»

«Anch'io!» dico, senza riflettere. «Cioè... vorrei vederlo finire.»

«Oh» fa lei, con un tono improvvisamente diverso. «Devo averti interrotto. Scusa.»

«No! Cioè, non ha importanza...»

«Ora vado. Vorrai tornare da tua sorella. A quanto pare vi state divertendo un mondo.» Il suo tono si è fatto nuovamente malinconico. «Chissà di quante cose vorrete parlare.»

«Sì» dico, guardandomi attorno nella stanza deserta. «Sì, davvero di un sacco di cose!»

«Be'... ci vediamo, qualche volta. Ciao, Bex.»

«Ciao!» rispondo, con un groppo in gola.

"Aspetta!" vorrei dirle. "Non attaccare!"

Invece, abbasso il ricevitore e resto a fissare il vuoto. Mi arrivano le voci di Luke, Gary e Jess che ridono per qualcosa. Loro hanno legato alla grande. Sono solo io che non ci riesco.

D'un tratto vengo sopraffatta dalla depressione.

Nutrivo così tante speranze... ero così eccitata all'idea di avere una sorella. Ma non c'è motivo di continuare a provare, no? Ho fatto tutto quello che mi è venuto in mente... e non ha funzionato. Jess e io non saremo mai amiche. Mai.

Mi alzo dal divano, immusonita, infilo il video di *Pretty Woman* nel lettore e premo il tasto del telecomando. Non posso fare altro che essere gentile con lei per il resto del weekend. Gentile e garbata come una buona padrona di casa. Questo, almeno, dovrebbe riuscirmi.

WEST CUMBRIA BANK

45 STERNDALE STREET
COGGENTHWAITE
CUMBRIA

Jessica Bertram
12 Hill Rise
Scully
Cumbria

16 maggio 2003

Gentile signorina Bertram,

la ringrazio per la sua lettera.

In seguito a un'accurata verifica dei suoi conti, posso solo essere d'accordo con lei sulla discrepanza di 73 pence.

Sono profondamente dispiaciuto per questo errore commesso dalla banca, e ho provveduto ad accreditare questa cifra sul suo conto di deposito fruttifero, retrodatando la valuta di tre mesi e aggiungendo, come da lei richiesto, gli interessi maturati nel frattempo.

Vorrei cogliere l'occasione per congratularmi con lei per il suo approccio attento e meticoloso alle finanze.

Venendo a noi, spero di incontrarla all'imminente serata conviviale del Gruppo Risparmiatori Previdenti, nel corso della quale il capo del nostro Servizio Conti Correnti terrà un interessante discorso sul tema "Un'ulteriore stretta ai cordoni della borsa".

Distinti saluti

Howard Shawcross
Responsabile Servizio Conti Correnti

14

La mattina seguente mi sveglio con un mal di testa lancinante. Potrebbe essere dovuto anche al fatto che ieri sera mi sono scolata un'intera bottiglia di champagne e spazzolata una scatola e mezza di cioccolatini.

Nel frattempo, Jess, Luke e Gary hanno passato ore davanti al computer. Non hanno alzato lo sguardo neppure quando ho portato loro qualche fetta di pizza. E così mi sono guardata tutto *Pretty Woman* e metà di *Quattro matrimoni e un funerale* prima di andarmene a letto tutta sola.

Annebbiata, mi infilo una vestaglia. Luke ha già fatto la doccia e si è vestito con gli abiti da "weekend casual" che indossa quando passerà tutta la giornata in ufficio.

«A che ora avete finito ieri sera?» chiedo con voce roca.

«Tardi» risponde Luke, scuotendo la testa. «Volevo a tutti i costi sistemare quel CD-rom. Non so proprio come avremmo fatto senza Jess.»

«Bene.» Provo una sottilissima punta di risentimento.

«Sai, devo proprio ricredermi sul suo conto» aggiunge, allacciandosi le scarpe. «Tua sorella ha un sacco di pregi. Ieri sera si è data molto da fare. Praticamente ci ha salvato. Di certo sa come muoversi davanti a un computer!»

«Davvero?» dico, con aria spensierata.

«Oh, sì. È bravissima!» Si alza e mi dà un bacio. «Avevi ragione. Sono molto felice che tu l'abbia invitata per il fine settimana.»

«Anch'io» faccio, sforzandomi di sorridere. «Ci stiamo divertendo così tanto!»

Entro in cucina trascinando i piedi e trovo Jess seduta al bancone in jeans e maglietta, con un bicchiere d'acqua davanti.

Secchiona.

Prevedo che questa mattina scinderà l'atomo. Tra una flessione e l'altra.

«Buongiorno» dice.

«Buongiorno» rispondo con modi garbati da navigata anfitriona.

Ieri sera stavo rileggendo *La perfetta padrona di casa*, e c'è scritto che, anche se il tuo ospite ti dà noia, tu devi comportarti con grazia e decoro.

Bene. Non ho problemi a essere aggraziata. Meno che mai a essere decorativa.

«Hai dormito bene? Ora ti preparo la colazione.»

Apro il frigorifero e tiro fuori succo d'arancia fresco, succo di pompelmo e succo di mirtilli. Dal contenitore del pane prendo dei panini integrali coperti di semini, dei croissant e dei muffin. Poi mi metto a frugare negli armadietti in cerca di marmellate. Trovo tre vasetti speciali: marmellata di fragole con champagne, miele di fiori selvatici... e crema di cioccolato belga. Per ultimo metto sul bancone una scelta di caffè e tè. Ecco fatto. Nessuno potrà dire che non preparo una buona colazione per i miei ospiti.

Vedo che Jess sta osservando ogni mia mossa, e quando mi volto mi guarda con un'espressione strana sul volto.

«Cosa c'è?» chiedo.

«Niente» dice lei, imbarazzata. Beve un sorso d'acqua... poi alza di nuovo lo sguardo. «Ieri sera Luke mi ha raccontato del tuo... problema.»

«Quale problema?»

«Quello delle spese.»

La fisso, scioccata. Cos'ha fatto?

«Io non ho nessun problema» ribatto con un sorriso. «Esagerava.»

«Ha detto che avete stabilito un budget.» Jess sembra preoccupata. «A quanto pare il denaro scarseggia un po' in questo momento.»

«Già» dico, amabile.

Non che siano fattacci tuoi, aggiungo, dentro di me. Non riesco a credere che Luke le abbia spiattellato tutto.

«Ma allora... come mai potete permettervi caffè di lusso e marmellata di fragole con champagne?» Indica il cibo posato sul bancone.

«Un'amministrazione parsimoniosa» rispondo, pacata. «È solo questione di dare la priorità a determinate cose. Se risparmi su certi articoli, puoi permetterti di non lesinare su altri. È la prima regola per una gestione efficiente delle risorse. Come mi hanno insegnato alla scuola di giornalismo finanziario» aggiungo, piccata.

D'accordo. Questa è una piccola bugia. Io non ho frequentato la scuola di giornalismo finanziario. Ma insomma, chi si crede di essere, a farmi tutte queste domande?

«E... su quali articoli risparmi?» chiede, aggrottando la fronte. «In questa cucina non vedo una sola cosa che non venga da Harrods o Fortnum.»

Sto per ribattere con una risposta indignata, quando mi rendo conto che potrebbe anche avere ragione. Da quando ho cominciato a fare tutti questi soldi con eBay, ho preso l'abitudine di bazzicare per il reparto alimentari di Harrods. E allora? Harrods è un negozio come un altro.

«A mio marito piace uno stile di vita elevato» rispondo secca con un sorriso indisponente. «Il mio scopo è quello di fornirglielo.»

«Ma potresti farlo anche con meno.» Jess si sporge in avanti, con aria interessata. «Riusciresti a risparmiare su un sacco di cose! Io posso darti qualche consiglio.»

Consigli? Da Jess?

All'improvviso il timer del forno lancia un *ping* e io alzo lo sguardo, eccitata. È l'ora!

«Hai qualcosa in forno?» chiede, perplessa.

«Ehm... non esattamente. Tu serviti pure... io torno fra un secondo.»

Corro nello studio e accendo il computer. Fra cinque minuti si chiudono le offerte per quel cappotto arancione anni Cinquanta e io ho intenzione di aggiudicarmelo. Tamburello impaziente con le dita, e non appena lo schermo si illumina, richiamo la pagina di eBay che ho salvato.

Lo sapevo. "kittybee111" ha fatto una nuova offerta. Duecento sterline.

Crede di essere molto intelligente. Bene, beccati questo, "kittybee111".

Prendo il cronometro di Luke dal cassetto e lo regolo a tre minuti. A mano a mano che il momento si avvicina, tengo le mani pronte sopra la tastiera come un'atleta ai blocchi di partenza.

Okay. Ancora un minuto prima che l'asta finisca. Via!

Più velocemente che posso, digito *@00,50.

Oh, no! Cos'ho scritto? Cancella. Riscrivi. £ 200,50.

Batto "invia" e arriva la nuova schermata. Dunque, user ID... password... sto battendo più veloce che posso.

Ancora dieci secondi. Il cuore mi martella forte. E se qualcuno stesse facendo un'offerta in questo momento?

Con gesti frenetici clicco su "Refresh".

«Cosa stai facendo, Becky?» dice la voce di Jess dalla soglia. Merda.

«Niente! Perché non ti prepari una bella fetta di pane tostato mentre io...»

La pagina sta cominciando a riapparire. Non riesco a respirare. Allora...?

"Congratulazioni! Ti sei aggiudicato l'articolo!"

«Sìììì!» esclamo, incapace di trattenermi, e scaglio un pugno in aria. «Sì! Ce l'ho fatta!»

«A fare cosa?» Jess è entrata nella stanza e sta guardando lo schermo al di sopra delle mie spalle. «Sei stata tu? Hai un budget ridotto e spendi duecento sterline per un cappotto?»

«Non è così!» ribatto, sconcertata dalla sua espressione. Mi alzo, vado a chiudere la porta dello studio e torno a voltarmi verso di lei.

«Senti» sussurro, «è tutto a posto. Ho dei soldi di cui Luke non sa niente. Ho venduto tutta la roba comperata in luna di miele... e ho guadagnato un sacco! L'altro giorno ho messo all'asta dieci orologi di Tiffany e ho realizzato duemila sterline!» Alzo il mento, gonfia d'orgoglio. «Quindi posso tranquillamente permettermelo.»

L'espressione di disapprovazione di Jess non accenna a cambiare.

«Avresti potuto mettere quei soldi in un conto di deposito ad alto rendimento. Oppure usarli per saldare un conto in sospeso.»

Soffoco la tentazione improvvisa di risponderle male.

«Già. Ma non l'ho fatto.» Mi sto sforzando di sorridere. «Ho comperato un cappotto.»

«E Luke lo sa?» Jess mi fissa con uno sguardo accusatorio.

«Non è necessario che lo sappia. Jess, mio marito è un uomo molto impegnato. Il mio compito è quello di mandare avanti la casa senza problemi. E non fargli perdere tempo con le banalità di tutti i giorni.»

«Quindi tu gli menti.»

Provo una certa irritazione di fronte al suo tono.

«Ogni matrimonio ha bisogno di un po' di mistero. È notorio!»

Jess scuote la testa.

«Ed è per questo che puoi permetterti di comperare la marmellata da Fortnum?» chiede, indicando il computer. «Non faresti meglio a essere sincera?»

Oh, insomma, per l'amor di Dio. Ma questa proprio non capisce.

«Jess, lascia che ti spieghi. Il nostro matrimonio è un complicato meccanismo che solo noi due possiamo realmente comprendere. Io so naturalmente cosa dire a Luke e cosa tacergli. Chiamalo istinto... chiamala discrezione... chiamala intelligenza emotiva, se vuoi.»

Jess mi guarda in silenzio per qualche istante.

«Io credo che tu abbia bisogno di aiuto» dice, alla fine.

«Io non ho bisogno di nessun aiuto!»

Spengo il computer, metto a posto la sedia e, passandole davanti, mi dirigo verso la cucina, dove Luke sta facendo il caffè.

«Va bene la colazione, tesoro?» chiedo, a voce alta.

«Fantastica!» risponde lui, ammirato. «Dove hai preso queste uova di quaglia?»

«Oh... sai...» Gli rivolgo un sorriso adorante. «So che ti piacciono e così me le sono procurate.» Lancio un'occhiata trionfante a Jess, la quale, per tutta risposta, alza gli occhi al cielo.

«Però abbiamo finito la pancetta» osserva Luke. «E un paio di altre cose. Le ho annotate.»

«Bene» dico, colpita da un'idea improvvisa. «Penso che uscirò a prenderle stamattina. Jess, non ti spiace se faccio qualche commissione, vero? Ovviamente, non mi aspetto che venga anche tu» aggiungo con tono soave. «So quanto odi e disprezzi lo shopping.»

Grazie al cielo. Una via di scampo.

«No» replica Jess, riempiendosi il bicchiere con acqua del rubinetto. «Vengo volentieri.»

Mi si gela il sorriso sulle labbra.

«Da Harr... al supermercato?» dico, col tono di voce più suadente. «Ma ti annoierai da morire. Non devi sentirti obbligata.»

«Vengo volentieri» insiste lei, guardandomi. «Se non ti dispiace.»

«Dispiacermi?» ribatto, sempre col sorriso fisso. «Perché mai dovrebbe dispiacermi? Vado subito a prepararmi.»

Mentre attraverso il corridoio, sono tutta accalorata per l'indignazione. Chi si crede di essere, a dire che ho bisogno di aiuto?

Sarà lei ad avere bisogno di aiuto, semmai. Un aiuto per piegare quella bocca austera in un sorriso.

E che faccia, darmi consigli riguardo al mio matrimonio! Cosa ne sa lei? Luke e io abbiamo uno splendido rapporto. Non abbiamo quasi mai litigato!

Suona il citofono, e io sollevo il ricevitore, ancora agitata.

«Sì?»

«Devo consegnare dei fiori per Brandon» dice una voce d'uomo.

Premo il pulsante, compiaciuta. Qualcuno mi ha mandato dei fiori?

Oh, mio Dio. Mi porto la mano sulla bocca. Dev'essere stato Luke. È così romantico! Probabilmente è per qualche particolare anniversario di cui mi sono scordata, tipo la prima volta che siamo andati a cena insieme, o dormito insieme, o qualcosa del genere.

Veramente, ora che ci penso, dovrebbe essere lo stesso anniversario.

E comunque, questa è la dimostrazione che abbiamo un rapporto fantastico e che Jess si sbaglia di grosso. Su tutto.

Apro la porta d'ingresso e resto vicino all'ascensore, in attesa. Ecco, gliela faccio vedere io! Porterò i miei fiori in cucina, bacerò Luke appassionatamente, e lei dirà qualcosa di molto umile, come: "Non avevo idea che il vostro fosse un matrimonio così perfetto". Allora io sorriderò e risponderò :"Sai, Jess…".

I miei pensieri vengono interrotti dalle porte dell'ascensore che cominciano ad aprirsi. E… oh, mio Dio. Luke deve aver speso una vera fortuna!

Arrivano due fattorini in livrea portando un enorme bouquet di rose, oltre a un immenso cesto di frutta pieno di arance, papaia e ananas, il tutto confezionato con della rafia, come si usa adesso.

«Uau!» esclamo, deliziata. «Sono fantastici!» Sorrido all'uomo che mi porge la bolla di consegna, e scarabocchio una firma.

«Ci pensa lei a consegnarli al signor Brandon?» dice l'uomo, rientrando in ascensore.

«Certo!» rispondo, tutta allegra.

Un attimo dopo le sue parole si fanno strada nella mia mente.

Un momento. Questi sono per Luke? Chi sarà mai che gli manda dei fiori?

Vedo un cartoncino infilato nel mazzo e lo prendo, incuriosita. Poi lo leggo e resto di sale.

Gentile signor Brandon,
sono dispiaciuto nell'apprendere della sua indisposizione. Mi faccia sapere se posso esserle d'aiuto. Le assicuro che possiamo rimandare il lancio dell'albergo per tutto il tempo necessario a una sua piena guarigione.
Con i migliori auguri

Nathan Temple

Fisso il biglietto, paralizzata dall'orrore. Questo non era previsto.

Nathan Temple non avrebbe dovuto mandare dei fiori. Non avrebbe dovuto rimandare il lancio dell'albergo. Sarebbe dovuto *sparire*.

«Che cos'è?» chiede la voce di Luke. Faccio un salto, spaventata. Alzo gli occhi e lo vedo venire verso di me.

Con un unico fluido movimento, accartoccio il biglietto di Nathan Temple e lo infilo nella tasca della vestaglia.

«Ciao!» faccio con voce un po' troppo stridula. «Non sono fantastici?»

«Sono per me?» dice Luke, incredulo, vedendo il cartellino della consegna. «Chi li ha mandati?»

Presto! Pensa!

«Ehm… li ho mandati io!»

«Tu?» Luke mi guarda.

«Sì! Mi è venuta voglia di mandarti dei fiori. E… della frutta. Ecco, tesoro, tieni! Felice sabato!»

In qualche modo riesco a caricare l'enorme bouquet e il cesto fra le braccia di Luke, poi gli do un bacio leggero sulla guancia. Luke ha un'aria sconcertata.

«Becky, sono commosso. Davvero. Ma perché mi hai mandato tutta questa roba? Perché mi hai spedito un cesto di frutta?»

Per qualche istante sono a corto di risposte.

«Devo avere un motivo per mandare un cesto di frutta a mio marito?» dico, alla fine, riuscendo persino ad assumere un tono leggermente indignato. «Ho semplicemente pensato che potessero essere un omaggio al nostro matrimonio. Sai, ci stiamo avvicinando al nostro primo anniversario!»

«Giusto. Be'… grazie. Sono bellissimi.» Guarda il bouquet con maggior attenzione. «E questo che cos'è?»

Seguo il suo sguardo e il mio stomaco fa un triplo salto mortale. Nascosta tra i fiori c'è una scritta di plastica a lettere dorate, che dice: "Guarisci presto".

Merda.

«Guarisci presto?» Luke alza lo sguardo, perplesso.

La mia mente lavora febbrile.

«Quello… quello non significa letteralmente: "Guarisci presto"» dico, con una risata. «È… una frase in codice.»

«In codice?»

«Ma sì! In ogni coppia c'è bisogno di un codice! Sai, per i piccoli messaggi segreti. E così ho pensato di cominciare con questo!»

Luke mi fissa a lungo.

«E cosa significa "Guarisci presto", nel nostro codice segreto?» chiede alla fine.

«In realtà... è... è molto semplice.» Mi schiarisco la voce, leggermente imbarazzata. «"Guarisci" significa "ti", e "presto" significa... "amo"! Ora hai capito? Non è geniale?»

Silenzio.

Ho le mani strette a pugno. Luke mi sta guardando con aria interrogativa.

«Non è che per caso... hai ordinato per errore il mazzo sbagliato?» azzarda.

Oh.

È una spiegazione decisamente più plausibile. Perché non ci ho pensato io?

«Mi hai smascherato!» esclamo. «Accidenti! Come hai fatto a capirlo? Tu mi conosci troppo bene. Ora... va' a finire la tua colazione. Io mi preparo per andare al supermercato.»

Mentre mi trucco ho il cuore che batte all'impazzata.

E ora cosa faccio?

E se Nathan Temple telefona per sapere come sta Luke? E se manda degli altri fiori?

E se vuole venire a fargli visita? Un'ondata di panico mi travolge e lascio cadere un grumo di mascara sulla palpebra. Esasperata, poso lo spazzolino sul tavolo.

Okay, restiamo calmi. Analizziamo le opzioni.

Opzione 1: raccontare tutto a Luke.

No. Non se ne parla. Il solo pensiero mi mette lo stomaco in subbuglio. È molto impegnato col progetto Arcodas. Riuscirei solo a farlo innervosire. Inoltre, in quanto moglie collaboratrice, dovrei proteggerlo da seccature di questo tipo.

Opzione 2: raccontare qualcosa a Luke.

Come i soli fatti salienti. Magari riveduti e corretti in modo da farci una bella figura e, se possibile, lasciar fuori il nome di Nathan Temple.

Impossibile.

Opzione 3: gestire la situazione in maniera discreta, stile Hillary.

Ma ci ho già provato e non ha funzionato.

E poi, scommetto che Hillary aveva qualcuno che la aiutava. Ecco, ciò di cui ho bisogno è una squadra. Come in *West Wing - Tutti gli uomini del presidente*. Allora sarebbe tutto facile. Andrei da Alison Janney e le direi sottovoce: "Abbiamo un problema... ma fa' in modo che il presidente non lo venga a sapere". E lei mi risponderebbe, sussurrando: "Non ti preoccupare. Lo risolveremo". Poi ci scambieremmo un sorriso tirato ma sincero, ed entreremmo nella Stanza Ovale, dove Luke sta promettendo a un gruppo di ragazzini diseredati che il loro parco giochi sarà salvo. I suoi occhi incontreranno i miei con un guizzo... e poi ci sarà un flashback in cui noi due balliamo per i corridoi della Casa Bianca, la sera prima, sotto lo sguardo impassibile di un agente del servizio segreto...

Il rumore stridente di un camion della spazzatura che compatta i rifiuti, giù in strada, mi riporta bruscamente alla realtà. Luke non è il presidente. Io non sono nell'Ala Ovest. E non so ancora cosa fare.

Opzione 4: non dire nulla.

Ci sono un sacco di evidenti vantaggi.

Prendo la matita per il contorno labbra e comincio ad applicarla, e intanto penso. Adesso, ferma un momento. Cerchiamo di guardare la vicenda senza perdere il senso della misura. Cos'è successo? Qualcuno ha mandato dei fiori a Luke. Tutto qui.

Questo qualcuno vuole che Luke lavori per lui. E pensa che gli sia dovuto un favore.

Ed è un gangster.

No. Ferma. Non è un gangster. È un... un uomo d'affari con qualche precedente penale. È totalmente diverso.

E comunque. *Comunque*. Probabilmente voleva soltanto essere gentile, con quel biglietto, no? Insomma, siamo realistici. Figuriamoci se rimanda il lancio di un albergo solo perché se ne possa occupare Luke. È assurdo!

Più ci penso, più mi tranquillizzo. Nathan Temple non può seriamente aspettarsi che Luke lavori per lui. Avrà già trovato qualche altra società di pubbliche relazioni. Presto la cosa sarà avviata e lui si sarà totalmente dimenticato della Brandon Communications. Appunto. Quindi non devo fare nulla. È tutto a posto.

Anche così, però, potrei scrivere una breve lettera di ringraziamento. E accennare *en passant* che, purtroppo, Luke è peggiorato.

E così, scrivo in fretta un biglietto garbato per Nathan Temple e, prima di avviarmi al supermercato, lo infilo nella buca delle lettere. Mentre mi allontano con passo svelto, mi sento decisamente soddisfatta. Ho la situazione sotto controllo, e Luke non sa nulla. Sono una supermoglie!

Il mio umore si solleva ancora di più quando entro nel supermercato. Dio, i supermercati sono posti davvero fantastici. Allegri, pieni di luci, di musica, e ti offrono sempre qualche assaggino di formaggio o di altre cose. Inoltre puoi comperare tutti i CD e i cosmetici che vuoi, tanto vanno sul conto della carta fedeltà.

La prima cosa che mi colpisce, entrando, è un espositore di infusi speciali. Se ne prendi tre, ti regalano una tazza per la tisana a forma di fiore.

«Che affare!» dico felice, afferrando tre scatole a caso.

«Non è un vero affare» intona Jess dietro di me con un timbro di disapprovazione nella voce. Avverto un immediato aumento della tensione.

Perché è voluta venire a tutti i costi?

Va bene. Cercherò di essere paziente e cortese.

«È un affare» spiego. «C'è un omaggio.»

«Tu bevi mai tè al gelsomino?» ribatte, guardando la scatola che tengo in mano.

«Ehm…»

Tè al gelsomino. È quello che sa di stallatico vecchio, vero? E allora? Io voglio la tazza.

«Si trova sempre il modo di usarlo» rispondo, leggera, e lo getto nel carrello. «Bene. Cos'altro serve?»

Spingo il carrello verso il reparto delle verdure, fermandomi per prendere una copia di "InStyle" lungo la strada.

Ooh! È uscito il numero nuovo di "Elle". Con una T-shirt in omaggio!

«Cosa stai facendo?» domanda la voce sepolcrale di Jess dietro di me.

Ha intenzione di sottopormi a un interrogatorio per tutto il supermercato?

«Sto facendo spese!» rispondo, e lancio nel carrello un libro in edizione economica appena uscito.

«Quello potresti prenderlo in biblioteca a costo zero!» dice Jess, inorridita.

In biblioteca? La guardo con pari orrore. Io non voglio un libro tutto sciupato, avvolto in una brutta copertina di plastica, che poi devo pure ricordarmi di restituire.

«È un classico della letteratura moderna. Dovremmo averne tutti una copia.»

«Perché?» insiste. «Perché non puoi prenderlo in biblioteca?»

Avverto una chiara fitta di fastidio.

Perché voglio una copia tutta mia, bella e lucida! E ora vattene e lasciami in pace!

«Perché... potrei voler fare qualche nota a margine» azzardo, piano. «Io ho un certo interesse per la critica letteraria, sai.»

Riparto col mio carrello, ma lei mi insegue.

«Senti, Becky. Io voglio aiutarti. Tu devi tenere sotto controllo le tue spese. Devi imparare a essere più parsimoniosa. Luke e io ne abbiamo parlato...»

«Oh, davvero?» ribatto, ferita. «Bene.»

«Posso darti qualche consiglio... insegnarti a essere più morigerata...»

«Io non ho bisogno del tuo aiuto!» Sono indignata. «Io sono parsimoniosa! Non esiste persona più parsimoniosa di me.»

Jess ha un'aria incredula.

«Credi che sia parsimonioso acquistare riviste costose che potresti leggere gratuitamente in una biblioteca pubblica?»

Per un attimo non so cosa rispondere. Poi mi cade lo sguardo su "Elle". Sì!

«Se non le comperassi non avrei i regali, giusto?» rispondo con aria trionfante, e spingo il carrello oltre l'angolo.

Ah. Beccati questa, Signorina So Tutto Io.

Vado al reparto frutta e comincio a riempire il carrello di confezioni.

Allora, è o non è economo, questo? Mele buone e sane. Alzo gli occhi... e vedo che Jess sussulta.

«Cosa c'è adesso?»

«Dovresti comperare quelle sciolte.» Indica l'altro lato del corridoio, dove una donna sceglie con cura da una montagna di mele e riempie un sacchetto. «Il costo unitario è molto più basso. Risparmieresti... venti pence.»

Accidenti! Venti pence!

«Il tempo è denaro» rispondo imperturbabile. «Francamente, Jess, non vale la pena di mettersi a scegliere le mele.»

«Perché? In fondo sei disoccupata, no?»

Sussulto, offesa.

Disoccupata? *Disoccupata?*

Io non sono disoccupata! Io sono una personal shopper! Ho un lavoro che mi aspetta!

Anzi... non le darò neppure la soddisfazione di rispondere. Giro sui tacchi e vado al banco delle insalate. Riempio due grandi vaschette di olive marinate, le porto al carrello... e mi blocco, allibita.

Chi ci ha messo quell'enorme sacco di patate?

Ho detto che volevo un sacco di patate? Ho detto che volevo delle patate?

E se facessi la dieta Atkins?

Mi guardo attorno, furibonda, ma Jess non si vede. E questo maledetto sacco è troppo pesante per sollevarlo da sola. Lei problemi non ne ha, Miss Body Builder dell'anno. Dove s'è cacciata, adesso?

D'un tratto, la vedo uscire da una porta laterale, con una grossa scatola di cartone. Sta conversando con un dipendente del supermercato. Cosa avrà in mente?

«Ho parlato con il responsabile del reparto alimentari» dice, venendo verso di me. «Possiamo avere tutte queste banane ammaccate per niente.»

Cos'ha fatto?

Guardo nella scatola... e dentro ci sono le banane più peste e rivoltanti che io abbia mai visto in vita mia.

«Sono ottime. Basta tagliare via le parti nere» dice Jess.

«Ma io non voglio tagliare via le parti nere!» La mia voce è più stridula di quanto intendessi. «Io voglio delle belle banane gialle! E non voglio questo stupido sacco di patate!»

«Con quel sacco ci puoi mangiare per tre settimane» ribatte Jess, con aria offesa. «Sono il cibo più economico e nutriente che si possa trovare. Una sola patata...»

Oh, Dio, no! Un'altra conferenza sulle patate.

«E dove dovrei metterle?» la interrompo. «Non ho un armadio abbastanza grande.»

«Ce n'è uno nell'ingresso» ribatte Jess. «Potresti usare quello. Se entrassi a far parte di un gruppo di acquisto, potresti usarlo per tenerci anche la farina e l'avena.»

La guardo, sconcertata.

Avena? Cosa me ne faccio dell'avena? E poi, evidentemente lei non ha guardato dentro quell'armadio.

«Quello serve per le mie borse» le faccio notare. «È pienissimo.»

Jess si stringe nelle spalle.

«Potresti buttare via qualche borsa.»

Per un attimo sono troppo scossa per rispondere. Sta seriamente dicendo che dovrei buttare via qualcuna delle mie borse per far posto a delle patate?

«Proseguiamo» dico, alla fine, ricominciando a spingere il carrello con quanta calma mi è possibile.

Sii gentile. Sii educata. Fra ventiquattr'ore se ne sarà andata da qui.

A mano a mano che procediamo per il negozio, però, inizio a perdere la calma. La voce di Jess continua a ronzarmi nelle orecchie, come una zanzara, finché non mi viene una voglia matta di voltarmi e schiacciarla.

Potresti farle tu le pizze, spendendo la metà... il detersivo col marchio del supermercato costa il quaranta per cento in meno... puoi usare l'aceto al posto dell'ammorbidente...

«Io non voglio usare l'aceto!» rispondo, trattenendomi a stento. «Io voglio usare l'ammorbidente, okay?» Metto un flacone nel carrello e parto a passo deciso verso il banco dei succhi, con Jess alle calcagna.

«Qualche commento?» salto su, caricando due cartoni nel carrello. «Qualcosa in contrario a del sano succo d'arancia?»

«No» dice lei, stringendosi nelle spalle. «A parte che potresti ottenere gli stessi risultati con un bicchiere di acqua del rubinetto e un flacone di compresse di vitamina C.»

Okay. Ora ho proprio voglia di prenderla a schiaffi.

Con aria di sfida mollo altri due cartoni nel carrello, lo giro e vado allo scaffale del pane. Nell'aria c'è un delizioso profumo di pane fresco e, avvicinandomi, vedo una donna al banco che sta facendo una dimostrazione davanti a un gruppetto di persone.

Oh, io adoro queste cose.

Armeggia con un arnese cromato e luccicante, collegato a una presa, e quando lo apre vedo che è pieno di waffle a forma di cuore, dorati e invitanti.

«La piastra per i waffle è veloce e facile da usare!» sta dicendo. «Vi sveglierete ogni mattina col profumo di waffle freschi.»

Dio, non sarebbe fantastico? Ho un'improvvisa visione di me e Luke a letto, mentre mangiamo waffle a forma di cuore con sciroppo d'acero, accompagnati da grosse tazze di cappuccino piene di schiuma.

«La piastra per i waffle normalmente costa quarantanove e novantanove sterline» spiega la donna. «Ma oggi la vendiamo al prezzo speciale scontato di... venticinque sterline. È uno sconto del cinquanta per cento.»

Provo come una scossa elettrica. Uno sconto del cinquanta per cento?

Devo assolutamente comperarne una.

«Una, per favore!» dico, spingendo avanti il carrello.

«Cosa stai facendo?» chiede Jess, inorridita.

«Sto acquistando una piastra elettrica per i waffle. Mi sembra evidente» rispondo, alzando gli occhi al cielo. «Ti spiace toglierti?»

«No!» esclama Jess, piantandosi decisa davanti al carrello. «Non ti permetterò di sprecare venticinque sterline per un gadget di cui non hai bisogno.»

La fisso, offesa. Cosa ne sa lei di cosa ho bisogno?

«Io ho bisogno di una piastra per i waffle!» ribatto. «È sull'elenco delle cose da comperare. Anzi, se proprio lo vuoi sapere, l'altro giorno Luke mi ha detto: "In questa casa c'è proprio bisogno di una piastra per i waffle".»

D'accordo, è una bugia. Però potrebbe averlo detto. Cosa ne sa lei?

«Inoltre, in caso tu non l'abbia notato, sto risparmiando»

aggiungo, spingendo con decisione il carrello di lato per aggirarla. «È un affare!»

«Non è un affare, se non ne hai bisogno.» Afferra il carrello e tenta di tirarlo indietro.

«Metti giù le mani dal mio carrello!» esclamo, indignata. «Io ho bisogno di una piastra per i waffle. E posso permettermela. Senza problemi! Ne prendo una» aggiungo, rivolta alla donna, e agguanto una scatola.

«No, non la prende» ribatte Jess, togliendomela dalle mani.

Cosa? *Cosa?*

«Lo faccio per il tuo bene, Becky! Tu hai una sindrome da shopping. Devi imparare a dire di no.»

«Io so dire di no!» sputo, furibonda. «Io posso dire di no tutte le volte che voglio! Semplicemente, in questo caso ho scelto di non dirlo. Ne prendo una» ripeto, rivolta alla donna che ci osserva con espressione confusa. «Anzi, ne prendo due. Una la regalo alla mamma per Natale.»

Afferro due scatole e le metto nel carrello con aria di sfida.

Ecco fatto.

«Dunque, hai deciso di gettar via cinquanta sterline?» dice Jess, sprezzante. «Gettare via dei soldi che non hai.»

«Io non li sto gettando via.»

«Sì, invece.»

«Invece no! E i soldi ce li ho. Ne ho un sacco.»

«Tu vivi in un mondo di illusioni» urla Jess all'improvviso. «Tu hai soldi finché avrai roba da vendere. Ma dopo? Cosa succede quando Luke scopre quello che stai facendo? Stai solo andando in cerca di guai.»

«No, non sto andando in cerca di guai» ribatto, arrabbiata.

«Invece sì!»

«No!»

«Volete smetterla di litigare? Vergognatevi, siete sorelle!» grida una voce esasperata di donna, facendoci sobbalzare entrambe.

Mi volto, confusa. La mamma non può essere qui, vero?

Poi, all'improvviso, vedo la persona che ha parlato. Non ci sta neppure guardando. Si sta rivolgendo a due bambine su un passeggino.

Oh.

Mi scosto i capelli dalle guance accaldate, sentendomi un po' in imbarazzo. Lancio un'occhiata a Jess e vedo che anche lei sembra vergognarsi.

«Andiamo alla cassa» dico, con tono solenne, e riparto col mio carrello.

Torniamo a casa in un silenzio assoluto. Ma sotto la calma esteriore mi sento ribollire di rabbia.

Chi si crede di essere, per farmi la predica? Chi si crede di essere, per dirmi che ho un problema?

Arriviamo a casa e scarichiamo la spesa limitando al minimo le comunicazioni ed evitando di guardarci negli occhi.

«Gradisci una tazza di tè?» chiedo con esagerata formalità, dopo aver sistemato l'ultimo pacchetto.

«No, grazie» risponde lei con pari formalità.

«Io sbrigo qualche faccenda in cucina, se riesci a svagarti da sola per un po'.»

«Bene.»

Scompare in camera sua e torna un attimo dopo tenendo fra le mani un libro, *Petrografia delle rocce ignee britanniche*.

Non c'è che dire, lei sa come divertirsi.

Mentre si siede su uno sgabello, accendo il bollitore e tiro fuori un paio di tazze. Qualche attimo dopo entra Luke. Mi sembra agitato.

«Ciao, tesoro!» dico, con tono ancor più affettuoso del solito. «Ho comperato una splendida piastra per fare i waffle. Potremo mangiare waffle ogni mattina!»

«Ottimo» fa lui, con aria distratta, e io lancio un'occhiata implacabile all'indirizzo di Jess.

«Gradisci una tazza di tè?»

«Ehm… sì, grazie.» Si sfrega la fronte e guarda dietro la porta della cucina. Poi guarda sopra il frigo.

«Tutto a posto?» chiedo.

«Ho perso una cosa» fa, con aria corrucciata. «È ridicolo. Le cose non possono sparire nel nulla.»

«Cos'è? Ti aiuto a cercarla.»

«Non ti preoccupare.» Luke scuote la testa. «Riguarda il mio lavoro. Uscirà fuori. Non può essere scomparsa.»

«Ma io ti voglio aiutare!» Gli accarezzo la schiena con un

gesto affettuoso. «Tesoro, dimmi cosa hai perso e lo cercheremo insieme. È un fascicolo... un libro... dei documenti?»

«Sei molto gentile» dice, dandomi un bacio. «In realtà, non è niente del genere. È una scatola di orologi. Di Tiffany. Dieci orologi.»

Il mio cuore smette di battere.

Vedo Jess che, dall'altra parte della cucina, alza gli occhi dal libro.

«Hai detto... orologi di Tiffany?» ripeto, con uno sforzo.

«Hm-hm» fa lui, annuendo. «Sai che daremo una grossa cena con il Gruppo Arcodas domani sera... fa parte della presentazione. Fondamentalmente stiamo cercando di ammorbidirli. Così ho comperato questi orologi come omaggio da parte dell'azienda, e ora sono scomparsi.» La sua espressione si fa ancora più tesa. «Non riesco a capire cosa diavolo sia successo. Un momento erano qui... e un momento dopo sono spariti!»

Sento gli occhi di Jess su di me come raggi laser.

«Sono tanti per sparire così» osserva lei, con voce piatta.

Oh, vaffanculo!

Continuo a deglutire. Come posso aver venduto gli omaggi aziendali di Luke? Come posso essere stata così stupida? In effetti, mi pareva di non ricordare di averli comperati in luna di miele...

«Li avrò lasciati giù in garage» dice Luke prendendo le chiavi. «Vado a dare un'occhiata.»

Oh, Dio. Devo confessare.

«Luke...» La mia voce si fa piccola piccola. «Luke, non ti arrabbiare, ti prego...»

«Cosa c'è?» Si gira di scatto e, vedendo la mia espressione, si blocca. «Cosa c'è?»

«Be'...» Mi passo la lingua sulle labbra asciutte. «È possibile che io abbia...»

«Che tu abbia... cosa?» I suoi occhi sono due fessure.

«Li abbia venduti» sussurro.

«Venduti?»

«Volevi che liberassi l'appartamento!» dico, con un gemito. «Non sapevo come fare! Avevamo così tanta roba! E così ho venduto tutto su eBay. E... ho venduto anche gli orologi. Per errore.»

Mi mordo il labbro, con la mezza speranza che Luke sorrida o addirittura si lasci sfuggire una risata. Ma lui ha un'espressione esasperata.

«Cristo, Becky. Siamo nella merda. Ci mancava solo questo.» Afferra il cellulare, digita furioso un numero e resta in ascolto. «Pronto, Marie? Abbiamo un piccolo problema con la cena di domani sera per il Gruppo Arcodas. Richiamami.» Richiude il telefonino con un gesto secco e resta in silenzio.

«Non lo sapevo!» Sono disperata. «Se mi avessi detto che erano regali aziendali... se mi avessi permesso di aiutarti...»

«Aiutarmi?» mi interrompe Luke. «Becky, tu stai scherzando.»

Esce a grandi passi dalla stanza, scuotendo il capo.

Guardo Jess. Mi sembra di vedere un "te lo avevo detto" in una grossa nuvola da fumetto sopra la sua testa. Un attimo dopo lei si alza e lo segue nello studio.

«Se posso fare qualcosa...» sento che dice a voce bassa.

«No» risponde lui. «Ma grazie lo stesso.»

Jess dice qualcos'altro, ma ora la sua voce mi arriva soffocata. Deve aver chiuso la porta.

Devo assolutamente sapere cosa stanno dicendo. Senza fare rumore esco dalla cucina e scivolo in corridoio. Mi avvicino più che posso alla porta dello studio e premo l'orecchio contro il pannello.

«Non so proprio come tu possa vivere con lei» sta dicendo Jess, e io provo una fitta di indignazione. Poi mi irrigidisco, in attesa della risposta di Luke.

Silenzio. Non riesco a respirare. Non riesco a muovermi. Sono consapevole solo del mio orecchio premuto contro il legno della porta.

«È difficile» fa Luke alla fine.

Provo un gelido tuffo al cuore.

Luke trova difficile vivere con me.

Sento un rumore e mi ritraggo di colpo, spaventata. Torno di corsa in cucina e chiudo la porta. Mi pulsa la testa. Mi bruciano gli occhi.

Siamo sposati solo da undici mesi. Come può trovare difficile vivere con me?

L'acqua comincia a bollire, ma di colpo non ho più voglia di tè. Apro il frigo, tiro fuori una bottiglia di vino aperta e ne verso una dose generosa in un bicchiere. Lo scolo in poche sorsate e lo sto riempiendo di nuovo quando Jess entra in cucina.

«Pare che Luke abbia risolto il problema dei regali» dice.

«Fantastico» ribatto secca, e bevo un'altra sorsata di vino.

E così, adesso lei e Luke risolvono tutto insieme, vero? Lei e Luke fanno le loro piccole conversazioni alle quali io non sono invitata. La osservo sedersi e riaprire il libro, e sento un'enorme ondata di rabbia e indignazione montare dentro di me.

«Avresti potuto prendere le mie parti» le dico, cercando di mantenermi calma. «Dopotutto, dovremmo essere sorelle.»

«Con questo cosa intendi?» chiede lei, aggrottando la fronte.

«Avresti potuto difendermi.»

«Difenderti?» Jess alza lo sguardo dal libro. «Pensi che potrei difenderti quando ti comporti in maniera così irresponsabile?»

«Ah, io sarei un'irresponsabile!» Mi sto accalorando. «Tu invece sei perfetta, suppongo.»

«Io non sono perfetta. Ma sì, tu sei un'irresponsabile!» Jess richiude il libro con un colpo secco. «In tutta sincerità, Becky, io credo che tu debba cominciare a scendere a patti con la realtà. Sembra che tu non abbia il minimo senso del dovere... sei ossessionata dallo spendere soldi... racconti bugie...»

«Be', tu sei una vera lagna!» Le parole mi escono come un ruggito. «Sei una spilorcia, una pezzente, una persona patetica, che non sa cosa voglia dire divertirsi!»

«Cosa?» Jess sembra totalmente sbalordita.

«Ho fatto tutto il possibile, questo weekend!» esclamo. «Ho fatto tutto il possibile per farti sentire la benvenuta, ma tu non hai voluto partecipare a nulla. E va bene, a te non piace *Harry ti presento Sally*, ma avresti potuto fingere!»

«Avresti preferito che non fossi sincera? Avresti preferito che mentissi? Ecco, questo dice come sei fatta, Becky.»

«Fingere che ti piaccia qualcosa non è mentire!» urlo, esasperata. «Io volevo solo che ci divertissimo insieme. Mi sono informata sui tuoi gusti, ho sistemato la tua camera e... e tu sei così fredda! È come se non avessi sentimenti!»

D'un tratto mi sento sull'orlo delle lacrime. Non riesco a credere che sto urlando contro mia sorella. Mi interrompo e faccio qualche respiro profondo. Forse posso ancora recuperare la situazione. Forse possiamo farla funzionare.

«Jess… è che io ho fatto tutto questo perché volevo che fossimo amiche» dico, con voce leggermente tremante. «Volevo solo che fossimo amiche.»

Alzo lo sguardo, aspettandomi un'espressione ammorbidita. Ma lei ha un'aria ancor più sprezzante di prima.

«E tu devi sempre avere ciò che vuoi, vero Becky?»

Mi sento avvampare per lo shock.

«Cosa… cosa intendi dire?» chiedo, quasi balbettando.

«Intendo dire che sei viziata!» La sua voce aspra mi perfora la testa. «Quello che vuoi, tu lo ottieni! Tutto ti arriva su un piatto d'argento. Se ti cacci nei guai, i tuoi genitori ti tirano fuori, e se non lo fanno loro, lo fa Luke. La tua vita mi fa schifo.» Gesticola col libro in mano. «È vuota! Tu sei superficiale, materialista… e non ho mai conosciuto una persona così ossessionata dal proprio aspetto e dallo shopping…»

«Tu invece sei ossessionata dal risparmio» urlo. «Non ho mai conosciuto una persona più taccagna di te. Hai trentamila sterline in banca e te ne vai in giro come se fossi senza un penny. Ti fai regalare la plastica a bolle usata e le banane marce! Chi se ne frega del detersivo che costa meno!»

«Ti fregherebbe se fossi stata costretta a comperarlo con i tuoi soldi fin da quando avevi quattordici anni» ribatte lei. «Se ti preoccupassi un po' più di risparmiare qualche pence qua e là, forse non finiresti nei guai. Ho saputo che a New York hai quasi mandato in rovina Luke. Io proprio non ti capisco!»

«Be', e io non capisco te!» urlo, fra le lacrime. «Ero così felice quando ho saputo di avere una sorella, ho pensato che avremmo legato e saremmo diventate amiche. Ho pensato che saremmo andate a fare shopping, ci saremmo divertite, avremmo mangiato caramelle alla crema di menta sedute sul letto prima di andare a dormire…»

«Caramelle alla crema di menta?» Jess mi guarda come se fossi pazza. «Perché mai dovremmo mangiare caramelle alla crema di menta?»

«Perché?!» Agito le braccia, frustrata. «Perché sarebbe stato divertente! Sai cosa significa? *Divertente!*»

«Io so divertirmi» ribatte Jess.

«Leggendo libri sulle pietre?» Afferro il volume. «Come possono essere interessanti le pietre? Sono l'hobby più noioso che esista al mondo. E ti si addice alla perfezione!»

Jess fa un'esclamazione inorridita.

«Le pietre non sono noiose» ribatte sferzante, riprendendosi il libro. «Sono molto più interessanti delle caramelle alla menta e dello stupido shopping e dei debiti!»

«Ti hanno lobotomizzato l'emisfero cerebrale destinato al divertimento, per caso?»

«E a te quello della responsabilità?» urla lei di rimando. «Oppure ci sei proprio nata, così viziata?»

Ci guardiamo in cagnesco, ansimando leggermente. In cucina c'è silenzio, a parte il ronzio del frigorifero.

Non sono del tutto certa di cosa debba fare la perfetta padrona di casa in questa situazione.

«Bene» dice Jess sollevando il mento. «Non credo sia il caso che resti qui. Se esco adesso posso prendere un autobus per la Cumbria.»

«Bene.»

«Vado a preparare la mia roba.»

«Fa' pure.»

Gira sui tacchi ed esce dalla cucina. Io bevo un'altra sorsata di vino. Mi martella ancora la testa per le urla, e il cuore mi batte forte.

Non può essere mia sorella. Non può. È una miserabile spilorcia, un'insopportabile bigotta, e io non voglio vederla mai più.

Mai più.

THE CINDY BLAINE SHOW

Rebecca Brandon
37 Maida Vale Mansions
Maida Vale
Londra NW6 OYF

22 maggio 2003

Gentile signora Brandon,

la ringrazio per il suo messaggio.

Siamo spiacenti di apprendere che lei non potrà più intervenire al Cindy Blaine Show per il programma "Ho trovato una sorella e un'amica".

Ci permettiamo di suggerirle di partecipare all'imminente trasmissione "Mia sorella è una stronza". Mi dia un colpo di telefono se l'idea le interessa.

Con i migliori saluti

Kayleigh Stuart
Assistente alla Produzione
(cellulare: 07878-3456789)

FINERMAN WALLSTEIN

Studio Legale Finerman House
1398 Avenue of the Americas
New York, NY 10105

Rebecca Brandon
37 Maida Vale Mansions
Maida Vale
Londra NW6 OYF

27 maggio 2003

Gentile signora Brandon,

ho ricevuto il suo messaggio. Ho già modificato il suo testamento in base alle nuove istruzioni. La clausola 5, sezione (f), ora dice:

"E assolutamente niente a Jess, visto che è così meschina. E comunque ha un sacco di soldi di suo."

Distinti saluti

Jane Cardozo

15

Non mi importa. Chi ha bisogno di una sorella? Io no di certo.

Tanto per cominciare non ne ho mai voluto una. Non ne ho mai chiesto una. Sto benissimo da sola.

E comunque non sono sola. Ho un matrimonio solido e pieno d'affetto. Non ho bisogno di una miserabile sorella, io.

«Stupida sorella» dico, a voce alta, aprendo il coperchio di un vasetto di marmellata. Sono passate quasi due settimane dalla partenza di Jess. Luke ha un appuntamento in centro, mamma e papà passano da noi sulla via dell'aeroporto, e io sto preparando la colazione per tutti.

«Prego?» fa Luke, entrando in cucina. Da qualche giorno ha un'aria pallida e tesa. Il Gruppo Arcodas sta per prendere una decisione sul progetto e al momento lui non può fare altro che aspettare. E Luke non è molto bravo ad aspettare.

«Pensavo a Jess» rispondo, posando la marmellata in malo modo. «Avevi assolutamente ragione sul suo conto. Non saremmo mai potute andare d'accordo. Mai. Non ho mai conosciuto una lagna come lei!»

«Hmm» fa lui con aria assente, versandosi un po' di succo d'arancia.

Potrebbe anche essere un po' più comprensivo.

«La prossima volta seguirò il tuo consiglio» aggiungo, cercando di attirare la sua attenzione. «Non avrei mai dovuto invitarla qui. Non riesco neppure a credere che siamo consanguinee!»

«Alla fine mi è parsa una tipa a posto» osserva lui. «Ma posso capire che non andaste d'accordo.»

211

Provo un leggero fastidio.

Non avrebbe dovuto dire: "Mi è parsa una tipa a posto". Avrebbe dovuto dire: "Che stronza, non so come tu abbia potuto sopportarla anche un solo minuto!".

«Becky... cosa stai facendo?» Lo sguardo di Luke si posa sulle briciole e sugli involucri di plastica che ingombrano il piano di lavoro in granito.

«Sto facendo i waffle» rispondo, tutta allegra.

E questo dimostra un'altra cosa. Jess si sbagliava di grosso. Ho usato la piastra per i waffle praticamente ogni giorno. Ecco. Quasi quasi vorrei che fosse qui per vedere.

L'unica cosa è che non sono molto brava a preparare la miscela. E allora compero i waffle già fatti, li taglio a forma di cuore e li metto nella piastra per scaldarli.

Che male c'è? La uso, no? Mangiamo waffle, giusto?

«Waffle... di nuovo?» fa Luke con una impercettibile smorfia. «Credo che stavolta passerò, grazie.»

«Oh.» Sono delusa. «Vuoi del pane tostato? O delle uova? O magari dei muffin?»

«Mi basta un caffè.»

«Ma devi mangiare qualcosa!» dico, guardandolo, improvvisamente preoccupata. Sta decisamente dimagrendo, teso com'è per questo progetto. Devo farlo mangiare.

«Ti preparo dei pancake!» gli propongo, premurosa. «O un'omelette!»

«Becky, lascia perdere!» risponde lui, secco. Esce a grandi passi dalla cucina e apre il cellulare. «Ci sono novità?» sento che dice prima che la porta dello studio si chiuda.

Abbasso lo sguardo sul waffle spezzato che tengo in mano. Una sensazione di gelo si sta impadronendo di me.

So che Luke è molto preoccupato per il lavoro. E probabilmente è questo il motivo per cui è così irascibile con me, al momento. Non significa che ci siano grossi problemi o cose del genere.

Ma continua a venirmi in mente quello che gli ho sentito dire a Jess quella sera. Che trova difficile vivere con me.

Provo una familiare fitta al cuore e mi siedo, con la testa che mi gira. Sono due settimane che ci penso, cercando di trovare una spiegazione.

In che senso è difficile vivere con me? Voglio dire... cosa faccio di sbagliato?

Prendo carta e penna. Okay. Ci vuole un bell'esame di coscienza e molta sincerità. Cosa faccio per rendere difficile la convivenza? Scrivo un titolo e lo sottolineo con decisione.

Becky Bloomwood: perché è difficile vivere con lei

1.

Ho il cervello vuoto. Non mi viene in mente neppure un motivo.

Su. Pensaci. Sii franca, spietata. Dev'esserci qualcosa. Quali sono i principali problemi fra di noi? Quali le vere questioni?

Di colpo mi viene in mente. Mi dimentico sempre di rimettere il tappo allo shampoo e Luke si lamenta perché ci mette il piede sopra nella doccia.

Becky Bloomwood: perché è difficile vivere con lei

1.   Non rimette il tappo allo shampoo.

Sì. E poi sono sbadata. Scordo sempre il codice dell'allarme. Una volta è successo che ho dovuto telefonare alla polizia per chiederlo a loro, ma hanno capito male e hanno mandato due autopattuglie.

Becky Bloomwood: perché è difficile vivere con lei

1.   Non rimette il tappo allo shampoo.
2.   Dimentica il codice dell'allarme.

Osservo l'elenco, perplessa. Non mi sembra poi questa gran cosa. Dev'esserci dell'altro. Dev'esserci qualcosa di significativo e profondo.

D'un tratto mi lascio sfuggire un'esclamazione e mi porto una mano alla bocca.

I CD. Luke si lamenta sempre perché li tiro fuori e non li rimetto a posto nelle custodie.

Lo so che non sembra poi così significativo e profondo, ma forse è la classica goccia che fa traboccare il vaso. E poi, non dicono tutti che sono le piccole cose che contano, in un matrimonio?

Okay. A questo posso porre rimedio.

213

Corro in soggiorno e vado dritta al mucchio di CD gettati alla rinfusa vicino allo stereo. Mentre li divido, provo una sorta di leggerezza. Una liberazione. Questo sarà il punto di svolta del nostro matrimonio.

Li impilo ordinatamente e aspetto che Luke passi davanti alla porta, diretto verso la camera da letto.

«Guarda!» dico, con una nota d'orgoglio nella voce. «Ho rimesso a posto tutti i CD. Ora sono di nuovo nelle loro custodie!»

Luke lancia un'occhiata nella stanza.

«Bene» bofonchia, con un distratto cenno del capo, e prosegue per la sua strada.

Lo guardo con aria di rimprovero.

Tutto qui quello che sa dire?

Io mi do da fare per mettere una pezza al nostro tormentato rapporto, e lui non se ne accorge neppure.

All'improvviso suonano alla porta e io balzo in piedi. Devono essere mamma e papà. Dovrò rimandare il salvataggio del nostro matrimonio a più tardi.

Certo, sapevo che mamma e papà avevano preso sul serio la terapia. Ma non mi aspettavo che si presentassero con degli slogan scritti sulle felpe. Quella della mamma dice: "Sono una donna, sono una dea". Quella di papà, "Non farti smontare dai bastardi senza palle".

«Accidenti!» faccio io, cercando di nascondere la mia sorpresa. «Sono fantastiche!»

«Le abbiamo prese al Centro» spiega la mamma con un sorriso raggiante. «Non sono divertenti?»

«Dovete spassarvela un sacco.»

«È meraviglioso!» esclama la mamma. «Molto più interessante del bridge. E così stimolante! L'altro giorno abbiamo fatto una seduta di gruppo e indovina chi si è presentata? Marjorie Davis, quella che viveva sull'altro lato della strada.»

«Davvero? Allora si è sposata.»

«Oh, no.» La mamma abbassa la voce, con tatto. «Ha problemi di ruolo, poverina.»

Non riesco a capire. Cosa diavolo sono i problemi di ruolo?

«E... e voi... voi avete dei problemi?» chiedo, andando in cucina. «È stata dura?»

«Oh, siamo stati sull'orlo dell'abisso» risponde la mamma, annuendo. «Non è vero, Graham?»

«Proprio sull'orlo» conviene papà, amabile.

«Ma ora ci siamo lasciati alle spalle la rabbia e il senso di colpa. Abbiamo ritrovato la forza di vivere e di amare.» Mi sorride e fruga dentro la borsa. «Ho portato un bel salame di cioccolato. Accendiamo il bollitore?»

«La mamma ha trovato la sua luce interiore» dice papà, orgoglioso. «Abbiamo camminato sui carboni ardenti, sai?»

La guardo a bocca aperta.

«Avete camminato sui carboni ardenti? Oh, mio Dio! L'ho fatto anch'io, in Sri Lanka! Avete sentito male?»

«Niente affatto! È stato del tutto indolore» risponde la mamma. «Ovviamente, ho tenuto su le scarpe da giardinaggio» aggiunge, come ripensandoci.

«Ah! Certo... intelligente.»

«Abbiamo ancora molto da imparare» fa la mamma, tagliando il salame di cioccolato. «È per questo che facciamo questa crociera.»

«Giusto» dico, dopo un attimo di esitazione. «La crociera-terapia.» La prima volta che la mamma me ne ha parlato ho creduto che scherzasse. «Quindi l'idea è che mentre girate il Mediterraneo, vi sottoponiate a sessioni di terapia.»

«Non è solo quello!» chiarisce la mamma. «Ci sono anche delle escursioni.»

«E animazione» aggiunge papà. «A quanto pare ci sono degli spettacoli molto belli. E pure una cena di gala.»

«Ci vanno tutti i nostri amici del Centro» prosegue la mamma. «Abbiamo già organizzato un piccolo cocktail party per la prima sera! E poi...» Qui ha un momento di esitazione. «Uno degli oratori è specializzato in ricongiungimenti con i familiari. Cosa che dovrebbe essere particolarmente interessante per noi.»

Provo un senso di disagio. Non voglio pensare ai ricongiungimenti con i familiari.

C'è silenzio. Vedo che i miei si scambiano un'occhiata.

«E così... tu non vai molto d'accordo con Jess?» dice papà, dopo un po'.

Oh, Dio. Capisco che è deluso.

«Non esattamente» rispondo, distogliendo lo sguardo. «È solo che... non siamo molto simili.»

«Perché mai dovreste esserlo?» dice la mamma, posandomi una mano sul braccio in gesto di conforto. «Siete cresciute separate. Perché dovresti avere più cose in comune con Jess che... diciamo...» Ci riflette un istante. «Con Kylie Minogue.»

«Becky ha molto più in comune con Jess che con Kylie Minogue!» esclama papà. «Tanto per cominciare, Kylie Minogue è australiana.»

«Questo non significa nulla» ribatte la mamma. «Facciamo tutti parte del Commonwealth, no? Probabilmente Becky andrebbe perfettamente d'accordo con Kylie Minogue. Non è vero, tesoro?»

«Ehm...»

«Non avrebbero niente da dirsi» insiste papà, scuotendo la testa.

«E invece sì!» replica la mamma. «Avrebbero molte cose di cui parlare. E sono sicura che diventerebbero ottime amiche.»

«Cher, invece...» azzarda papà «quella sì che è una donna interessante.»

«Becky non vorrebbe mai diventare amica di Cher!» La mamma è indignata. «Di Madonna magari...»

«Va bene. Il giorno che incontro Kylie Minogue, Cher o Madonna, vi faccio sapere, d'accordo?» dico io, un po' più dura di quanto intendessi.

Segue il silenzio. I miei genitori si voltano a guardarmi. Poi la mamma lancia un'occhiata a papà.

«Graham, va' da Luke a portargli il suo caffè.» Gli porge una tazza e, non appena è uscito, mi rivolge uno sguardo inquisitorio.

«Becky, tesoro, ti senti bene? Mi sembri un po' tesa.»

Oh, Dio. C'è qualcosa nell'espressione affettuosa della mamma che fa crollare la mia compostezza. Di colpo tutte le preoccupazioni che ho cercato in ogni modo di soffocare dentro di me cominciano ad affiorare in superficie.

«Non ti preoccupare per Jess» dice lei, dolce. «Non ha nessuna importanza se voi due non andate d'accordo. La cosa non interessa a nessuno.»

Deglutisco più volte, cercando di mantenere il controllo.

«Non si tratta di Jess, mamma. Per lo meno, non solo di Jess. Si tratta di... Luke.»

«Luke?» ripete lei, stupita.

«Le cose non vanno troppo bene al momento. Anzi...» Comincia a tremarmi la voce. «Anzi... credo che il nostro matrimonio sia in crisi.»

Oh, Dio. Ora che l'ho detto a voce alta, suona totalmente vero e convincente. *Il nostro matrimonio è in crisi.*

«Ne sei sicura, tesoro?» La mamma sembra perplessa. «A me sembrate molto felici.»

«Be', non lo siamo! Abbiamo avuto un terribile litigio.»

La mamma mi guarda per qualche momento, poi scoppia a ridere. Sento l'indignazione crescere dentro di me.

«Non ridere! È stato orribile!»

«Ma certo, tesoro. Vi state avvicinando al vostro primo anniversario, vero?»

«Ehm... sì.»

«Ecco. Appunto. È il momento del Primo Grosso Litigio. Non ne sapevi niente, Becky?»

«Di cosa?»

«Del Primo Grosso Litigio. Ma insomma, cosa vi insegnano le riviste femminili, al giorno d'oggi?»

«Ehm... come applicare le unghie finte?»

«Be', invece dovrebbero insegnarvi i trucchi per avere un matrimonio felice! Tutte le coppie hanno un Primo Grosso Litigio dopo circa un anno. Una grossa discussione, poi l'atmosfera si rasserena e tutto torna alla normalità.»

«Non lo sapevo» dico lentamente. «Dunque... il nostro matrimonio non è in crisi?»

Ha un senso. Molto senso. Un Primo Grosso Litigio e poi ritorna la calma. Come dopo una tempesta. Aria nuova. Rinnovamento. O come uno di quegli incendi nelle foreste che sembrano orribili, ma in realtà sono utili perché le piante piccole possano riprendere a crescere liberamente. Proprio così.

E il punto è che... sì! Vuol dire che niente di tutto questo è colpa mia. Avremmo comunque litigato, qualunque cosa io avessi fatto. Sto cominciando a tirarmi su di morale. Tutto tornerà come prima. Rivolgo un sorriso radioso alla mamma e prendo un morso di salame di cioccolato.

«Così... Luke e io non litigheremo più» puntualizzo io, tanto per essere sicura.

«Oh, no!» risponde la mamma, rassicurante. «Solo fino al Secondo Grosso Litigio, che avverrà non prima...»

Viene interrotta dalla porta della cucina che si spalanca di colpo. Luke entra come una furia, il telefono in mano, il volto acceso, e il sorriso più raggiante che io gli abbia mai visto sulle labbra.

«Ce l'abbiamo fatta. Abbiamo preso il Gruppo Arcodas!»

Sapevo che tutto si sarebbe risolto. Lo sapevo. È bellissimo. Anzi, è come se per tutto il giorno fosse Natale.

Luke ha annullato l'appuntamento ed è andato dritto in ufficio per festeggiare e io, dopo aver caricato mamma e papà su un taxi, l'ho raggiunto. Adoro gli uffici della Brandon Communications. Sono bellissimi, legno biondo e faretti ovunque. E poi è un posto così allegro. Tutti che se ne vanno in giro sorridendo e bevendo champagne!

O, per lo meno, lo fanno quando hanno appena acquisito un cliente molto importante. Per tutto il giorno non si sono sentite altro che risate e voci eccitate ovunque, e qualcuno ha programmato i computer in modo che cantino *Congratulations* ogni dieci minuti.

Luke e i suoi dirigenti hanno tenuto una veloce riunione di festeggiamenti/programmazione, alla quale ho assistito. All'inizio dicevano tutti cose tipo "Il lavoro comincia adesso" e "Abbiamo bisogno di assumere", ma poi Luke ha esclamato "'fanculo. Festeggiamo. Alle sfide future penseremo domani".

Ha ordinato alla sua assistente di chiamare una società di catering e alle cinque sono arrivati un sacco di camerieri in grembiule nero, con altro champagne e tartine sistemate su bellissimi vassoi di plastica trasparente. Tutti i dipendenti si sono radunati nella sala riunioni più grande, il sistema di altoparlanti diffondeva musica, e Luke ha tenuto un piccolo discorso in cui ha detto che era un grande giorno per la Brandon

Communications, e che tutti avevano fatto la loro parte, e alla fine c'è stato un lungo applauso.

Ora, alcuni di noi stanno andando fuori a cena per un altro festeggiamento. Sono nell'ufficio di Luke e mi sto rifacendo il trucco, mentre lui indossa una camicia pulita.

«Congratulazioni» gli dico per la milionesima volta. «È fantastico.»

«È una grande giornata.» Luke mi sorride, abbottonandosi i polsini. «Ho desiderato un cliente importante come questo per anni. E ciò potrebbe spianarci la strada per molti altri.»

«Sono orgogliosa di te.»

«*Idem*.» L'espressione di Luke si fa improvvisamente più dolce. Mi viene vicino e mi circonda con le braccia. «So di essere stato un po' assente, in questi ultimi tempi... e mi scuso.»

«È tutto a posto» dico, abbassando lo sguardo. «E io... io sono dispiaciuta di aver venduto gli orologi.»

«Non ha importanza.» Luke mi accarezza i capelli. «So che non è stato un periodo facile per te. Il ritorno a casa... tua sorella...»

«Già. Ma non pensiamo a lei. Pensiamo a noi. Al futuro.» Attiro la sua testa verso il basso e lo bacio. «Sarà tutto fantastico.»

Per un po' restiamo entrambi in silenzio. Ma è un silenzio piacevole. Noi due soli, una fra le braccia dell'altro, rilassati e appagati, come eravamo in luna di miele. Provo un'improvvisa ondata di sollievo. La mamma aveva ragione. Il Primo Grosso Litigio ha schiarito l'aria. Siamo più uniti che mai.

«Ti amo» mormoro.

«Anch'io.» Luke mi dà un bacio sul naso. «Sarà meglio andare.»

«Okay» dico con un sorriso. «Scendo a vedere se la macchina è già arrivata.»

Mi avvio per il corridoio, sospesa su una nuvola di felicità. È tutto perfetto. Tutto! Passando davanti ai vassoi, afferro un bicchiere di champagne e bevo qualche sorso. Magari stasera andremo a ballare. Dopo la cena. Quando tutti saranno rincasati, Luke e io andremo in un night e festeggeremo come si deve, noi due soli.

Scendo le scale saltellando, sempre col mio bicchiere in mano, e apro la porta che dà nell'area della reception. E lì mi fermo, perplessa. Qualche metro più in là, un tipo dal volto magro vestito con un gessato grigio sta parlando con Janet, l'addetta alla reception. Ha un'aria vagamente familiare, ma non so dove collocarlo…

E poi, all'improvviso, il mio stomaco fa una piroetta.

Sì, che lo so.

È quel tizio che ho visto a Milano. Quello che ha portato i sacchetti di Nathan Temple fuori dal negozio. Cosa ci fa qui?

Mi avvicino di qualche passo, cauta, in modo da poter sentire cosa si stanno dicendo.

«Dunque il signor Brandon non è malato?» fa l'uomo.

Merda.

Batto in ritirata dietro la porta e la chiudo, col cuore che mi martella nel petto. E ora cosa faccio?

Bevo un sorso di champagne per calmarmi, poi un altro. Un paio di tizi dell'ufficio stampa mi passano accanto e mi guardano con aria strana. Io rispondo con un sorriso cordiale.

Okay. Non posso restare nascosta dietro questa porta in eterno. Piano piano alzo la testa per guardare attraverso il pannello di vetro della porta finché non vedo la reception e… grazie al cielo, il tizio con l'abito gessato se n'è andato. Sollevata entro con naturalezza nell'atrio.

«Ciao» dico a Janet, che sta battendo come una furia sulla tastiera del computer. «Chi era quello? Quell'uomo che parlava con te?»

«Ah, quello! Lavora per un uomo che si chiama… Nathan Temple.»

«Già. E… cosa voleva?»

«È strano» dice lei, facendo una smorfia. «Continuava a chiedermi se Luke stava meglio.»

«E tu cosa gli hai risposto?» Mi sforzo di non apparire troppo interessata.

«Che stava bene, ovviamente. Che non è mai stato meglio!» Scoppia a ridere, poi, vedendo la mia faccia, smette di scrivere. «Oh, mio Dio. Sta bene, vero?»

«Come?»

«Quello era un medico?» Si sporge in avanti, con aria affranta. «A me puoi dirlo, Becky. Luke ha contratto qualche malattia tropicale mentre eravate via?»

«No. Certo che no.»

«Allora è il cuore? O i reni?» Janet ha le lacrime agli occhi. «Sai, ho perso mia zia, quest'anno. Non è stato facile per me...»

«Mi dispiace» dico, agitata. «Ma non ti preoccupare. Luke sta bene.»

Alzo lo sguardo e mi muoiono le parole sulle labbra.

No. Ti prego.

Non è possibile.

Nathan Temple in persona sta entrando nell'edificio.

È più grosso e più corpulento di quanto ricordassi, e indossa lo stesso cappotto bordato di pelle che stava provando a Milano. Trasuda denaro e potere, e odora di sigaro. I suoi penetranti occhi azzurri guardano dritto verso di me.

«Salve» dice con quel suo aspro accento cockney. «Signora Brandon, ci rincontriamo.»

«Ehm... salve! Che... che bella sorpresa!»

«Si sta ancora godendo la sua borsa?» mi chiede con l'accenno di un sorriso.

«Ehm... sì. È favolosa!»

Devo farlo uscire da qui. Devo assolutamente farlo uscire da qui.

«Sono venuto per parlare del mio albergo con suo marito» dice, amabile. «È possibile?»

«Bene! Ma certo! Benissimo! L'unica cosa è che... purtroppo Luke è piuttosto impegnato. Gradisce qualcosa da bere? Potremmo andare in un bar... fare una bella chiacchierata... lei potrebbe raccontarmi tutto di...»

Sì. Geniale. Lo porto fuori, gli offro qualche drink... e Luke non lo verrà mai a sapere...

«Non mi dispiace aspettare» dice, calando la sua mole su una poltrona di pelle. «Se vuole avvisarlo che sono qui.» I suoi occhi incrociano i miei con un leggero scintillio. «Ho saputo che si è ripreso.»

Provo un tuffo al cuore.

«Sì! Sta... sta molto meglio. Grazie per i fiori!»

Lancio un'occhiata a Janet, che sta seguendo la conversazione con una certa perplessità.

«Devo chiamare Luke per avvertirlo?» fa, allungando una mano verso il telefono.

«No! Cioè... non ti preoccupare. Faccio un salto su io.» La mia voce è un po' stridula.

Mi avvio verso l'ascensore, col cuore che batte forte per l'agitazione.

Okay. Posso ancora cavarmela. Faccio uscire Luke dal retro, dicendogli che qualcuno ha rovesciato dell'acqua sul pavimento dell'atrio ed è molto scivoloso. Sì. Poi saliamo in macchina... e io fingo di aver dimenticato qualcosa, torno da Nathan Temple e gli dico...

«Becky?»

Faccio un salto di almeno tre metri, alzo gli occhi e vedo Luke che scende le scale, due gradini alla volta. È tutto sorridente e sta indossando la giacca.

«Allora, è arrivata la macchina?» Mi guarda sorpreso, vedendo la mia espressione tesa. «Tesoro... ti senti bene?»

Oppure potrei raccontargli tutto.

Lo fisso in silenzio per qualche secondo, con lo stomaco in subbuglio.

«Ehm... Luke?» riesco a mormorare dopo un po'.

«Sì?»

«C'è... c'è una cosa che devo dirti.» Mi interrompo per deglutire. «Avrei dovuto farlo tanto tempo fa, ma... e, comunque, avevo intenzione di affrontarlo, però...»

D'un tratto, mi rendo conto che Luke non ha ascoltato una sola parola. Il suo volto si incupisce mentre i suoi occhi mettono a fuoco la figura di Nathan Temple, dietro di me.

«Quello è...?» Scuote la testa, incredulo. «Cosa ci fa qui? Credevo che Gary si fosse sbarazzato di lui.»

«Luke...»

«Un momento, Becky. È importante.» Apre il cellulare e digita un numero. «Gary» dice, a voce bassa, «cosa ci fa Nathan Temple nel nostro atrio? Dovevi occupartene tu, se non sbaglio.»

«Luke...»

«Tesoro, aspetta un minuto.» Torna a rivolgere la propria attenzione al telefono. «Be', è qui. In carne e ossa.»

«Luke, ascoltami, ti prego.» Lo tiro per un braccio.

«Becky, qualunque cosa sia, non può aspettare? Ho un problema qui che devo assolutamente risolvere...»

«Ma... ma è quello che sto cercando di dirti!» balbetto, disperata. «Si tratta del tuo problema. Si tratta di Nathan Temple!»

Luke mi guarda come se stessi straparlando.

«Come può avere a che fare con Nathan Temple? Becky, tu non lo conosci neppure!»

«Ehm... veramente... io lo conosco.» Mi mordo il labbro. «In un certo senso.»

Silenzio. Luke richiude lentamente il cellulare.

«Tu "in un certo senso" conosci Nathan Temple?»

«Ecco il signor Brandon» dice una voce squillante. Alziamo gli occhi e vediamo che Janet dal suo banco ci ha individuati. «Luke, c'è una persona per te.»

«Vengo subito, Janet» risponde Luke con un sorriso professionale. Poi si volta verso di me, sempre sorridendo. «Becky, cosa diavolo sta succedendo?»

«È... è una lunga storia» rispondo, con le guance in fiamme.

«E avevi intenzione di condividerla con me, prima o poi, questa lunga storia?» Luke continua a sorridere, ma il suo tono è glaciale.

«Sì! Certo! Io... io aspettavo solo il momento giusto.»

«E pensi che questo possa essere il momento giusto, considerando che lui è qui, a pochi metri da noi?»

«Ehm... sì, assolutamente.» Deglutisco, nervosa. «Dunque. Tutto è cominciato... in un negozio, e...»

«Troppo tardi» mi interrompe Luke a voce bassa. «Sta venendo qui.»

Seguo lo sguardo di Luke e mi sento mancare. Nathan Temple si è alzato dalla poltrona e sta avanzando verso di noi.

«Dunque, eccolo qui» ci accoglie la sua voce aspra «l'inafferrabile Luke Brandon. Lei ha tenuto suo marito lontano da me, giovane signora, non è così?» Agita un dito contro di me in un gesto di finto rimprovero.

«Certo che no!» rispondo, con una risata stridula. «Ehm, Luke, tu conosci Nathan Temple? Ci siamo incontrati a Milano, ricordi, tesoro?» Gli rivolgo un sorriso finto, come se fossi una padrona di casa a una festa, e questa fosse una situazione perfettamente normale.

223

«Buonasera, signor Temple» dice Luke, calmo. «Che piacere conoscerla, finalmente.»

«Il piacere è mio.» Nathan Temple dà una pacca sulla spalla di Luke. «Allora, si sente meglio, spero.»

Gli occhi di Luke fanno un guizzo verso di me, e io rispondo con un'espressione affranta.

«Mi sento benissimo. Posso chiedere a cosa è dovuta questa visita inaspettata?»

«Be'» dice Nathan Temple, tirando fuori dalla tasca una scatola per sigari in argento con monogramma inciso, «a quanto pare lei si rifiuta di rispondere alle telefonate del mio ufficio.»

«Sono stato molto impegnato questa settimana» replica Luke senza battere ciglio. «Mi scuso se le mie segretarie non mi hanno riferito i suoi messaggi. C'era qualcosa in particolare di cui voleva parlarmi?»

«Il mio progetto per l'albergo» gli risponde Nathan, offrendo un sigaro a Luke. «Anzi, il nostro progetto per l'albergo, dovrei dire.»

Luke fa per replicare, ma l'uomo alza una mano per fermarlo. Si accende il sigaro con cura e tira qualche boccata. «Mi perdoni per essermi presentato qui senza preavviso. Ma quando voglio qualcosa, io non indugio. Vado e me la prendo. Un po' come sua moglie.» I suoi occhi hanno uno scintillio. «Sono certo che le avrà raccontato la sua storia.»

«Credo che abbia tenuto in serbo la parte migliore» ribatte Luke con un sorriso tirato.

«Mi piace sua moglie» prosegue Nathan Temple, affabile. Poi soffia una nuvola di fumo e mi osserva a lungo. «In qualsiasi momento volesse venire a lavorare per me, mia cara, basta che mi dia un colpo di telefono.»

«Perbacco!» rispondo, sorpresa. «Grazie!»

Lancio un'occhiata preoccupata a Luke. Una vena ha cominciato a pulsare sulla sua tempia.

«Becky» dice con un tono di voce cortese e misurato, «permetti una parola? Ci scusi solo un momento» aggiunge.

«Nessun problema.» Nathan Temple agita il suo sigaro. «Finisco questo e poi parleremo.»

Luke mi conduce in una piccola sala riunioni e chiude la

porta. Poi si volta verso di me, il volto serio e teso, come quando deve dare una lavata di capo a qualche dipendente.

Oh, Dio. All'improvviso ho paura.

«Okay, Becky, cominciamo dall'inizio. Anzi, no» si corregge, «vai pure alla parte centrale. Come hai conosciuto Nathan Temple?»

«L'ho incontrato quando eravamo a Milano» dico, balbettando. «Io ero in un negozio e lui... lui mi ha fatto un favore.»

«Ti ha fatto *un favore?*» Luke sembra preso in contropiede. «Che genere di favore? Ti sei sentita male? Ti sei persa?»

Segue un silenzio interminabile, angosciante.

«C'era una borsa...»

«Una borsa?» Luke sembra sempre più sconcertato. «Ti ha comperato una borsa?»

«No! L'ho pagata io. Ma lui mi ha fatto mettere in cima alla lista d'attesa. È stato molto gentile. E io gli sono grata...» Le mie dita sono annodate. «E così quando siamo tornati in Inghilterra lui mi ha telefonato e ha detto che voleva ti occupassi di questo suo albergo...»

«E tu cosa gli hai risposto?» chiede Luke, con voce pericolosamente calma.

«Il fatto è...» Mi interrompo per deglutire. «Io credevo che ti sarebbe piaciuto moltissimo occuparti del lancio di un albergo.»

La porta si apre di colpo e Gary entra nella stanza.

«Cosa sta succedendo?» dice, con gli occhi spalancati. «Cosa ci fa qui Nathan Temple?»

«Chiedilo a Becky.» Luke fa un gesto verso di me. «A quanto pare ha intrattenuto fitti rapporti con lui.»

«Io non sapevo chi fosse!» ribatto, sulla difensiva. «Non ne avevo idea. Era solo un uomo gentile con l'accento cockney che mi ha procurato una borsa...»

«Borsa?» dice Gary, guardando ora me ora Luke. «Quale borsa?»

«A quanto pare Becky ha offerto i miei servizi a Nathan Temple in cambio di una borsa» risponde Luke secco.

«*Una borsa?*» Gary ha un'aria sbalordita.

«Non è una semplice borsa!» esclamo, confusa. «È una Angel Bag, in edizione limitata! Ce ne sono pochissime nel mon-

225

do. Era sulla copertina di "Vogue"! Tutte le stelle del cinema ne vogliono una!»

Entrambi mi fissano in silenzio. Nessuno dei due mi sembra colpito.

«E comunque» proseguo, col volto in fiamme «pensavo che occuparsi del lancio di un albergo fosse una cosa favolosa. È un cinque stelle. Potreste conoscere delle persone famose!»

«Persone famose?» ripete Luke, perdendo improvvisamente la pazienza. «Becky, io non ho bisogno di conoscere quel genere di persone famose. Io non ho bisogno di lanciare l'albergo di un volgare criminale! Io devo restare qui, con la mia squadra, a concentrarmi sulle necessità del mio nuovo cliente.»

«Non me n'ero resa conto!» Sono disperata. «Pensavo fosse una mossa brillante!»

«Calmati, capo.» Gary sta cercando di tranquillizzarlo. «Non gli abbiamo promesso nulla.»

«Lei sì.» Luke fa un gesto verso di me e Gary si volta di scatto, scioccato.

«Io... io non gliel'ho promesso, non esattamente.» La mia voce trema un po'. «Io ho detto solo che... saresti stato felicissimo.»

«Ti rendi conto di quanto questo renda le cose più difficili?» Luke si sta tenendo la testa con entrambe le mani. «Becky, perché non me l'hai detto? Perché non me ne hai parlato a Milano?»

Silenzio.

«Perché la Angel Bag costa duemila euro» dico alla fine, con un filo di voce. «Pensavo che ti saresti arrabbiato.»

«Oh, Cristo!» Luke sembra arrivato al limite della sopportazione.

«E poi non volevo seccarti. Eri così impegnato con la Arcodas... credevo di essere in grado di cavarmela da sola. E ci stavo riuscendo.»

«Ci stavi riuscendo?» ripete Luke, incredulo. «E come, di grazia?»

«Ho detto a Nathan Temple che eri malato» confesso, ricacciando indietro un singhiozzo.

Lentamente, l'espressione di Luke cambia.

«Il mazzo di fiori» dice, con voce piatta. «L'ha mandato Nathan Temple?»

Oh, Dio.

«Sì» sussurro.

«Ti ha mandato dei fiori?» chiede Gary, incredulo.

«E anche un cesto di frutta» aggiunge Luke, secco.

Gary si lascia sfuggire una risatina.

«Non è affatto divertente» scatta Luke. «Ci siamo appena aggiudicati il cliente più grosso della nostra vita. Dovremmo essere fuori a festeggiare. E non stare qui a preoccuparci di quel maledetto Nathan Temple seduto nel nostro atrio.» Si lascia cadere su una sedia.

«Non possiamo inimicarcelo, Luke» dice Gary, facendo una smorfia. «Specialmente se acquisterà il "Daily World".»

Nella piccola stanza c'è silenzio, rotto solo dal ticchettio di un orologio a parete.

Non oso dire una parola.

Poi Luke si alza di scatto. «Non possiamo restare qui seduti tutto il giorno. Andrò a parlargli. Se devo farlo, lo farò.» Mi lancia un'occhiata. «Spero solo che quella borsa ne valesse la pena, Becky. Spero proprio che ne valesse la pena.»

Provo un'improvvisa fitta di dolore.

«Luke, mi dispiace. Mi spiace davvero. Io non volevo… non potevo sapere…»

«Certo, Becky» mi interrompe con aria stanca. «Ormai è fatta.»

Esce dalla stanza, seguito da Gary. Io resto lì, in silenzio. All'improvviso sento una lacrima scendere sulla guancia. Era tutto così perfetto. E io ho rovinato tutto.

16

Le cose non stanno andando bene.

In effetti, questa è stata in assoluto la peggior settimana da quando siamo sposati.

Luke è molto impegnato col lavoro e l'ho visto poco o niente. Ogni giorno ha avuto riunioni con il Gruppo Arcodas, poi c'è stato un problema con una delle banche sue clienti e, infine, uno dei suoi collaboratori di punta è stato ricoverato d'urgenza in ospedale con la meningite. Insomma, decisamente un brutto periodo.

E oggi, invece di rilassarsi e riordinare le idee, deve andare a Cipro per vedere l'albergo di Nathan Temple e cominciare a pianificarne il lancio pubblicitario. Un lancio di cui lui non vorrebbe assolutamente occuparsi.

Ed è tutta colpa mia.

«Posso fare qualcosa?» propongo, nervosa, osservandolo mentre mette delle camicie in valigia.

«No. Grazie» risponde brusco.

È tutta la settimana che si comporta così. Silenzioso, torvo, evita persino di guardarmi. E quando mi guarda, ha un'aria così seccata che mi si stringe lo stomaco.

Mi sto sforzando di mantenere un atteggiamento positivo e vedere solo il bello delle cose. Voglio dire, probabilmente è del tutto normale per le coppie attraversare momenti di crisi come questo. Proprio come ha detto la mamma, questo è il Secondo Grosso Litigio del nostro matrimonio, dopodiché l'aria si rasserenerà e tutto tornerà come prima...

Solo che non sono del tutto certa che il Secondo Grosso Litigio debba avvenire appena quindici giorni dopo il Primo Grosso Litigio.

E non sono sicura che debba durare un'intera settimana.

Ho provato a mandare una e-mail alla mamma sulla nave per chiederle un consiglio, ma mi è arrivata una risposta in cui si diceva che la crociera "Mente-Corpo-Spirito" è un ritiro dal mondo esterno, e i passeggeri non possono essere contattati.

Luke chiude la cerniera dello scomparto per gli abiti e scompare in bagno senza degnarmi di uno sguardo. Provo una fitta di angoscia. Fra qualche minuto se ne andrà. Non possiamo separarci così.

Esce dal bagno e getta il beauty in valigia.

«Presto sarà il nostro primo anniversario» gli faccio, con voce roca. «Dovremmo... pensare a qualcosa.»

«Non so neppure se sarò tornato.»

Lo dice come se non gli interessasse minimamente. Il nostro primo anniversario e a lui non interessa. Sento un caldo improvviso alla testa e le lacrime che premono. È stata una settimana orrenda, e ora Luke sta per partire e non vuole neppure farmi un sorriso.

«Non è necessario che tu sia così ostile, Luke. So di aver combinato un casino. Ma non era mia intenzione. Ti ho già chiesto scusa mille volte.»

«Lo so» risponde Luke con lo stesso tono scocciato che mi riserva da una settimana.

«Cosa vuoi che faccia?»

«Cosa vuoi che faccia io, Becky?» ribatte, improvvisamente esasperato. «Vuoi che dica che non ha importanza? Vuoi che dica che non mi dispiace essere costretto a volare su un'isola dimenticata da Dio e dagli uomini proprio adesso che dovrei dedicare tutti i miei sforzi al Gruppo Arcodas? Vuoi che dica che sono felice di vedere il mio nome associato a un orribile albergo di pessimo gusto?»

«Non sarà di pessimo gusto!» esclamo, sgomenta. «Ne sono sicura. Nathan Temple ha detto che sarà di altissima qualità. Avresti dovuto vederlo, in quel negozio di Milano. Lui vuole solo il meglio. La miglior pelle... il miglior cachemire...»

«E sono sicuro che avrà anche i migliori materassi ad acqua» osserva Luke con tono sarcastico. «Ma non capisci? Io ho i miei principi!»

«Anch'io!» ribatto, scioccata. «Anch'io ho dei principi. Ma questo non fa di me una snob!»

«Io non sono uno snob» risponde lui secco. «Semplicemente ho degli standard.»

«Tu sei uno snob!» Le parole mi escono di getto prima che io possa fermarle. «Solo perché prima gestiva dei motel! Ho fatto una ricerca su di lui in Internet. È molto impegnato nella beneficenza, aiuta le persone...»

«Ha anche lussato la mascella a un tizio» mi interrompe Luke. «Lo hai letto, questo?»

Per qualche istante non so cosa dire.

«È stato... anni fa. È migliorato... ora è un'altra persona.»

«Come vuoi tu, Becky» taglia corto Luke con un sospiro, e prende la valigia. «Possiamo lasciar perdere?»

Esce dalla stanza e io lo seguo.

«No, non possiamo. Dobbiamo parlare. È tutta la settimana che non mi guardi in faccia.»

«Ho avuto da fare.» Fruga dentro la valigia e tira fuori una confezione di analgesici.

«No, non è vero» dico, mordendomi il labbro. «Tu mi stai punendo.»

«E puoi biasimarmi?» Luke allarga le braccia. «È stata una settimana infernale.»

«Allora lascia che ti aiuti!» esclamo. Lo seguo in cucina, dove sta riempiendo un bicchiere d'acqua. «Dev'esserci qualcosa che posso fare. Potrei essere la tua assistente... occuparmi delle ricerche...»

«Ti prego!» Luke mi interrompe e manda giù due compresse. «Basta aiuto. Il tuo "aiuto" riesce solo a farmi perdere tempo. D'accordo?»

Lo fisso, col volto in fiamme. Deve aver guardato le mie idee nel fascicolo rosa. Deve aver deciso che sono un mucchio di stronzate.

«Bene» deglutisco. «Allora... non ti disturberò più.»

«Grazie.» Va nello studio e lo sento aprire i cassetti della scrivania.

Sono lì, col sangue che mi pulsa nella testa, quando sento lo sportello della cassetta per le lettere che sbatte. Vado nell'ingresso e vedo un pacchetto posato sullo stuoino. È una piccola busta imbottita per Luke, con un timbro illeggibile. Lo prendo e guardo l'indirizzo scritto col pennarello nero. La scrittura mi sembra vagamente familiare, ma non la riconosco.

«C'è un pacchetto per te» dico.

Luke esce dallo studio con alcuni fascicoli, e li lascia cadere in valigia. Prende il pacchetto dalle mie mani, lacera la carta e tira fuori un CD-rom, accompagnato da una lettera.

«Ah!» esclama, compiaciuto. Non l'ho mai visto così soddisfatto in tutta questa settimana. «Ottimo.»

«Da chi arriva?»

«Da tua sorella.»

Mi sento come se mi avesse colpito al plesso solare.

Mia sorella? Jess? Guardo il pacchetto, incredula. Quella è la scrittura di Jess?

«Perché… perché Jess ti scrive?» chiedo, cercando di mantenere un tono di voce calmo.

«Ha rieditato quel CD-rom per noi.» Legge velocemente la lettera. «È un vero tesoro. Molto più brava dei nostri grafici. Devo assolutamente mandarle dei fiori.»

Ha un tono di voce grato, gli occhi scintillanti. Lo guardo, e sento un groppo alla gola.

Pensa che Jess sia fantastica, vero? Jess è fantastica… e io sono una stronza.

«E così Jess ti è stata d'aiuto, vero?» dico, con voce tremante.

«Sì. In tutta sincerità, sì.»

«Preferiresti ci fosse lei, qui, al posto mio, suppongo. Preferiresti che ci scambiassimo.»

«Non essere ridicola.» Luke piega la lettera e la infila nella busta imbottita.

«Se pensi che Jess sia così brava, perché non vai a vivere con lei?» Le parole mi escono in un impeto d'angoscia. «Perché non vai a parlare di computer con lei?»

«Becky, calmati» fa Luke, stupito.

Ma io non posso calmarmi. Non posso fermarmi.

«Non c'è problema! Devi essere sincero con me, Luke! Se preferisci una miserabile spilorcia con zero senso estetico e zero senso dell'humour, puoi dirmelo. Dovresti sposare lei, se è così brava. È così interessante! Sono sicura che vi divertireste un mondo insieme...»

«Becky!» Luke mi interrompe con un'occhiata che mi gela fino al midollo. «Smettila immediatamente.»

Resta in silenzio per qualche istante, mentre richiude la busta imbottita. Non oso muovere un muscolo.

«So che non andate d'accordo» dice alla fine, alzando lo sguardo. «Ma dovresti sapere una cosa. Tua sorella è una brava persona. È onesta, affidabile e lavora sodo. Ha passato ore a preparare questo per noi.» Batte un dito sul dischetto. «Si è offerta lei di farlo, e non ha chiesto alcun compenso, neanche un grazie. Io direi che è una persona davvero altruista.» Muove qualche passo verso di me, un'espressione implacabile sul volto. «Potresti imparare molto da lei.»

Mi sento avvampare per lo shock. Apro la bocca per dire qualcosa, ma non esce una sola parola.

«Devo andare.» Luke guarda l'orologio. «Prendo le mie cose.»

Esce dalla cucina a grandi passi. Ma io non riesco a muovermi.

«Io vado.» Luke ricompare sulla porta della cucina, con la valigia in mano. «Non so quando tornerò.»

«Luke... mi dispiace.» Alla fine ritrovo la voce, anche se malferma. «Mi dispiace di averti deluso.» Sollevo la testa, cercando di controllarmi. «Ma se proprio lo vuoi sapere... anche tu mi hai deluso. Sei cambiato. In luna di miele eri diverso. Eri divertente, rilassato, gentile...»

D'un tratto ricordo Luke com'era. Seduto su un materassino per lo yoga con le treccine scolorite dal sole e l'orecchino. Luke che mi sorride sotto il cielo dello Sri Lanka. Che allunga una mano per stringere la mia.

Provo una fitta di intollerabile nostalgia. Quell'uomo sereno e felice non assomiglia affatto a questa persona dal volto teso che ho di fronte.

«Sei un altro.» Le parole escono accompagnate da un singhiozzo, e sento una lacrima scendere lenta sulla guancia. «Sei tornato com'eri prima. Come avevi promesso che non saresti più stato.» Mi asciugo la lacrima con un gesto brusco. «Non è così che immaginavo la vita da sposati, Luke.»

In cucina c'è silenzio.

«Neanch'io» dice lui. La sua voce ha un tono ironico, ma lui non sta sorridendo. «Devo andare. Ciao, Becky.»

Si avvia e qualche istante dopo sento sbattere la porta d'ingresso.

Deglutisco più volte, cercando di controllarmi. Ma le lacrime stanno già correndo giù per le guance e mi sento le gambe molli. Scivolo a terra e affondo la testa fra le ginocchia. Se n'è andato. E non mi ha neppure dato un bacio d'addio.

Per un po' non riesco a muovermi. Resto lì, seduta, le braccia strette intorno alle ginocchia, asciugandomi di tanto in tanto gli occhi con la manica. Poi le lacrime si esauriscono e faccio qualche bel respiro profondo. Ora sono più calma, ma quella sensazione di vuoto allo stomaco resta.

Il nostro matrimonio è in pezzi. E non è passato neppure un anno.

Alla fine mi riscuoto e mi alzo in piedi. Mi sento intorpidita, sfasata. A passi lenti vado nella sala da pranzo vuota e silenziosa, al cui centro troneggia il nostro tavolo in legno intagliato.

Al solo vederlo mi viene di nuovo voglia di piangere. Avevo fatto così tanti sogni per questo tavolo, per come sarebbe stata la nostra vita matrimoniale. Le immagini di questi sogni si stanno ammassando nella mia mente: la luce delle candele, io che servo lo stufato, Luke che mi sorride adorante, tutti i nostri amici intorno...

Di colpo provo una nostalgia struggente, quasi fisica. Devo parlare con Suze. Devo sentire la sua voce amichevole. Lei saprà cosa fare. Lei sa sempre cosa fare.

Corro al telefono e compongo in fretta il numero.

«Pronto?» risponde una voce acuta di ragazza, ma non è la voce di Suze.

«Pronto!» dico, colta in contropiede. «Sono Becky. C'è...»

«Ciao, Becky! Sono Lulu. Come stai?»

La sua voce forte e irritante è come carta vetrata sui miei nervi già provati.

«Sto bene» rispondo. «C'è Suze, per caso?»

«Sta sistemando i gemelli sui seggiolini dell'auto. Stiamo andando a fare un picnic a Marsham House. Conosci il posto?»

«Ehm…» Mi sfrego il volto teso. «No. Non lo conosco.»

«Oh, dovresti assolutamente andarci. Cosmo, tesoro, non con la salopette! È una zona protetta dal National Trust. Ed è splendida per i bambini. Ci allevano anche le farfalle.»

«Ah. Fantastico.»

«Ti faccio richiamare fra due secondi, okay?»

«Grazie» rispondo, sollevata. «Mi faresti un gran favore. Dille… dille che ho bisogno di parlarle.»

Vado alla finestra, premo il volto contro il vetro e resto a fissare il traffico in strada. Il semaforo all'incrocio diventa rosso e tutte le macchine si fermano. Poi torna verde e tutte le auto ripartono come razzi. Poi viene di nuovo rosso… e altre auto si fermano.

Suze non ha chiamato. Sono passati più di due secondi.

Non mi chiamerà. Ora vive in un mondo diverso. Un mondo fatto di salopette, picnic e farfalle. Non c'è spazio per me e per i miei stupidi problemi.

Mi sento la testa confusa e pesante per la delusione. So che ultimamente Suze e io non siamo state proprio in ottimi rapporti, ma pensavo… sinceramente pensavo…

Deglutisco.

Forse potrei telefonare a Danny. Solo che gli ho già lasciato almeno sei messaggi e lui non mi ha mai richiamato.

E comunque, non ha importanza. Dovrò cercare di cavarmela da sola.

Con tutta la determinazione che mi riesce di trovare vado in cucina. Mi farò una bella tazza di tè. Sì. E poi vediamo. Accendo il bollitore, metto una bustina nella tazza e apro il frigo.

Niente latte.

Per un attimo mi viene voglia di rimettermi seduta sul pavimento a singhiozzare.

Invece faccio un bel respiro e raddrizzo la testa. Bene. Uscirò a comperare il latte. E farò un po' di provviste. Mi farà bene prendere un po' d'aria fresca e distrarmi.

Afferro la borsa, mi metto un velo di lucidalabbra ed esco dall'appartamento. Varco a passo deciso il cancello e scendo in strada, oltrepasso lo strano negozio che vende mobili dorati ed entro in quello di specialità alimentari all'angolo.

Nell'attimo esatto in cui attraverso la soglia, mi sento subito

234

meglio. È così caldo e accogliente, con un delizioso aroma di caffè e il profumo della zuppa che stanno cuocendo oggi. Tutte le commesse indossano lunghi grembiuli di stoffa a righe, e assomigliano a dei veri maestri caseari francesi.

Prendo un cestino di vimini, mi dirigo verso il banco del latte e afferro due cartoni di latte biologico parzialmente scremato. Poi mi cadono gli occhi su un vasetto di yogurt greco. Potrei comperarmi qualcosa di buono per tirarmi un po' su. Metto lo yogurt nel cesto, insieme a qualche coppetta monodose di mousse al cioccolato. Poi allungo la mano verso un grazioso vasetto di vetro soffiato contenente ciliege sotto spirito.

È uno spreco di denaro, dice una voce severa nella mia testa. *A te non piacciono neppure le ciliege sotto spirito.*

Sembra un po' la voce di Jess. Strano. E comunque, a me piacciono le ciliege sotto spirito. Più o meno.

Scuoto il capo, seccata, e infilo il vasetto nel cesto, poi proseguo verso il banco seguente, dove faccio per prendere una piccola pizza con olive e acciughe.

Porcherie a prezzi scandalosi, riprende la voce nella mia testa. *Potresti prepararla tu stessa a casa spendendo venti pence.*

"Chiudi il becco" replico mentalmente. "No, non potrei. Vattene."

Mollo la pizza nel cesto, e mi sposto fra gli espositori più velocemente, afferrando confezioni di pesche bianche, piccole pere, formaggi, tartufi al cioccolato nero, un dolce francese alle fragole...

Ma la voce di Jess continua a trapanarmi il cervello.

Stai gettando via i soldi. Cosa ne è del tuo budget? Pensi davvero che concedendoti tutte queste cose farai tornare Luke?

«Smettila!» urlo, tutta agitata. Dio, sto impazzendo. Con aria di sfida infilo tre vasetti di caviale russo nel cestino strapieno, e mi avvio barcollando verso la cassa. Mollo i miei acquisti sul banco e faccio per prendere la carta di credito dalla borsa.

La ragazza alla cassa comincia a svuotare il cestino e mi guarda con un sorriso.

«La torta è deliziosa» dice, sistemandola con cura in una scatola. «E pure le pesche bianche. E il caviale!» Sembra colpita. «Dà una festa?»

«No. Non do una festa. Sto solo…»

D'un tratto, non riesco a proseguire.

D'un tratto mi sento una stupida. Guardo la montagna di inutile cibo di lusso, costoso all'eccesso, che passa attraverso il lettore e mi sento arrossire. Cosa sto facendo? Perché sto comperando tutta questa roba? Non ne ho bisogno. Jess ha ragione.

Jess ha ragione. Il solo pensiero mi fa sussultare.

Non voglio pensare a Jess.

Ma non posso farci niente. Non posso sfuggire ai pensieri che mi svolazzano nella testa come cornacchie. Dal nulla spunta la voce severa di Luke. *È una brava persona… è onesta, affidabile e lavora sodo… potresti imparare molto da lei.*

Potresti imparare molto da lei.

E all'improvviso l'idea mi colpisce come un fulmine. Resto lì, immobile, con la testa che mi ronza, il cuore che batte forte.

Oh, mio Dio. Ecco!

Questa è la risposta.

«Fanno centotrenta sterline e settantatré pence.» La cassiera mi sorride. La fisso, stordita.

«Devo andare.»

«Ma… e la sua spesa?»

«Non mi serve.»

Mi volto ed esco incespicando dal negozio, la carta di credito ancora stretta in mano. Arrivo sul marciapiede e faccio dei bei respiri profondi, come se fossi senza fiato.

È tutto chiaro. Devo imparare da Jess.

Come fosse Yoda.

Sarò sua allieva e lei mi insegnerà le sue abitudini frugali. Mi mostrerà come diventare una brava persona, il genere di persona che piace a Luke. E io riuscirò a salvare il mio matrimonio.

Accelero il passo fin quasi a correre. La gente mi guarda, incuriosita, ma io non me ne curo. Devo andare in Cumbria. Adesso.

Faccio di corsa la strada fino a casa, e sempre di corsa salgo tre piani di scale finché mi rendo conto che stanno per esplodermi i polmoni e che non potrei mai farcela ad arrivare fino all'attico. Mi siedo e resto lì a sbuffare come una locomotiva a vapore per qualche minuto, poi prendo l'ascensore per salire i piani che restano. Entro come un razzo nell'appartamento, corro in camera, tiro fuori una valigia rosso fuoco da sotto il letto e comincio a gettarci dentro della roba a caso, come fanno sempre in tivù. Una maglietta... della biancheria... un paio di scarpe turchesi col tacco a rocchetto e i laccetti di strass... voglio dire, non ha importanza ciò che porto con me, giusto? Devo solo andare lassù e ricostruire il mio rapporto con Jess.

Alla fine chiudo la valigia, afferro una giacca, trascino il bagaglio per il corridoio, e da lì fuori, sul ballatoio, quindi mi volto e chiudo la porta d'ingresso con due giri di chiave. Con un'ultima occhiata al battente entro in ascensore, sorretta da questa nuova risoluzione. Da ora in poi sarà tutto diverso. Qui comincia la mia nuova vita. Sto partendo per imparare cosa è realmente importante nella...

Oh. Ho dimenticato la piastra per i capelli.

Istintivamente premo il pulsante d'arresto. L'ascensore, che stava per partire, fa un piccolo sobbalzo risentito ma resta dov'è.

Non posso partire senza la mia piastra. E la lacca.

E il balsamo per le labbra. Senza quello non posso vivere.

Okay, forse dovrò rivedere tutta la strategia non-ha-importanza-ciò-che-porti-con-te.

Mi precipito fuori dall'ascensore, apro la porta d'ingresso e torno in camera. Prendo un'altra valigia da sotto il letto, questa verde acido, e comincio a riempirla.

Ora che ci penso, probabilmente dovrei portare con me dell'altro idratante. E magari uno dei miei nuovi cappelli, se per caso venissi invitata a un matrimonio. Getto degli altri vestiti e un backgammon da viaggio, caso mai sul treno mi annoiassi (e trovassi qualcuno che mi insegni a giocare).

Per ultima prendo la Angel Bag. Mentre mi guardo allo specchio, la voce di Luke mi risuona nella testa, senza alcun preavviso.

Spero solo che quella borsa ne valesse la pena, Becky.

Mi blocco. Per qualche secondo avverto una sensazione di nausea.

Quasi quasi mi viene voglia di lasciarla a casa.

Il che sarebbe assurdo. Come posso lasciare a casa il mio bene più prezioso?

Me la metto a tracolla e mi guardo, cercando di ricreare il desiderio e l'eccitazione che ho provato la prima volta in cui l'ho vista. È una Angel Bag, ricordo a me stessa con aria di sfida. Possiedo uno degli oggetti più desiderati dell'universo. La gente se le contende. Ci sono liste d'attesa in tutto il mondo, per questa.

La sistemo meglio. Per qualche motivo la sento più pesante di prima, sulla spalla. È molto strano. Una borsa non può diventare più pesante, no?

Ah, già. Ci avevo messo dentro il caricabatterie del cellulare. Ecco perché.

Okay. Ora basta. Vado. E porto con me la borsa.

Scendo al piano terra e trascino le valige fuori dal portone. Un taxi con l'insegna accesa sta venendo verso di me a tutta velocità e io lo blocco. Carico le valige, improvvisamente eccitata all'idea di ciò che sto facendo.

«Stazione di Euston, per favore» dico all'autista con voce rotta dall'emozione. «Sto andando a riconciliarmi con mia sorella ritrovata e poi perduta.»

L'autista mi guarda, imperturbabile.

«L'ingresso sul retro, dolcezza?»

Insomma. I tassisti dovrebbero avere un minimo senso del dramma. Ma non glielo insegnano alla scuola di taxi?

Le strade sono sgombre e arriviamo a Euston in dieci minuti. Mentre avanzo barcollando verso la biglietteria, trascinandomi dietro le due valige, mi sembra di essere l'eroina di un vecchio film in bianco e nero. Dovrebbero esserci nuvole di vapore ovunque, lo stridio e il fischio dei treni, io dovrei indossare un tailleur in tweed di ottimo taglio con una stola di pelliccia, e avere i capelli a ricci stretti.

«Un biglietto per la Cumbria, per favore» faccio, con un palpito di emozione, e sbatto una banconota da cinquanta sterline sul banco.

Questo è il momento in cui l'uomo col volto scarno dovrebbe accorgersi di me e offrirmi un cocktail, o togliermi un granello di sabbia dall'occhio. Invece, c'è solo una donna in uniforme di nylon arancione che mi guarda come se fossi un'idiota.

«Cumbria? Dove in Cumbria?»

Ah. Bella domanda. Nel villaggio di Jess c'è una stazione?

E all'improvviso, in un lampo, ricordo. La prima volta che ho visto Jess, lei ha detto che veniva da...

«North Coggenthwaite. Andata e ritorno. Ma non so ancora in che data tornerò.» Le rivolgo un sorriso coraggioso. «Sto andando a riconciliarmi con mia sorella ritrovata e poi...»

«Fanno centosettantasette sterline» mi interrompe la donna senza la minima sensibilità.

Cosa? Quanto? Potrei volare a Parigi con quella cifra.

«Ehm... ecco qui.» E le porgo alcune banconote, frutto della vendita degli orologi di Tiffany.

«Binario nove. Il treno parte fra cinque minuti.»

«Bene. Grazie.»

Mi volto e attraverso l'atrio a passo svelto diretta verso il binario nove. Ma, quando vedo l'enorme Intercity, il mio passo deciso rallenta un po'. La gente scorre come un fiume tutto intorno a me, abbracciando amici, sollevando bagagli, sbattendo le portiere dei vagoni.

Mi fermo. Il cuore mi batte forte e mi sudano le mani. Fino a questo momento sembrava tutto un gioco. Ma non è un gioco. È la realtà. Non riesco a credere che sto per farlo sul serio.

Sto davvero per intraprendere un viaggio di centinaia di chilometri che mi porterà in un luogo sconosciuto... da una sorella che non mi può soffrire?

17

Oh, mio Dio. Eccomi qui.

Sono passate cinque ore e sono proprio su al Nord, in Cumbria, nel villaggio di Jess.

Sto camminando lungo la via principale di Scully, ed è così pittoresca! È proprio come l'aveva descritta Gary, con i muretti a secco e tutto il resto. Su entrambi i lati della strada ci sono vecchie case di pietra con il tetto d'ardesia. Tutt'intorno si ergono ripide colline desolate, con pecore che brucano l'erba fra le rocce che fanno capolino qua e là. E, incombente sopra le altre, c'è un'enorme collina, praticamente una montagna.

Passando davanti a uno splendido cottage in pietra, vedo una tendina di pizzo che si muove e qualcuno che mi guarda, da dietro. Suppongo di dare un po' nell'occhio, con le mie valige dai colori sgargianti. Le rotelle producono un rumore sordo sulla strada, e la cappelliera sbatte su e giù a ogni passo. Supero una panchina su cui sono sedute due anziane signore in abiti a fiori e cardigan. Le due mi guardano con sospetto e vedo che una indica le mie scarpe di camoscio rosa. Rivolgo loro un sorriso cordiale e sto per dire: "Le ho comperate da Barneys!", ma loro si alzano e si allontanano trascinando i piedi e voltandosi di quando in quando a lanciarmi un'occhiata. Avanzo ancora di qualche passo, poi mi fermo, ansimando un po'.

È piuttosto collinoso, eh? Non che ci sia niente di male nelle colline. Per me non è assolutamente un problema.

In ogni caso, potrei fermarmi un istante per ammirare il panorama e riprendere fiato. Il tassista si era offerto di portarmi fino alla porta, ma io gli ho detto che preferivo camminare un po', per scaricare i nervi. E anche per bere di nascosto qualche sorso dalla bottiglietta di vodka che ho comperato sul treno. Sto cominciando a sentirmi un po' nervosa all'idea di rivedere Jess, il che è ridicolo, perché sul treno ho avuto ore per prepararmi.

Ho persino finito col farmi dare qualche consiglio da esperti! Ho fatto un salto alla carrozza ristorante e ho ordinato un Bloody Mary – giusto per farmi coraggio – e c'era un gruppo di attori shakespeariani in tournée con l'*Enrico V*, che bevevano vino e fumavano. Ci siamo messi a chiacchierare e io ho finito col raccontare loro tutta la storia del perché mi trovavo lì e del fatto che stavo andando a riconciliarmi con Jess. E quelli sono impazziti! Hanno detto che era proprio come nel *Re Lear*, hanno ordinato un altro giro di Bloody Mary e insistito per darmi qualche imbeccata per il mio discorso.

Non sono sicura che farò proprio tutto quello che mi hanno suggerito. Come strapparmi i capelli, per esempio, o immolarmi sul pugnale di scena, ma un sacco dei loro consigli mi sono stati di grande aiuto. Come quello di non lasciare mai in ombra un altro attore, cioè non mettersi in modo che lui debba voltare le spalle al pubblico. Hanno convenuto che era la peggior cosa che potessi fare a mia sorella, e in quel caso le possibilità di riconciliazione sarebbero state nulle e che, francamente, non avrebbero potuto biasimarla. Ho fatto notare che non ci sarebbe stato un pubblico, ma loro si sono detti sicuri che si sarebbe radunata una piccola folla.

Il vento mi scompiglia i capelli e sento le labbra screpolarsi sotto la forte brezza del Nord, così tiro fuori il mio balsamo e me ne applico un po'. Poi, con una fitta, prendo il cellulare per la milionesima volta, per controllare se Luke ha chiamato senza che io me ne sia accorta. Ma non c'è segnale. Si vede che qui non c'è copertura. Resto a fissare il piccolo display vuoto, col cuore gonfio di una stupida speranza. Se non c'è segnale, forse lui ha effettivamente cercato di telefonarmi! Magari sta chiamando proprio in questo istante senza riuscire a mettersi in contatto…

Ma dentro di me so che non è così. Sono passate sei ore da

quando è partito. Se avesse voluto chiamare, l'avrebbe già fatto.

Provo un senso di vuoto al ricordo di quanto è accaduto. Il tono duro di Luke, il modo in cui mi ha guardato prima di uscire, deluso, stufo. Le cose che ha detto. La nostra discussione ha continuato a echeggiarmi per tutto il giorno nel cervello, e ora sento la testa calda e pesante.

Con mio grande orrore, mi si riempiono gli occhi di lacrime. Le scaccio sbattendo furiosamente le palpebre, e mi faccio forza. Non ho intenzione di mettermi a piangere. Tutto si risolverà. Riparerò, diventerò un'altra persona, irriconoscibile.

Con determinazione riprendo a trascinare le mie valige su per la salita, finché non arrivo all'angolo di Hill Rise. Lì mi fermo e osservo la schiera di cottage in pietra grigia. Ecco, ci siamo. Questa è la strada dove abita Jess. Lei vive in una di queste case!

Sto per prendere dalla tasca il foglio con l'indirizzo esatto, quando d'un tratto noto un movimento a una finestra del primo piano, in una casa poco più in là. Alzo gli occhi... ed è Jess! È davanti alla finestra, e mi guarda meravigliata.

Nonostante tutto quello che è accaduto fra noi, alla vista del suo volto familiare provo una violenta emozione. Dopotutto, è mia sorella. Comincio a correre lungo la strada, con le valige che rotolano rumorose dietro di me e la cappelliera che sballotta di qua e di là. Arrivo senza fiato alla porta, e sto per sollevare il batacchio quando la porta si apre. Mi trovo davanti Jess in pantaloni di velluto a coste marroncini e una felpa, che mi guarda con espressione inorridita.

«Becky, cosa diavolo ci fai tu qui?»

«Jess, io voglio imparare da te» dico, con voce tremante, alzando le braccia in un gesto supplice come mi hanno suggerito gli attori shakespeariani. «Sono venuta per essere la tua allieva.»

«Cosa?» Fa un passo indietro, inorridita. «Becky, *hai bevuto?*»

«No! Voglio dire, sì. Qualche Bloody Mary, forse... ma non sono ubriaca, te lo giuro! Jess, voglio essere anch'io una brava persona.» Le parole mi escono dalla bocca impetuose. «Voglio imparare da te. E imparare a conoscerti. So di aver fatto degli errori nella mia vita... ma voglio imparare dai miei errori. Jess, io voglio diventare come te.»

Segue un silenzio inquietante. Jess si limita a guardarmi con espressione intensa.

«Vuoi diventare come me? Credevo di essere una miserabile spilorcia, Becky.»

Accidenti. Speravo se lo fosse dimenticato.

«Ehm... mi spiace davvero di aver detto questo» mormoro, confusa. «Non lo pensavo realmente.»

Jess non mi sembra molto convinta. Torno velocemente con la mente agli insegnamenti degli attori, sul treno. «Il tempo ha guarito le ferite fra noi...» attacco, allungando una mano per prendere la sua.

«E invece no!» esclama Jess, ritraendosi. «E tu hai una bella faccia tosta a presentarti qui.»

«Ma io ti chiedo di aiutarmi in quanto sorella!» proseguo, disperata. «Io voglio imparare da te. Tu sei il mio Yoda, e io...»

«*Yoda?*» dice lei, spalancando gli occhi incredula.

«No, non assomigli a Yoda» mi affretto ad aggiungere. «Assolutamente. Intendevo dire...»

«Qualunque cosa volessi dire, non mi interessa, Becky» mi interrompe Jess. «Non mi interessi tu, né questa tua stupida idea. Vattene.»

Chiude la porta con violenza e io resto lì, a fissarla, scioccata. Jess mi ha sbattuto la porta in faccia? A me, sua sorella?

«Ma io sono venuta fin qui da Londra!» grido.

Nessuna risposta.

Non posso arrendermi così.

«Jess!» Comincio a battere sulla porta. «Tu devi farmi entrare! Ti prego! So che abbiamo avuto le nostre divergenze...»

«Lasciami in pace!» Il battente si apre di scatto ed ecco di nuovo Jess sulla soglia. Ma questa volta non ha un'aria ostile. Questa volta è decisamente livida. «Becky, noi non abbiamo soltanto avuto delle divergenze! Noi siamo diverse. Non ho tempo per te. A dirla tutta, vorrei non averti mai conosciuto. E davvero non so cosa tu stia facendo qua.»

«Tu non capisci» grido in fretta, prima che mi chiuda la porta in faccia un'altra volta. «È andato tutto storto. Luke e io abbiamo litigato. Io... io ho fatto una cosa stupida...»

«Questa sì che è una novità» osserva lei, incrociando le braccia.

«So che me la sono andata a cercare.» La mia voce comincia a tremare. «So che è colpa mia. Ma credo che il nostro matrimonio sia in serie difficoltà.»

Pronunciando quelle parole, sento riaffiorare le lacrime. Sbatto le palpebre cercando di tenerle a bada.

«Jess... aiutami, ti prego. Tu sei l'unica persona che può farlo. Se riuscissi a imparare da te, forse Luke si ricrederebbe. Tu gli piaci.» Sento un groppo alla gola, ma mi costringo a guardarla negli occhi. «Gli piaci più di me.»

Jess scuote la testa, ma non saprei dire se è perché non mi crede o perché non le interessa.

«Chi è, Jess?» È una voce alle sue spalle. Una ragazza compare sulla soglia. Ha i capelli dritti color topo, gli occhiali, e tiene in mano un blocco di carta formato protocollo. «È un'altra testimone di Geova?»

«Io non sono una testimone di Geova! Io sono la sorella di Jess!»

«La sorella di Jess?» La ragazza mi osserva, meravigliata, facendo correre lo sguardo sui miei abiti, sulle mie scarpe e le mie due valige.

«Ora capisco cosa intendi» fa a Jess, e poi aggiunge, abbassando appena la voce: «In effetti sembra un po' toccata».

Toccata?

«Io non sono toccata!» ribatto. «E questa cosa non ti riguarda. Jess...»

«Becky, tornatene a casa» dice Jess con voce piatta.

«Ma...»

«Non capisci la mia lingua? Tornatene a casa!» Solleva una mano come se stesse scacciando un cane.

«Ma... ma io sono la tua famiglia!» La mia voce trema. «I familiari si aiutano a vicenda! I familiari si proteggono. *Jess, io sono tua sorella!*»

«Be', non è colpa mia» replica brusca Jess. «Non l'ho chiesto io. Addio, Becky.»

Richiude la porta, così forte che mi ritraggo. Alzo la mano per bussare di nuovo... poi la abbasso. È inutile.

Per qualche istante resto lì a fissare la porta verniciata di marrone. Poi, lentamente, mi volto e ritorno sui miei passi, trascinandomi dietro le valige.

Sono venuta fin quassù per niente.

E ora cosa faccio?

Il pensiero di tornarmene a casa è insopportabile. Tutte quelle ore sul treno... e per cosa poi? Per una casa vuota.

Una casa vuota senza marito.

Al pensiero di Luke non riesco più a controllarmi. Le lacrime cominciano a scendermi sulle guance e mi sfugge un singhiozzo, subito seguito da un altro. Quando arrivo all'angolo, due donne che spingono due carrozzine mi guardano incuriosite, ma io me ne accorgo appena. Sto piangendo troppo forte. Mi si deve essere sciolto tutto il trucco, e non ho una mano libera per prendere il fazzoletto, così sono costretta a tirare su col naso. Devo fermarmi. Devo darmi una calmata.

Alla mia sinistra c'è uno spiazzo erboso, una specie di piccolo parco, con una panchina di legno. Vado verso la panchina, mollo a terra le valige e mi lascio cadere seduta, la testa fra le mani. E lì do libero sfogo alle mie lacrime.

Sono qui, a centinaia di chilometri da casa, tutta sola, e nessuno vuole conoscermi. Ed è solo colpa mia. Ho rovinato tutto.

E Luke non mi amerà mai più.

Ho le spalle scosse dai singhiozzi e faccio fatica a respirare, quando confusamente sento una voce d'uomo sopra la mia testa.

«Allora, cosa c'è?»

Alzo gli occhi velati di lacrime e vedo un uomo di mezza età in pantaloni di velluto a coste e maglione verde che guarda in basso verso di me, con espressione in parte preoccupata e in parte di disapprovazione.

«Cos'è, la fine del mondo?» dice poi, con tono brusco. «Qui ci sono delle persone anziane che cercano di schiacciare un pisolino.» Indica con un gesto della mano i cottage che circondano il piccolo parco. «Stai facendo così tanto rumore che spaventi persino le pecore.»

Fa un gesto in direzione delle colline dove, in effetti, ci sono un paio di pecore che mi scrutano con aria incuriosita.

«Mi dispiace se sto disturbando la quiete» mi scuso, fra i

singhiozzi. «È solo che in questo momento le cose non mi vanno molto bene.»

«Una baruffa con il ragazzo» dichiara lui, come se fosse una conclusione scontata.

«No, veramente sono sposata. Ma il mio matrimonio è in crisi. Anzi, a dire il vero, temo sia finito. E sono venuta fin quassù per vedere mia sorella, ma lei non vuole neppure parlarmi...» Sento che le lacrime ricominciano a bagnarmi le guance. «Mia mamma e mio papà sono via, per una crociera-terapia, e mio marito è andato a Cipro con Nathan Temple, e la mia migliore amica preferisce un'altra persona a me, e io non ho nessuno con cui confidarmi. E non so neppure dove andare! Intendo dire che proprio non so dove andare quando mi alzerò da questa panchina...»

Mi lascio sfuggire un singhiozzo enorme, prendo un fazzoletto di carta e mi asciugo gli occhi. Poi alzo lo sguardo.

L'uomo mi sta fissando come incantato.

«Senti, dolcezza» fa, con tono un po' più gentile, «che ne dici di una tazza di tè?»

«Mi farebbe un gran piacere» farfuglio. «La ringrazio molto.»

L'uomo mi fa strada attraverso il piccolo parco, portando tutte e due le valige come se non pesassero affatto, e io lo seguo un po' malferma con la mia cappelliera.

«A proposito, io sono Jim» dice, voltandosi appena.

«Io sono Becky» rispondo, poi mi soffio il naso. «È molto gentile da parte sua. Avevo intenzione di farmi una tazza di tè a Londra, ma ero rimasta senza latte. In effetti... forse è questo il motivo per cui sono qui.»

«Un bel po' di strada per una tazza di tè» osserva lui, asciutto.

Improvvisamente mi rendo conto che è accaduto solo questa mattina, ma sembrano passate ere.

«Qui non rischiamo di restare senza latte» aggiunge, precedendomi in un cottage sul cui ingresso è scritto a lettere nere "Scully Stores". Come entriamo un campanello si mette a tintinnare e da qualche parte sul retro mi giunge l'abbaiare di un cane.

«Oh.» Mi guardo attorno con rinnovato interesse. «Questo è un negozio!»

«Questo è *il negozio*» mi corregge lui. Posa le valige e con gentilezza mi allontana dal tappetino, al che il campanello smette di tintinnare. «È della mia famiglia da quarantacinque anni.»

«Accipicchia.» Osservo il negozietto. C'è una scaffalatura per il pane fresco, mensole con scatolette e pacchetti allineati con ordine, vecchi vasi pieni di dolci e un espositore con cartoline e articoli da regalo. «Ma è bellissimo! Dunque lei è... il signor Scully?»

Jim mi rivolge un'occhiata piuttosto indignata.

«Scully è il nome del villaggio in cui ci troviamo, dolcezza.»

«Ah, sì. Me n'ero dimenticata» faccio io, arrossendo.

«Io mi chiamo Smith. E credo che tu abbia proprio bisogno di quella tazza di tè. Kelly?» chiama, alzando la voce. Un attimo dopo dalla porta sul retro compare una ragazza. È magrissima, sui tredici anni, porta i capelli fini raccolti in una coda di cavallo e ha gli occhi truccati con cura. Stringe fra le mani una copia di "Heat".

«Stavo badando al negozio, papà, te lo giuro» dice immediatamente. «Sono salita un attimo a prendere la rivista.»

«Non c'è problema, tesoro. Vorrei che preparassi una bella tazza di tè per questa signora. Ha avuto qualche... difficoltà.»

«Ah.» Kelly mi osserva con evidente curiosità prima di scomparire di nuovo sul retro. D'un tratto mi viene in mente che devo avere un aspetto orribile.

«Vuoi sederti?» mi chiede Jim, avvicinando una sedia.

«Grazie» rispondo, riconoscente. Poso la cappelliera e frugo nella mia Angel Bag alla ricerca dell'astuccio dei trucchi. Apro lo specchietto e mi guardo... oh, Dio, non ho mai avuto un aspetto peggiore in vita mia. Ho il naso tutto rosso, gli occhi iniettati di sangue, l'eyeliner sbavato che mi fa due occhi da panda, e un baffo di ombretto turchese a lunga durata finito chissà come di traverso su una guancia.

Mi affretto a tirare fuori una salvietta detergente e a pulire via tutto finché la mia faccia, arrossata e struccata, mi guarda sconsolata dallo specchio. Una parte di me è tentata di lasciare le cose come stanno. Perché dovrei truccarmi? A che scopo, se il mio matrimonio è finito?

«Ecco qua.» Una tazza fumante di tè compare davanti a me sul banco. Alzo gli occhi e vedo Kelly che mi osserva curiosa.

«Mille grazie. Sei molto gentile.»

«Di niente» risponde Kelly, mentre io bevo il primo sorso, delizioso. Dio, una tazza di tè è la soluzione a qualunque problema.

«Quella è…» Alzo lo sguardo e vedo che Kelly sta fissando la mia borsa con due occhi grandi come piatti. «Quella è una vera Angel Bag?»

«Sì. È una vera Angel Bag.»

«Papà, ha una Angel Bag!» esclama Kelly rivolta a Jim, il quale sta tirando fuori dei sacchetti di zucchero da uno scatolone. «Te le ho fatte vedere su "Glamour", ricordi?» Ha gli occhi che le brillano per l'eccitazione. «Tutte le stelle del cinema ne hanno una! Da Harrods sono esaurite. Tu dove l'hai trovata?»

«A… Milano» rispondo, dopo una breve esitazione.

«Milano!» ripete Kelly quasi senza fiato. «Oh, che forte!» Ora i suoi occhi si sono posati sul contenuto del mio astuccio dei trucchi. «Quello è un lucidalabbra di Mac?»

«Ehm… sì.»

«Emily Masters ha un lucidalabbra di Mac» dice, con aria sognante. «Quella è così convinta...»

Guardo i suoi occhi illuminati, le guance accese e, all'improvviso, con un gran rimpianto, vorrei avere di nuovo tredici anni. Andare per negozi il sabato a spendere la mia paghetta, con nessuna preoccupazione al mondo tranne fare il compito di biologia e chiedermi se piaccio a James Fullerton.

«Tieni… prendi questo» dico, frugando nella borsetta alla ricerca di un lucidalabbra nuovo al pompelmo. «Io non lo userò mai.»

«Davvero?» Kelly è estasiata. «Ne sei sicura?»

«Vuoi anche questo fard in crema?» Le porgo la scatoletta. «Non che tu ne abbia bisogno.»

«Uau!»

«Ehi, un momento.» La voce di Jim arriva dall'altra parte del negozio. «Kelly, non puoi prendere tutti i cosmetici di questa signora.» Scuote leggermente il capo all'indirizzo della figlia. «Restituisciglieli, tesoro.»

«Ma me li ha offerti lei!» ribatte Kelly, e la sua pelle luminosa si tinge di rosa. «Non è che glieli abbia chiesti io...»

«Davvero, Jim. Kelly li può tenere. Io non li userò mai» aggiungo con una risata incerta. «Li ho comperati solo perché ti davano un profumo in omaggio se spendevi più di ottanta sterline...»

All'improvviso mi ritornano le lacrime agli occhi. Dio, Jess ha ragione. Sono proprio pazza.

«Ti senti bene?» chiede Kelly, preoccupata. «Riprendili...»

«No, sto bene» rispondo, sforzandomi di sorridere. «Ho solo bisogno di... pensare a qualcos'altro.»

Mi asciugo gli occhi con un fazzoletto di carta, mi alzo in piedi e vado alla vetrina contenente gli articoli da regalo. Tanto vale che comperi qualche souvenir, mentre sono qui. Prendo una rastrelliera per pipe per papà e un vassoio di legno che alla mamma piacerà moltissimo. Sto guardando un modellino di vetro del lago Windermere, pensando se sia il caso di prenderlo per Janice, quando noto due donne ferme davanti alla vetrina. Mentre le osservo, a loro se ne unisce una terza.

«Cosa aspettano?» chiedo, incuriosita.

«Questo» risponde Jim. Guarda l'orologio e poi espone un cartello con su scritto "Pane di giornata a metà prezzo".

Immediatamente le donne si affrettano a entrare.

«Io prendo due pagnotte ai cereali, Jim» dice una con i capelli grigi e un impermeabile beige. «Hai dei croissant scontati, per caso?»

«Oggi no. Prezzo pieno.»

«Oh.» La donna ci pensa un attimo. «No, lascia stare.»

«Io vorrei tre forme integrali grandi» dice un'altra, con un foulard verde. «Chi è questa?» domanda, gesticolando col pollice nella mia direzione. «L'abbiamo vista piangere nel parco. È una turista?»

«Si perdono sempre» dice la prima donna. «In che albergo sta, cara? Ma parla inglese?»

«Sembra danese» sentenzia la terza donna, con l'aria di chi sa. «Chi parla danese?»

«Sono inglese» dico, «e non mi sono persa. Ero sconvolta

perché...» mi interrompo per deglutire. «Perché il mio matrimonio è in crisi. E sono venuta qui per chiedere aiuto a mia sorella, ma lei non me l'ha voluto dare.»

«Sua sorella?» fa la donna col foulard, insospettita. «Chi è sua sorella?»

«Vive in questo villaggio» dico, prendendo un sorso di tè. «Si chiama Jessica Bertram.»

Nel negozio cala un silenzio imbarazzato. Le donne hanno un'aria come se avessi dato loro una martellata sulla testa. Mi guardo attorno, confusa, e vedo che a Jim è caduta la mascella.

«Sei la sorella di Jess?» dice.

«Be'... sì. La sua sorellastra.»

Mi guardo attorno, ma nessuno si è mosso. Continuano a guardarmi come se fossi una creatura aliena.

«So che noi siamo un po' diverse all'apparenza, ma...»

«Ha detto che eri pazza» dice Kelly, franca.

«Kelly!» la riprende Jim.

«Cosa?» Guardo da uno all'altra. «Cos'ha detto?»

«Niente!» dice Jim, lanciando un'occhiata di ammonimento alla figlia.

«Sapevamo tutti che doveva incontrare la sorella che non aveva mai conosciuto» prosegue Kelly, ignorandolo. «E quando è tornata, ha detto che sei pazza. Mi spiace, papà, ma è vero.»

Sento che le guance mi stanno diventando rosse rosse.

«*Io non sono pazza!* Io sono normale! Sono solo... un po' diversa da Jess. Ci interessano cose differenti. A lei piacciono le pietre. A me... i negozi.»

Tutti i presenti mi osservano con curiosità.

«Dunque lei non è interessata alle pietre?» chiede la donna con il foulard verde.

«Veramente no» ammetto. «A dire il vero... questa è stata una causa di attrito fra noi.»

«Cosa è successo?» chiede Kelly, a bocca aperta.

«Be'...» Striscio il piede avanti e indietro sul pavimento, imbarazzata. «Ho detto a Jess che in vita mia non avevo mai sentito parlare di un hobby più noioso delle pietre, e che era proprio adatto a lei.»

Si sente una corale esclamazione d'orrore.

«Non bisogna toccarle le pietre, a Jess» dice la signora con l'impermeabile beige, scuotendo la testa. «Lei adora le sue rocce, poverina.»

«Jess è una brava ragazza» aggiunge la terza donna, lanciandomi un'occhiata severa. «Risoluta. Affidabile. Sarebbe un'ottima sorella.»

«Io non chiederei di meglio» conviene la donna col foulard verde, annuendo convinta.

I loro sguardi mi fanno sentire sotto accusa.

«Non è colpa mia! Io voglio fare pace, ma a lei non interessa farmi da sorella! Non so come mai è andato tutto così storto. Io volevo che diventassimo amiche. Avevo organizzato apposta un fine settimana, ma a lei non andava bene nulla. E aveva sempre quell'aria di disapprovazione... abbiamo finito col litigare... e io le ho detto un sacco di cose sgradevoli...»

«Tipo?» chiede Kelly, avida.

«Be'...» mi sfrego il naso, «le ho detto che era una lagna. Una vera noia.»

Un'altra esclamazione inorridita. Kelly sembra quasi sopraffatta dall'orrore e leva una mano come per fermarmi. Ma io non voglio fermarmi. È un momento catartico. Ora che ho cominciato, voglio confessare ogni cosa.

«... e la persona più pidocchiosa che avessi mai conosciuto in vita mia» proseguo, spronata dai loro volti attoniti. «Con zero senso dell'eleganza, e che doveva aver subito una lobotomia...»

Mi interrompo, ma questa volta non si sente volare una mosca. Sembrano tutti di ghiaccio.

Improvvisamente avverto un tintinnio nell'aria. Un tintinnio che, ora che ci penso, va avanti da qualche secondo. Lentamente mi volto.

E avverto una sensazione di gelo lungo la schiena.

Jess è ferma sulla soglia, pallidissima in volto.

«Jess!» esclamo balbettando. «Dio, Jess! Io non... non intendevo... stavo solo spiegando...»

«Ho saputo che eri qui» dice lei, facendo uno sforzo evidente per parlare. «Sono venuta a vedere se stavi bene, se volevi un letto per la notte. Ma... credo di aver cambiato idea.» Mi guarda negli occhi. «Sapevo che eri viziata e superficiale,

Becky, ma non mi ero resa conto di quanto fossi stronza e ipocrita.»

Si volta ed esce a grandi passi, chiudendosi la porta alle spalle con forza.

Kelly è tutta rossa in viso, il volto di Jim è contorto in una smorfia. L'aria è carica d'imbarazzo.

Poi la donna col foulard verde incrocia le braccia. «Be'» dice, «l'ha fatta proprio grossa, eh, dolcezza?»

Sono in stato di shock.

Sono venuta fin quassù per riconciliarmi con Jess... e sono solo riuscita a peggiorare le cose.

«Ecco qua, cara» e Jim mi mette davanti una nuova tazza di tè. «Tre cucchiaini di zucchero.»

Anche le tre donne stanno bevendo il tè, e Jim ha tirato fuori una torta. Ho la sensazione che si aspettino che faccia qualcos'altro di divertente.

«Io non sono una stronza ipocrita» dico, disperata, e bevo un sorso di tè. «Davvero! Io sono gentile. Sono venuta qui per ricucire lo strappo. So che Jess e io non andiamo d'accordo, ma volevo imparare da lei. Pensavo potesse insegnarmi a salvare il mio matrimonio...»

Nel negozio si sente un sospiro.

«Anche il suo matrimonio è in crisi?» chiede la donna col foulard verde, rivolgendosi a Jim, e fa schioccare la lingua. «Oh, poverina.»

«È scappato con l'amante, eh?» domanda la donna dai capelli grigi con tono lugubre.

Jim mi lancia un'occhiata, poi si sporge verso le donne, e dice, abbassando la voce: «A quanto pare è scappato a Cipro con un uomo che si chiama Nathan».

«Oh!» La donna coi capelli grigi spalanca gli occhi. «*Oh, capisco.*»

«Cosa farai, Becky?» dice Kelly, mordendosi il labbro.

Me ne torno a casa. Lascio perdere.

Ma ho ancora negli occhi il volto pallido di Jess, e provo una fitta al cuore. Io so cosa significhi sentirsi sfottere. Io ne ho conosciute di stronze, in vita mia. L'immagine di Alicia la

Stronza dalle Gambe Lunghe mi attraversa la mente, la ragazza più meschina e maligna che abbia mai conosciuto.

Non sopporto l'idea che mia sorella mi consideri come lei.

«Devo scusarmi con Jess» dico, alzando lo sguardo. «So che non saremo mai amiche, ma non posso andare a casa e lasciare che lei pensi cose orribili sul mio conto.» Bevo un sorso ustionante di tè. «C'è un posto dove posso passare la notte, da queste parti?»

«Edie gestisce un bed and breakfast» dice Jim, indicando la donna con il foulard. «Hai delle stanze libere, Edie?»

Edie fruga nell'enorme borsa marrone, tira fuori un'agenda e la consulta.

«Lei è fortunata. Mi è rimasta una singola di categoria superiore.»

«Edie si prenderà cura di te» dice Jim, con un tono così gentile che mi tornano le lacrime.

«Potrei averla per questa notte?» chiedo, asciugandomi gli occhi. «Mille grazie.» Bevo un altro sorso di tè, poi noto la tazza. È di porcellana blu con su scritto a mano in bianco "Scully". «Che bella. Sono in vendita?»

«Sullo scaffale in fondo al negozio» fa Jim, guardandomi divertito.

«Posso averne due? Anzi, quattro?» Prendo un fazzoletto e mi soffio il naso. «E... volevo ringraziarvi. Siete stati tutti così gentili!»

Il bed and breakfast è una grande casa bianca proprio di fronte al piccolo parco. Jim porta le valige, io la cappelliera e il sacchetto pieno di souvenir. Edie ci segue, declinando una serie di regole che devo rispettare.

«Niente visite dopo le undici... mai più di tre persone nella stanza... pagamento anticipato, in contanti o con assegno, molto obbligata» conclude, quando arriviamo alla porta illuminata.

«Se la cava da sola, adesso, Becky?» dice Jim, posando le mie valige.

«Sì. E grazie mille!» Sono così riconoscente che quasi mi verrebbe voglia di dargli un bacio. Ma non oso e così resto a guardarlo mentre si allontana sull'erba.

«Molto obbligata» ripete Edie, eloquente.

«Oh!» Mi rendo conto che vuole essere pagata. «Ma certo!»

Frugo nella borsa per prendere il borsellino e le mie dita sfiorano il cellulare. Per abitudine lo tiro fuori e osservo il display. Ma non c'è segnale.

«Può usare il telefono a pagamento nel corridoio se vuole chiamare qualcuno» mi fa Edie. «Abbiamo una cappa retrattile per la privacy.»

C'è qualcuno che voglio chiamare?

Con una fitta di nostalgia penso a Luke, a Cipro, ancora furioso con me. Penso alla mamma e a papà, totalmente assorbiti dalla loro terapia di gruppo in crociera. Penso a Suze impegnata a fare picnic su qualche pittoresco prato baciato dal sole, in compagnia di Lulu, circondate da tutti i loro bambini in salopette.

«No. Non importa» dico, sforzandomi di sorridere. «Non voglio chiamare nessuno. A essere sincera… non si saranno neppure accorti che sono partita.»

5 giugno 03 16.54
per Becky
da Suze

Bex, mi dispiace di aver perso la tua chiamata.
Perché non rispondi al telefono?
Picnic disastroso. Siamo stati tutti punti dalle vespe.
Mi manchi. Sto venendo a Londra a trovarti. Chiamami.

Suzexxx

6 giugno 03 11.02
per Becky
da Suze

Bex. Dove sei????????????

Suzexxx

18

Non ho dormito bene.

Anzi, non sono neppure sicura di aver dormito. Mi sembra di aver passato tutta la notte a fissare il soffitto della camera, con la mente che continua a girare in tondo.

Ma devo essermi appisolata per un po' perché, quando mi sveglio la mattina, ho ancora nella testa il ricordo di un sogno terribile in cui mi ero trasformata in Alicia la Stronza dalle Gambe Lunghe. Indossavo un tailleur rosa e ridevo con un'orribile aria di scherno all'indirizzo di Jess, pallida e sconvolta. A dire il vero, ora che ci penso, Jess mi assomigliava un po'.

Il solo pensiero mi mette ansia. Devo fare qualcosa.

Non ho fame, ma Edie mi ha preparato una colazione all'inglese in piena regola, e non si scompone quando le dico che solitamente mangio solo una fetta di pane tostato. Così mangiucchio un po' di uova col bacon, e fingo di assaggiare il sanguinaccio, poi, dopo un'ultima sorsata di caffè, esco a cercare Jess.

Risalgo la collina verso casa sua, col sole del mattino negli occhi e un vento fresco che mi scompiglia i capelli. È la giornata giusta per fare pace. Aria fresca, pulita.

Arrivo alla porta d'ingresso, suono il campanello e aspetto, col cuore che batte forte.

Non c'è risposta.

Insomma, sono proprio stufa di non trovare la gente a casa quando io ho in mente un commovente ricongiungimento. Alzo gli occhi e scruto le finestre, chiedendomi se per caso Jess non si stia nascondendo. Forse dovrei lanciare qualche sasso-lino contro i vetri.

E se ne rompo uno? Allora sì che mi odierebbe davvero.

Suono il campanello qualche altra volta, poi ritorno sui miei passi. Tanto vale che aspetti. Non è che abbia molto altro da fare. Mi siedo sul muretto e mi metto comoda. Va bene. Aspetterò, e quando lei rientrerà a casa, salterò in piedi e le dirò quanto mi dispiace.

Il muretto non è poi così comodo come mi era parso sulle prime, e mi sposto parecchie volte, cercando di trovare una buona posizione. Guardo l'orologio, controllo che funzioni, poi osservo una vecchietta che avanza lentamente col suo cagnolino lungo il marciapiede sull'altro lato della strada.

Poi guardo di nuovo l'orologio. Sono passati cinque minuti. Che palle.

Come diavolo fanno gli investigatori privati? Non si annoiano a morte?

Mi alzo per sgranchirmi le gambe e mi avvicino alla casa di Jess. Suono il campanello, per sicurezza, quindi me ne torno al muretto. In quel momento, noto un poliziotto che viene verso di me. Cosa ci fa qui un poliziotto, per strada? Pensavo se ne stessero alla scrivania sommersi dalle scartoffie o schizzassero a bordo delle volanti nelle aree cittadine degradate.

Quando vedo che guarda proprio nella mia direzione, provo un piccolo moto di apprensione. Ma io non sto facendo niente di male, no? Voglio dire, non è che sorvegliare sia contro la legge.

D'accordo. Forse è contro la legge. Ma io sono qui solo da cinque minuti. E comunque, come fa a sapere che sto sorvegliando qualcuno? Potrei starmene seduta qui per puro diletto.

«Tutto bene?» mi chiede, avvicinandosi.

«Benissimo, grazie!»

Il poliziotto mi guarda, come se aspettasse.

«C'è qualche problema?» chiedo, educatamente.

«Potrebbe spostarsi, signorina? Questa non è una panchina pubblica.»

Provo una fitta di risentimento.

«Perché dovrei?» rispondo, baldanzosa. «Ecco cosa non va in questo paese! Chiunque non si conformi viene perseguito!

Perché non posso starmene seduta su un muretto senza venire infastidita?»

«Questo è il mio muretto» dice, e indica la porta d'ingresso. «Questa è casa mia.»

«Oh.» Arrossisco violentemente e salto in piedi. «Io... io stavo andando. Grazie! È proprio un gran bel muretto!»

Okay. Lasciamo perdere il mio appostamento. Dovrò tornare più tardi.

Ridiscendo la collina verso il piccolo parco, e mi trovo a svoltare verso il negozio. Quando entro, Kelly sta leggendo una copia di "Elle" dietro al banco, mentre Jim sta sistemando delle mele sugli scaffali.

«Sono andata da Jess» mormoro, mogia, «ma lei non c'era. Dovrò aspettare che torni.»

«Vuoi che ti legga l'oroscopo?» mi propone Kelly. «Vediamo se dice qualcosa a proposito delle sorelle?»

«Signorina» interviene Jim con tono di rimprovero, «tu dovresti prepararti per gli esami. Se non stai studiando, va' ad aiutare alla caffetteria.»

«No!» si affretta a rispondere Kelly. «Sto ripassando.» Mi fa una smorfia, mette via "Elle" e prende un libro intitolato *Primi elementi di algebra*.

Dio, l'algebra. Mi ero totalmente dimenticata che esistesse. Forse non sono poi così scontenta di non avere più tredici anni.

Ho bisogno di zuccheri, così vado verso lo scaffale dei dolci e prendo una scatola di biscotti al cioccolato e degli Orange Club. Poi mi sposto allo scaffale della cancelleria. Io adoro la cancelleria, e non ne ho mai abbastanza. Agguanto una scatoletta di puntine da disegno a forma di pecora, che possono sempre tornare utili. Già che ci sono, potrei anche prendere la pinzatrice e alcune cartelline coordinate.

«Tutto bene, lì?» dice Jim, lanciando un'occhiata alle mie braccia cariche di roba.

«Sì, grazie!»

Porto la merce alla cassa, dove Kelly batte il prezzo.

«Vuoi una tazza di tè?»

«Oh, no grazie. Non voglio disturbare. Non voglio essere d'impiccio.»

«Impiccio a cosa?» ribatte lei. «Non verrà nessuno fino alle quattro, quando il pane viene ribassato. E puoi darmi una mano col francese.»

«Ah, be'» faccio io, illuminandomi. «Se posso esserti d'aiuto…»

Tre ore dopo sono ancora lì. Ho bevuto tre tazze di tè, mangiato mezzo pacchetto di biscotti al cioccolato e una mela, e ho fatto una bella scorta di regalini per i miei, tipo un set di tazze e delle tovagliette all'americana, che possono sempre servire.

E poi ho aiutato Kelly a studiare. Solo che adesso siamo passate dall'algebra e dai vocaboli di francese all'abbigliamento per la festa della scuola. Abbiamo sfogliato tutte le riviste, e le ho truccato un occhio in modo diverso dall'altro per farle vedere quali sono le possibilità. Un lato è molto drammatico, tutto sulle sfumature del grigio, con delle ciglia finte che ho trovato in fondo alla borsetta dei trucchi, l'altro è sui toni argentei anni Sessanta, con un mascara tipo era spaziale.

«Fa' in modo che tua madre non ti veda conciata così» continua a dire Jim ogni volta che ci passa accanto.

«Se solo avessi l'occorrente» mi rammarico, studiando il volto di Kelly con aria critica, «potrei farti una coda di cavallo fantastica.»

«È incredibile!» esclama Kelly rimirandosi allo specchio.

«Hai dei bellissimi zigomi» le dico, e li ritocco con una spolverata di fard lucente.

«È così divertente!» Kelly mi guarda con occhi scintillanti. «Oh, come vorrei che tu vivessi qui, Becky! Potremmo farlo ogni giorno!»

È talmente entusiasta che mi sento assurdamente commossa.

«Be'… chi lo sa. Forse tornerò. Se faccio pace con Jess.»

Ma al pensiero di Jess i miei propositi si sgretolano. Più passa il tempo, più mi sento nervosa all'idea di rivederla.

«Volevo truccare così anche Jess» aggiungo, con una punta di rammarico. «Ma a lei non interessava.»

«Be', allora è proprio stupida» fa Kelly.

«No, non è stupida. È solo che le piacciono cose diverse.»

«È un tipo permaloso» dice Jim, passandoci accanto con

delle bottiglie di succo di ciliegia. «È difficile credere che voi due siate sorelle.» Posa le bottiglie e si asciuga la fronte. «Forse dipende dall'educazione. Jess ha avuto un'infanzia piuttosto difficile.»

«Allora conosci la sua famiglia?» Alzo lo sguardo, interessata.

«Già.» Jim annuisce. «Non bene, ma li conosco. Ho avuto rapporti d'affari col padre di Jess. È proprietario della Bertram Foods. Vive a Nailbury, sette o otto chilometri da qui.»

D'un tratto muoio dalla voglia di sapere. Jess non mi ha raccontato molto della sua famiglia, e i miei genitori non sembravano saperne più di me.

«Allora... che gente è?» chiedo, con noncuranza.

«Come ho detto, ha avuto una vita piuttosto difficile. La mamma è morta quando lei aveva quindici anni. Un'età problematica per una ragazza.»

«Non lo sapevo!» esclama Kelly, spalancando gli occhi.

«E suo padre...» Jim si appoggia con espressione pensosa al bancone. «È un brav'uomo. Un uomo retto. Di successo. Ha creato la Bertram Foods dal niente, lavorando sodo. Ma non è quello che si potrebbe definire... espansivo. Ha sempre trattato Jess con la stessa durezza con cui trattava i figli maschi. Voleva che se la cavassero da soli. Ricordo quando lei ha cominciato a frequentare le superiori. È riuscita a entrare alla scuola di Carlisle. Un istituto molto selettivo.»

«Anch'io ci ho provato» dice Kelly con una smorfia. «Ma non ci sono riuscita.»

«È una ragazza intelligente, quella Jess» prosegue Jim, scuotendo il capo in segno di ammirazione. «Doveva prendere tre autobus ogni mattina per arrivare a scuola. Io passavo davanti alla fermata per venire qua... e me la ricordo. Il mattino presto, con la nebbia, non un'anima in giro, e Jess impalata alla fermata dell'autobus con quella sua enorme cartella. Allora non era una ragazzona alta e forte come adesso. Era piccola e magrolina.»

Fa una pausa, ma io non trovo le parole. Sto pensando che mamma e papà mi accompagnavano a scuola in macchina ogni giorno, anche se non era poi così lontana.

«Devono essere ricchi» dice Kelly, frugando nella mia borsetta dei trucchi «se possiedono la Bertram Foods. Noi compriamo tutte le torte surgelate da loro» aggiunge, rivolgendosi a me. «E anche i gelati. Hanno un catalogo fornitissimo.»

«Oh, sono benestanti» conferma Jim, «ma sono sempre stati attenti ai soldi.» Apre un cartone di zuppe istantanee e comincia a sistemarle su una mensola. «Bill Bertram se n'è sempre vantato. Diceva che i suoi figli la paghetta se la guadagnavano.» S'interrompe, con una manciata di bustine di zuppa al pollo e funghi nella mano. «E se non riuscivano a pagarsi una gita scolastica o quel che era... non ci andavano. Semplice.»

«Gita scolastica?» Lo guardo a bocca aperta. «Ma lo sanno tutti che sono i genitori a doverle pagare!»

«Non per i Bertram. Voleva insegnare loro il valore del denaro. Un anno girava la voce che uno dei ragazzi era l'unico a non andare allo spettacolo della scuola. Non aveva i soldi, e suo padre non ha voluto darglieli.» Jim riprende a sistemare le zuppe. «Non so se fosse vero. Ma non mi sorprenderebbe.» Lancia un'occhiata severa in direzione di Kelly. «Tu hai proprio una vita facile, signorina.»

«Io faccio dei lavoretti!» replica lei, pronta. «Guarda! Sono qui ad aiutarti, no?»

Prende della gomma da masticare dall'espositore dei dolciumi, la scarta, la mette in bocca e poi si rivolge a me. «Ora, io trucco te, Becky!» Fruga nella borsetta. «Hai del fard?»

«Ehm, sì. Da qualche parte» rispondo, distrattamente.

Sto ancora pensando a Jess alla fermata dell'autobus, pallida e magra.

Jim sta schiacciando coi piedi la scatola vuota delle zuppe istantanee. Si volta e mi lancia una lunga occhiata.

«Non ti preoccupare, dolcezza. Farai pace con Jess.»

«Forse.» Mi sforzo di sorridere.

«Siete sorelle. Siete una famiglia. E le famiglie si rimettono sempre insieme per aiutarsi.» Lancia un'occhiata fuori attraverso la vetrina. «Ah, sono arrivate presto, oggi.»

Seguo il suo sguardo e vedo due anziane signore che indugiano davanti al negozio. Una strizza gli occhi per vedere meglio il pane esposto, poi si volta verso l'altra scuotendo la testa.

«Ma c'è qualcuno che compera il pane a prezzo pieno?» chiedo.

«Non in questo villaggio» dice Jim. «A parte i turisti. Ma qui non ne arrivano molti. Più che altro si tratta di alpinisti che vogliono tentare la scalata dello Scully Pike. E con loro non c'è grande richiesta di pane. Solo servizi di soccorso.»

«Cosa intendi dire?» chiedo, incuriosita.

«Quando quegli stupidi si mettono nei guai.» Jim si stringe nelle spalle e fa per prendere il cartello del pane a metà prezzo. «Pazienza. Ormai sono arrivato a considerare il pane un articolo civetta.»

«Ma è così buono, quando è fresco!» esclamo, guardando la fila di pagnotte rigonfie. Improvvisamente provo una gran pena per loro, come fossero ragazze cui nessuno chiede di ballare a una festa. «Ne compro un po' io. A prezzo pieno» aggiungo.

«Ma sto per ribassarlo» replica Jim.

«Non mi interessa. Prendo due pagnotte bianche e una integrale.» Vado all'espositore del pane e afferro le pagnotte.

«Cosa te ne fai di tutto quel pane?» chiede Kelly.

«Non lo so. Potrei tostarlo.» Le porgo qualche moneta da una sterlina e lei infila le tre pagnotte in un sacchetto di carta, ridendo.

«Jess ha ragione. Sei proprio pazza. Posso truccarti gli occhi, adesso? Come li vuoi?»

«Presto arriveranno le clienti» la avverte Jim. «Sto per esporre il cartello.»

«Le truccherò solo un occhio» decide Kelly, prendendo la scatoletta degli ombretti. «Poi, quando se ne saranno andate, farò l'altro. Preparati, Becky.»

Comincia a spennellare ombretto su una palpebra e io chiudo gli occhi, godendomi la sensazione. Mi è sempre piaciuto farmi truccare.

«Okay» dice. «Ora metto un po' di eyeliner. Stai ferma...»

«Ho appeso il cartello» dice la voce di Jim. Dopo qualche istante sento il familiare tintinnio, e il rumore di gente che entra nel negozio.

«Ehm... non aprire ancora gli occhi, Becky.» Kelly mi sembra un po' allarmata. «Non sono sicura di aver fatto bene...»

«Fammi vedere!»

Apro gli occhi e afferro lo specchietto. Uno dei miei occhi è un guazzo di ombretto rosa, con una tremolante riga rossa che attraversa la parte superiore della palpebra. Sembra che abbia una qualche orribile malattia.

«Kelly!»

«L'ho letto su "Elle"!» dice lei, per giustificarsi, indicando la foto di una modella sulla passerella. «È di moda il rosa col rosso!»

«Ma sembro un mostro!» Non posso fare a meno di scoppiare a ridere vedendo la mia faccia asimmetrica. Non sono mai stata così brutta in vita mia. Alzo lo sguardo per vedere se qualcuna delle clienti si è accorta di noi, e la mia risata si spegne.

Jess sta entrando nel negozio.

Quando i suoi occhi incontrano i miei, sento lo stomaco contrarsi per l'apprensione. È così fredda e ostile... ben diversa da un'adolescente pelle e ossa. Per qualche istante ci fissiamo in silenzio. Lo sguardo di Jess corre sprezzante sulle riviste, la borsetta dei trucchi aperta e i cosmetici sparsi per il bancone. Poi si volta e, senza dire una parola, comincia a frugare nel cesto delle lattine a metà prezzo.

La confusione si è placata, e ora nel negozio c'è silenzio. Ho la sensazione che tutti sappiano esattamente cosa sta succedendo.

Devo dire qualcosa, anche se mi batte forte il cuore per la paura.

Lancio un'occhiata a Jim, che mi rivolge un cenno del capo in segno di incoraggiamento.

«Ehm... Jess» comincio, «questa mattina sono venuta da te. Volevo spiegarti...»

«Non c'è niente da spiegare.» Fruga fra le lattine con gesti bruschi, senza neanche guardarmi. «Non so cosa tu ci faccia ancora qui.»

«Stiamo giocando a truccarci, non è vero, Becky?» risponde Kelly, leale.

Le lancio uno sguardo riconoscente, ma la mia attenzione è tutta per Jess.

«Sono rimasta perché voglio parlarti. Voglio... scusarmi. Posso invitarti fuori a cena, stasera?»

«Non avrei mai pensato di essere abbastanza ben vestita per venire a cena con te, Becky» ribatte lei con tono neutro. Ha sempre quella sua espressione calma e risoluta, ma capisco che dentro è ferita.

«Jess…»

«E comunque ho da fare.» Jess molla tre lattine tutte ammaccate sul banco, insieme a una che ha perso l'etichetta e costa dieci pence. «Sai cos'è, questa, Jim?»

«Cocktail di frutta, credo. Ma potrebbe essere anche carota…»

«Okay, la prendo.» Mette qualche moneta sul banco e tira fuori dalla tasca una borsa di plastica tutta stropicciata. «Non mi serve la borsa. Grazie.»

«Un'altra sera, allora!» propongo, disperata. «Oppure a pranzo…»

«Becky, lasciami in pace.»

Esce a passo deciso dal negozio e io resto lì, col volto che formicola, quasi fossi stata schiaffeggiata. Pian piano il silenzio si trasforma in un mormorio che, a sua volta, diventa un cicaleccio animato. Sento su di me lo sguardo curioso delle clienti quando vengono alla cassa a pagare, ma non me ne curo.

«Tutto bene, Becky?» dice Kelly, sfiorandomi un braccio con fare incerto.

«Ho fatto fiasco.» Alzo le braccia in gesto di sconfitta. «L'hai vista.»

«È sempre stata un tipino ostinato» osserva Jim scuotendo la testa. «Anche da ragazza. È la peggior nemica di se stessa, quella Jess. Inflessibile con sé e col resto del mondo.» Fa una pausa, per pulire la lama del coltello. «Le farebbe bene una sorella come te, Becky.»

«Be', peccato» fa Kelly con veemenza. «Tu non hai bisogno di lei. Dimenticati che sia tua sorella. Fingi che non esista.»

«Non è così semplice, vero?» dice Jim, alzando lo sguardo con un'espressione amara. «Con i familiari non è così facile prendere le distanze.»

«Non so.» Mi stringo nelle spalle, scoraggiata. «Forse sì. In fondo siamo state ventisette anni senza conoscerci…»

«E vuoi che ne passino altri ventisette?» Jim mi guarda con espressione improvvisamente severa. «Due ragazze. Nessuna delle due ha una sorella. Potreste essere buone amiche.»

«Non è colpa mia…» comincio, subito sulla difensiva, e poi

mi interrompo ripensando al mio discorsetto del giorno prima. «Be, non è solo colpa mia…»

«Non ho detto che lo sia» replica Jim. Serve altre due clienti, poi si volta verso di me. «Ho un'idea. So cosa farà Jess stasera. In effetti, ci sarò anch'io.»

«Davvero?»

«Sì. Un incontro del nostro comitato per la difesa dell'ambiente. Ci saremo tutti.» I suoi occhi hanno un improvviso scintillio. «Perché non vieni anche tu?»

Fax per: Luke Brandon
         Aphrodite Temple Hotel
         Cipro

Da: Susan Cleath-Stuart

<u>URGENTISSIMO</u>

6 giugno 2003

Luke,
    Becky non è a casa. Nessuno l'ha vista. Non riesco a mettermi in contatto con lei per telefono.

    Comincio a essere molto preoccupata.

Suze

19

Okay. Questa è la mia occasione per far colpo su Jess. È l'occasione per dimostrarle che non sono superficiale e viziata. Stavolta non devo rovinare tutto.

La prima cosa è l'abbigliamento. Passo in rassegna con sguardo critico i vestiti sparpagliati sul letto. Qual è l'abbigliamento adatto all'incontro di un gruppo ambientalista? I calzoni di pelle no... e neppure il top con le paillettes... il mio sguardo si posa su un paio di combat e subito si illumina. Li estraggo dalla montagna di indumenti.

Ottimo. Sono rosa, ma non posso farci nulla. E poi... sì, li abbinerò con una maglietta con sopra uno slogan. Geniale!

Tiro fuori una T-shirt con su scritto "Hot!" che va benissimo con i combat. Però, non è proprio di protesta, no? Ci penso un attimo, poi prendo un pennarello rosso dalla borsa e aggiungo "Abbasso".

Non è che "Abbasso Hot!" abbia molto senso, ma sicuramente è il pensiero che conta. E poi non mi truccherò. Solo una sottile riga di eyeliner, un tocco di mascara e magari un velo di lucidalabbra trasparente.

Mi vesto, mi lego i capelli in due trecce, quindi mi guardo allo specchio. Ho proprio un aspetto militante! Protendo il braccio e agito il pugno, per vedere l'effetto che fa.

«Potere ai lavoratori» dico, con voce profonda. «Uniti si vince.»

Sì! Potrei essere molto brava. Okay. Andiamo.

L'incontro si tiene nel palazzo del Comune e, quando arrivo, vedo poster appesi ovunque, con slogan come: "Non rovinate la nostra campagna". La gente gironzola per le stanze, e io mi dirigo verso un tavolo sul quale sono posati tazze e biscotti.

«Un po' di caffè, cara?» dice un signore anziano con un Barbour.

«Grazie. Ehm, voglio dire, grazie compagno. Ben fatto.» Lo saluto con la mano stretta a pugno. «Uniti nello sciopero!»

L'uomo mi guarda perplesso, e di colpo ricordo che non stanno scioperando. Continuo a confondermi con *Billy Elliot*.

Ma la sostanza non cambia, no? È comunque questione di essere solidali e lottare uniti per una giusta causa. Vado verso il centro della sala, con la tazza stretta nella mano, e incrocio lo sguardo di un tizio piuttosto giovane con ispidi capelli rossi e un giubbotto di jeans coperto di spille.

«Benvenuta!» mi saluta, staccandosi dal gruppo e porgendomi la mano. «Io sono Robin. Non ti ho mai vista alle riunioni.»

«Io sono Becky. Veramente, non sono di qui, ma Jim ha detto che potevo venire lo stesso...»

«Ma certo!» dice Robin, stringendomi la mano con entusiasmo. «Qui chiunque è il benvenuto. Non importa che tu sia residente o no, i problemi non cambiano. La presa di coscienza è importantissima.»

«Sicuro!» Bevo un sorso di caffè e mi cade lo sguardo sul malloppo di volantini che tiene in mano. «Potrei prendere un po' di quelli e portarli a Londra per distribuirli, se vuoi. Per spargere la voce.»

«Sarebbe fantastico!» Il viso di Robin si apre in un sorriso. «Questo è l'atteggiamento militante di cui abbiamo più bisogno! A che genere di problematica ambientale sei maggiormente interessata?»

Merda. Su, pensa. Presto. Problematiche ambientali.

«Ehm...» Bevo un sorso di caffè, cercando di guadagnare tempo. «Un po' tutte... alberi... porcospini...»

«Porcospini?» Robin sembra perplesso.

Accidenti. Mi è venuto da dire così solo perché stavo pensando che i suoi capelli ricordano un porcospino.

«Quando muoiono spiacciati dalle auto» spiego, improvvisando. «È un vero dramma nella società odierna.»

«Sono sicuro che hai ragione.» Robin aggrotta la fronte, pensoso. «E... fai parte di qualche gruppo di attivisti che si occupa specificatamente della causa dei porcospini?»

Sta' zitta, Becky. Cambia argomento.

«Sì!» mi sento rispondere. «Certo. Si chiama... PUNGI.»

«PUNGI! Che nome fantastico!»

«Già» proseguo, più fiduciosa. «Sta per Proteggi... un... ehm...»

Ok. Forse avrei dovuto pensarci prima.

«Un... naturale...»

Lascio la spiegazione in sospeso, vedendo avvicinarsi Jim, in compagnia di una donna snella e forte con una camicia a quadri. Dev'essere la moglie.

«Salve, Jim» lo saluta Robin con un sorriso cordiale. «Sono felice che tu ce l'abbia fatta a venire.»

«Ciao, Jim» dico, e poi mi rivolgo alla donna. «E questa deve essere Elizabeth.»

«E tu la famosa Becky!» fa lei, afferrando la mia mano. «Kelly non parla che di te.»

«Kelly è una ragazza così simpatica!» osservo, con un sorriso. «Ci siamo divertite un sacco oggi, a truccarci...» All'improvviso mi accorgo dell'espressione corrucciata di Jim. «E a ripassare per l'esame» mi affretto ad aggiungere. «Un sacco di algebra e di vocaboli francesi.»

«C'è Jess?» chiede Jim, guardandosi attorno.

«Non lo so» rispondo, provando una leggera apprensione. «Non l'ho ancora vista.»

«Che peccato» osserva Elizabeth facendo schioccare la lingua. «Jim mi ha raccontato tutto. Due sorelle che non si parlano. E così giovani! Avete tutta la vita davanti per essere amiche, sai. Una sorella è una vera benedizione!»

«Faranno pace» dice Jim, sereno. «Ah, eccola!»

Mi volto di scatto, ed ecco Jess che viene verso di noi a grandi passi. Sembra molto sorpresa di vedermi.

«Cosa ci fa lei qui?» chiede a Jim.

«Jess, questa è un nuovo membro del nostro gruppo» dice Robin, facendo un passo avanti. «Ti presento Becky.»

«Ciao, Jess.» Le sorrido nervosa. «Ho pensato di occuparmi di ambiente!»

«Becky ha un interesse speciale per i porcospini» aggiunge Robin.

«*Cosa?*» Jess fissa Robin per qualche secondo, poi comincia a scuotere la testa. «No. No. Non è un membro del gruppo. E non parteciperà alla riunione. Lei se ne deve andare. Adesso!»

«Vi conoscete?» chiede Robin, disorientato, e Jess distoglie lo sguardo.

«Siamo sorelle» spiego io.

«Non vanno d'accordo» aggiunge Jim sottovoce, facendosi sentire da tutti.

«Su, Jess» la esorta Robin con vigore, «conosci le regole del nostro gruppo. Le divergenze personali le lasciamo fuori dalla porta. Qui tutti sono i benvenuti. Tutti sono amici.» Mi rivolge un sorriso. «Becky si è già offerta volontaria per diffondere la nostra protesta.»

«No!» Jess si prende la testa fra le mani. «Tu non sai com'è fatta.»

«Su, Becky, vieni» dice Robin, ignorandola. «Ti trovo una sedia.»

Gradualmente le chiacchiere si smorzano e tutti prendono posto sulle sedie sistemate a ferro di cavallo. Guardandomi attorno, scorgo Edie e la donna coi capelli grigi, che a quanto pare si chiama Lorna, e parecchie altre persone che ho visto nel negozio di Jim.

«Un benvenuto a tutti i presenti» dice Robin, prendendo posizione al centro del ferro di cavallo. «Prima di cominciare, ho qualche annuncio da fare. Domani, come sapete, si terrà la prova di resistenza in arrampicata sullo Scully Pike. Possiamo avere il numero dei partecipanti, per favore?»

La metà circa dei presenti alza la mano, Jess compresa. Sono quasi tentata di alzarla anch'io, ma c'è qualcosa nella parola "resistenza" che mi trattiene dal farlo. E anche in "arrampicata", se è per quello.

«Benissimo!» Robin si guarda attorno, compiaciuto. «A coloro che parteciperanno, ricordo di portare tutta l'attrezzatura. Purtroppo le previsioni del tempo non sono buone. Si prevede nebbia e forse anche pioggia.»

Dalla sala si leva un lamento collettivo, misto a risate.

«Ma state certi che all'arrivo troverete un comitato d'accoglienza con bibite calde» aggiunge. «E buona fortuna a tutti i partecipanti. Ora...» qui fa una pausa e sorride agli astanti, «vorrei presentarvi un nuovo membro del gruppo. Becky ci porta la sua conoscenza specialistica sui porcospini e...» Mi guarda. «Anche altre piccole creature minacciate, o solo i porcospini?»

«Ehm...» mi schiarisco la voce. Avverto gli occhi di Jess su di me come pugnali acuminati. «Ehm... principalmente porcospini.»

«Dunque un caldo benvenuto a Becky da parte di tutti noi. Bene. E ora passiamo alle cose serie.» Prende uno zaino di pelle e tira fuori un fascio di fogli. «La proposta per il centro commerciale di Piper Hill.»

Fa una pausa a effetto, e un fremito percorre la sala.

«Il consiglio comunale continua a sostenere di non saperne nulla, ma...» qui dà una scorsa ai fogli con un gesto teatrale, «in qualche modo sono riuscito a procurarmi una copia del progetto.» Robin porge i fogli al primo della fila, che comincia a farli passare. «Ovviamente abbiamo un sacco di grosse obiezioni. Se volete esaminare il materiale per qualche minuto...»

Sulla sala cala il silenzio. Ubbidiente, studio il progetto e osservo i disegni. Poi mi guardo attorno. I convenuti scuotono la testa, arrabbiati e frustrati, cosa che, francamente, non mi sorprende.

«Bene.» Robin si guarda attorno e il suo sguardo si posa su di me. «Becky, forse potresti dirci la tua opinione. Qual è la tua prima reazione, da osservatrice esterna?»

Tutti si voltano a guardarmi e io mi sento avvampare.

«Be'... i problemi saltano subito agli occhi» inizio, con tono incerto.

«Esattamente» conviene Robin con aria soddisfatta. «Questo conferma la nostra tesi. I problemi saltano subito agli occhi, anche a chi non conosce la zona. Va' pure avanti, Becky.»

«Bene.» Studio il progetto per un istante, poi alzo lo sguardo. «Tanto per cominciare l'orario di apertura è troppo ridotto. Io terrei aperto tutte le sere fino alle dieci. Insomma, la gente di giorno lavora! Non possono fare tutti gli acquisti di corsa!»

Guardo i volti ammutoliti dei presenti. Sembrano tutti un po' attoniti. Probabilmente non si aspettavano che colpissi nel segno in questo modo. Incoraggiata, batto il dito sull'elenco dei negozi. «E questi sono negozi di infimo livello. Dovreste avere uno Space NK… Accessorize… e sicuramente un LK Bennett!!»

Nella sala c'è il silenzio assoluto.

Robin sembra esterrefatto, ma si sforza valorosamente di sorridere.

«Becky… c'è un piccolo equivoco. Non stiamo protestando contro le caratteristiche del centro commerciale. Noi protestiamo contro la sua stessa esistenza.»

«Prego?» Lo scruto senza capire.

«Non vogliamo che venga costruito» interviene Jess parlando lentamente e con tono sarcastico. «Hanno intenzione di rovinare un'area di grande bellezza naturale. È per questo che protestiamo.»

«Oh.» Ho le guance in fiamme. «Capisco. Certo, le bellezze naturali. Stavo… stavo appunto per… parlare anche di questo.» Agitata, comincio a scorrere i fogli che compongono il progetto, cercando un modo per riscattarmi. «Probabilmente costituirà anche un serio pericolo per i porcospini» aggiungo. «Ho notato parecchi punti di pericolo per i porcospini. O PPP, come li chiamiamo noi.»

Vedo che Jess alza gli occhi al cielo. Sarà meglio che chiuda la bocca, adesso.

«Ottimo» mi interrompe Robin, con un sorriso forzato. «Becky ha condiviso con noi alcuni dati interessanti sulla sicurezza dei porcospini. Altre osservazioni?»

Quando un vecchio coi capelli bianchi comincia a parlare della profanazione del paesaggio, mi lascio cadere sulla sedia, col cuore che batte all'impazzata. Okay. Basta.

Ora sono felice di non aver detto niente riguardo alla mia maggiore obiezione in merito al centro commerciale. E cioè che non era abbastanza grande.

«La mia preoccupazione è l'economia locale» sta declamando una donna vestita con eleganza. «Gli shopping center rovinano la vita rurale. Se costruiranno questo, il negozio del villaggio sarà costretto a chiudere.»

«È un crimine» tuona Lorna. «I negozi di paese sono il cuore pulsante della comunità. Devono essere sostenuti.»

Ora si uniscono altre voci. Vedo i clienti del negozio di Jim che si fanno dei cenni col capo.

«Come può Jim competere con un centro commerciale?»

«Dobbiamo mantenere in vita i piccoli negozi!»

«La colpa è tutta del governo...»

So che avevo deciso di non aprire più bocca, ma proprio non riesco a restare zitta.

«Scusate?» azzardo, alzando la mano. «Se volete che il negozio del villaggio sopravviva, perché non comperate il pane a prezzo pieno?»

Mi guardo attorno, e vedo che Jess mi sta fissando con odio.

«Questo è proprio tipico tuo» dice. «Per te tutto si riconduce allo spendere soldi, vero?»

«Ma si tratta di un negozio!» ribatto. «E in un negozio si spendono soldi! Se spendeste tutti un po' di più, il negozio comincerebbe a prosperare!»

«Non tutti sono schiavi dello shopping, sai, Becky?» replica asciutta Jess.

«Vorrei tanto che lo fossero» si intromette Jim. «Il mio incasso è triplicato da quando Becky è arrivata in paese.»

Jess lo fissa con la bocca serrata. Oh, Dio. Sembra stizzita. L'ho decisamente fatta arrabbiare.

«Era solo un'idea» mi affretto ad aggiungere. «Non ha importanza.» Mi risiedo al mio posto, cercando di non dare nell'occhio.

La discussione riprende, ma io tengo la testa bassa, sfogliando i disegni del centro commerciale. E devo dire che avevo proprio ragione fin dall'inizio. Questi negozi fanno schifo. Non c'è un solo posto dove acquistare una borsa decente... né uno dove farsi fare le unghie... insomma, capisco perfettamente il loro punto di vista. Che scopo ha rovinare dei bei campi con uno shopping center schifoso, pieno di negozi dove nessuno vuole andare?

«... quindi noi del comitato abbiamo deciso di intraprendere un'azione immediata e preventiva» sta continuando Robin, quando io torno ad alzare la testa. «Faremo una manifestazione, entro una settimana, e abbiamo bisogno di tutto l'appoggio possibile. E, ovviamente, anche di tutta la pubblicità possibile.»

«È difficile.» Una donna scrolla la testa. «Non interessa a nessuno.»

«Edgar sta scrivendo un articolo per la rivista della parrocchia» dice Robin, consultando un foglio. «E so che alcuni di voi hanno già pronte delle lettere da inviare al sindaco.»

Muoio dalla voglia di parlare.

Apro la bocca, ma poi vedo gli occhi di Jess fissi su di me, e la richiudo.

Dio! Non posso stare zitta. Non posso.

«Stiamo preparando un volantino molto istruttivo...»

«Dovreste fare qualcosa di più incisivo!» La mia voce si sovrappone alle parole di Robin, e tutti si voltano a guardarmi.

«Becky, sta' zitta» mi ordina Jess, furiosa. «Stiamo cercando di affrontare l'argomento con un po' di buon senso.»

«Anch'io!» Mi sento arrossire sotto tutti quegli sguardi, ma insisto. «Io credo che dovreste fare una grossissima campagna di marketing.»

«Ma non sarebbe costosa?» obietta l'uomo dai capelli bianchi aggrottando la fronte.

«In affari, se si vogliono fare soldi, prima bisogna spenderne. Lo stesso vale per questo. Se volete dei risultati, dovete fare degli investimenti!»

«Di nuovo soldi!» esclama Jess, esasperata. «Di nuovo spendere! Sei ossessionata!»

«Potreste trovare uno sponsor» ribatto. «Devono pur esserci delle aziende della zona contrarie al centro commerciale. Dovreste coinvolgere una stazione radio locale... mettere insieme un comitato stampa.»

«Mi scusi, dolcezza» mi interrompe sarcastico un tizio seduto accanto a Jess. «Lei è molto brava a fare dei discorsi, ma cosa ne sa realmente di tutto questo?»

«Be', niente» ammetto. «Se non si considera il fatto che lavoravo come giornalista, e quindi di comunicati stampa e campagne marketing me ne intendo.» Mi guardo attorno nella sala silenziosa. «E per due anni ho lavorato da Barneys, il grande magazzino di New York. Noi organizzavamo un sacco di eventi, tipo feste, speciali weekend di svendite, serate di promozione... ecco, questa sarebbe un'idea!» Mi volto verso Jim, colpita da una ispirazione improvvisa. «Se volete pubblicizzare il negozio del villaggio dovreste escogitare qualcosa di interessante. Come organizzare un festival dello shopping o una festa. Sarebbe molto divertente. Potreste fare delle offerte speciali, distribuire degli omaggi... e legare tutto alla protesta.»

«Chiudi il becco!» grida una voce. Mi blocco, scioccata, e vedo Jess in piedi, bianca di rabbia. «Chiudi il becco per una volta, Becky! Perché deve esserci per forza una festa? Perché devi sempre banalizzare tutto? I negozianti come Jim non sono interessati alle feste. Sono interessati ad azioni solide, meditate.»

«Io potrei essere interessato a una festa» s'intromette Jim pacato, ma Jess non sembra neppure averlo sentito.

«Tu non sai nulla dell'ambiente! Tu non sai nulla dei porcospini! Ti stai inventando tutto. Vattene e lasciaci in pace.»

«Mi sembra un atteggiamento un po' aggressivo, Jess» dice Robin. «Becky stava solo cercando di offrirci il suo aiuto.»

«Noi non abbiamo bisogno del suo aiuto!»

«Jess» insiste Robin con tono persuasivo. «È tua sorella. Su, tesoro. Sii un po' più cordiale.»

«Queste due sono sorelle?» fa il vecchio coi capelli bianchi, sorpreso. Un mormorio interessato serpeggia per la sala.

«Non è mia sorella.» Jess incrocia le braccia sul petto con decisione. Si rifiuta persino di guardarmi e, all'improvviso, mi sento profondamente ferita.

«So che non mi vuoi come sorella, Jess» dico, alzandomi per affrontarla. «Ma lo sono! E tu non puoi farci niente. Abbiamo lo stesso sangue. Abbiamo gli stessi geni! Abbiamo lo stesso...»

«Già. Be', io non ci credo, okay?» La voce di Jess rimbalza dall'altra parte della sala.

Segue un silenzio scioccato.

«Cosa?» La guardo, incerta.

«Io non credo che abbiamo lo stesso sangue.» Ora è più calma.

«Ma... ma lo sappiamo per certo!» ribatto, confusa. «Cosa stai dicendo?»

«Guardaci, Becky» dice, quasi con gentilezza. Fa un gesto a indicare me e poi se stessa. «Non abbiamo niente in comune. Niente. Non possiamo venire dalla stessa famiglia.»

«Ma... ma mio papà è tuo padre!»

«Oh, Dio!» esclama Jess, quasi tra sé. «Senti, Becky, avevo intenzione di parlartene dopo.»

«Parlarmi di cosa?» La fisso, col cuore che batte un po' più forte. «Parlarmi di cosa?»

«Okay. Ora ti spiego.» Jess espira violentemente e si sfrega il viso. «All'inizio mi è stato fatto il nome di tuo papà, ma... non mi sembrava avesse senso. E così ieri sera ho fatto una lunga chiacchierata con zia Florence. E lei ha ammesso che mia mamma era un po'... vivace.» Jess ha un attimo di esitazione. «Pensa che possano esserci stati altri uomini, anche se non ne conosce i nomi.»

«Ma... voi vi siete sottoposti a un test!» esclamo, sconcertata. «Un test del DNA! E questo dimostra...» Lascio la frase in sospeso, vedendo che Jess scuote la testa.

«No. Non l'abbiamo fatto. Volevamo farlo, ma io avevo il nome di tuo papà, le date coincidevano e... abbiamo supposto che fosse così.» Abbassa gli occhi sul pavimento. «Penso che sia tutto un errore.»

Mi gira la testa. Non hanno mai fatto il test del DNA? Hanno semplicemente *supposto*?

Nella sala regna il silenzio. Sembra che tutti trattengano il fiato. Mi cade lo sguardo sul volto ansioso e benevolo di Jim, e mi affretto a guardare da un'altra parte.

«Dunque... è stato tutto un grosso errore» concludo, alla fine. D'un tratto ho un groppo alla gola.

«Penso sia stato un errore» conviene Jess. Alza gli occhi e vede la mia espressione ferita. «Su, Becky. Se ci avessi guardato con gli occhi di un'estranea... avresti detto che siamo sorelle?»

«Credo... credo di no.»

Sono profondamente scossa per la sorpresa e la delusione, ma allo stesso tempo una vocina dentro di me mi dice che questo ha un senso. Mi sento come se, in queste ultime settimane, mi fossi sforzata di infilare il piede in una scarpa del numero sbagliato. Spingevo, spingevo, schiacciandomi le dita e adesso, finalmente, ammetto che non mi va bene.

Jess non è mia sorella. Non è sangue del mio sangue. È soltanto... una ragazza.

Mi trovo a parlare con una ragazza che conosco appena e alla quale non sono neppure simpatica.

E, tutto d'un tratto, non voglio più stare qui.

«Bene» dico, cercando di ricompormi. «Bene... allora credo che andrò.» Mi guardo attorno. «Addio a tutti. E buona fortuna per la vostra protesta.»

Nessuno dice una parola. Sono tutti troppo scioccati. Con mani tremanti prendo la borsa e spingo indietro la sedia. Andando verso la porta incrocio qualche sguardo di compatimento. Quando arrivo all'altezza di Jim mi fermo un istante: sembra deluso quanto me.

«Grazie per tutto, Jim» faccio, cercando di sorridere.

«Arrivederci, cara.» Mi afferra la mano con calore. «È stato bello conoscerti.»

«Anche per me. Saluta Kelly da parte mia.»

Arrivata alla porta, mi volto a guardare Jess.

«Allora ciao» dico, deglutendo per allontanare il magone. «Auguri e buona fortuna per tutto.»

«Ciao, Becky» risponde lei e, per la prima volta, colgo nei suoi occhi un guizzo di qualcosa simile alla compassione. «Spero che farai pace con Luke.»

«Grazie.» Annuisco, non sapendo cos'altro dire. Poi mi volto ed esco nella notte.

20

Mi sento intorpidita. Io non ho una sorella. Dopo tutto quello che è successo.

Per almeno un'ora resto seduta sul letto della mia camera a fissare le colline lontane fuori dalla finestra. È tutto finito. Il mio stupido sogno di avere una sorella con cui chiacchierare, ridere, fare shopping e mangiare caramelle alla crema di menta... è finito per sempre.

Non che Jess avrebbe fatto shopping con me, né mangiato caramelle alla crema di menta. O anche solo una risata, se è per quello.

Ma avremmo potuto almeno chiacchierare. Avremmo potuto conoscerci meglio, raccontarci dei segreti, darci dei consigli.

Faccio un sospiro profondo e avvicino le ginocchia al petto circondandole con le braccia. Questo non è mai accaduto nel mio libro, *Sorelle perdute*.

Anzi, a dire il vero è successo una volta. C'erano due sorelle che dovevano sottoporsi a un trapianto di rene, hanno fatto il test del DNA e si sono rese conto di non essere realmente sorelle. Ma il punto è che erano compatibili, e così hanno comunque proceduto con il trapianto. E dopo hanno detto che sarebbero sempre state sorelle nel cuore. (E nei reni, suppongo.)

Il punto è che stavano bene insieme.

Sento una lacrima scendere lungo la guancia e la asciugo col dorso della mano, seccata. È inutile prendersela tanto. Sono stata figlia unica per tutta la vita... e ora lo sono di nuovo. Ho avuto una sorella soltanto per qualche settimana. Non è che mi ci fossi abituata. Non è che ci fossimo affezionate l'una all'altra.

Anzi... anzi, sono felice che sia andata così. Chi mai vorrebbe Jess come sorella? Io no. Nella maniera più assoluta. Insomma, Jess ha ragione: non abbiamo proprio niente in comune. Non ci capiamo. Avremmo dovuto renderci conto fin dall'inizio che era tutto un errore.

Mi alzo in piedi di scatto, apro la valigia e comincio a gettar dentro vestiti. Passerò la notte qui, e domani tornerò a Londra. Non posso perdere altro tempo. Ho una vita. Ho un marito.

Per lo meno... credo di avere ancora un marito.

Ripenso all'ultima volta che ho visto Luke e provo un senso di vuoto allo stomaco e di ansia. Probabilmente è ancora furioso con me. Probabilmente se la sta passando malissimo a Cipro e mi maledice in ogni momento. Mi blocco, con una maglia in mano. Il solo pensiero di tornare e affrontarlo mi fa star male.

Ma poi alzo il mento e getto la maglia in valigia. E allora, anche se le cose con Luke non vanno tanto bene? Non ho bisogno di una pessima sorella che mi aiuti a salvare il mio matrimonio. Me la caverò da sola. Comprerò un libro. Esisterà pure un libro tipo... che so... "Come salvare il proprio matrimonio dopo un anno".

Infilo tutti i souvenir acquistati nel negozio di Jim, mi siedo sulla valigia verde e, finalmente, la chiudo. Ecco fatto. Fine.

Si sente bussare alla porta. «Sì?» dico, alzando il capo.

Edie mette dentro la testa.

«Una visita per lei. Al piano di sotto.»

Provo un'improvvisa scintilla di speranza.

«Davvero?» Mi alzo subito in piedi. «Arrivo!»

«Gradirei cogliere l'occasione per rammentarle le regole.» La voce tonante di Edie mi insegue mentre corro giù per le scale. «Niente visite dopo le undici di sera. Se ci sono bagordi sarò costretta a chiamare le autorità.»

Supero con un salto gli ultimi gradini ed entro nel piccolo salotto.

«Ciao!» esclamo, e poi mi blocco. Non è Jess.

È Robin. E Jim. E un paio di altre persone che erano alla riunione. Si voltano tutti a guardarmi e vedo che si scambiano qualche occhiata.

«Ciao, Becky» fa Robin, muovendo un passo verso di me. «Tutto bene?»

«Ehm... sì. Sto bene, grazie.»

Oh, Dio. Questa è una visita di circostanza. Forse temono che voglia tagliarmi le vene, o qualcosa del genere. Mentre Robin prende fiato per parlare, io lo interrompo.

«Davvero, non dovete preoccuparvi per me. È molto gentile da parte vostra, ma sto bene. Ora me ne vado a letto, domani mattina salto sul primo treno e... poi si vedrà.»

Silenzio.

«Ehm... non è per questo che siamo qui» dice Robin e si scompiglia i capelli con un gesto impacciato. «Volevamo domandarti una cosa.»

«Oh» faccio io, colta alla sprovvista.

«Ci chiedevamo... tutti noi... se ti andrebbe di darci una mano per la protesta.» Si guarda attorno in cerca di sostegno, e gli altri annuiscono.

«Aiutarvi?» Lo fisso, allibita. «Ma io non ne so nulla. Jess aveva ragione.» Provo una stilettata di dolore al ricordo. «Mi sono inventata tutto. Non so niente neppure dei porcospini.»

«Non ha importanza» dice Robin. «Hai un sacco di idee, ed è ciò di cui abbiamo bisogno. Hai ragione. Dovremmo pensare in grande. E a Jim piace l'idea della festa. Non è vero, Jim?»

«Se servirà a portare un po' di gente in negozio prima delle quattro, non può essere male» conferma Jim con una strizzatina d'occhio.

«Lei ha esperienza con questo genere di eventi» aggiunge l'uomo coi capelli bianchi. «Lei sa come fare. Noi no.»

«Quando hai lasciato la riunione abbiamo fatto un veloce sondaggio» prosegue Robin. «E il risultato è stato praticamente unanime. Vorremmo invitarti a far parte del nostro comitato d'azione. Sono tutti in municipio, che aspettano la risposta.»

Hanno un'espressione così affabile che mi vengono le lacrime agli occhi.

«Non posso» rispondo, guardando da un'altra parte. «Mi dispiace, ma non posso. Non ho più motivo di restare a Scully. Devo tornare a Londra.»

«E perché mai?» chiede Jim.

«Ho... delle cose da fare. Ho degli impegni, sapete.»

«Quali impegni?» dice Jim placido. «Non hai un lavoro. Tuo marito è all'estero. A casa non c'è nessuno.»

Okay. Questo è il motivo per cui non si dovrebbero mai raccontare i propri guai alle persone appena conosciute. Resto in silenzio per qualche istante, fissando la moquette fantasia rossa e rosa di Edie, cercando di rimettere in ordine i pensieri. Poi alzo lo sguardo.

«Cosa ne pensa Jess di tutto questo?»

Li guardo uno per uno, ma nessuno risponde. Robin si rifiuta persino di incrociare il mio sguardo. L'uomo coi capelli bianchi sta fissando il soffitto. Jim ha la stessa espressione afflitta che aveva in municipio.

«Scommetto che è l'unica che ha votato contro di me, vero?» Cerco di sorridere, ma mi trema la voce.

«Jess ha... le sue idee» attacca Robin. «Ma lei non c'entra...»

«E invece sì, che c'entra! Ovvio. È per lei che mi trovo qua!» Mi interrompo, cercando di restare calma. «Sentite, mi dispiace, ma non posso far parte del comitato. Spero che la vostra protesta vada a buon fine... ma non posso restare.»

Vedo che Robin prende fiato per dire qualcos'altro.

«Non posso.» Guardo direttamente verso Jim. «Devi capire. Non posso.»

Glielo leggo negli occhi: lui capisce.

«D'accordo» dice. «Noi ci abbiamo provato.» Fa un cenno col capo agli altri come per dire: "È finita".

Imbarazzati, mormorano qualche parola di saluto, mi augurano buona fortuna ed escono uno dopo l'altro dalla piccola sala. La porta d'ingresso si chiude con un colpo e io resto lì, sola, sentendomi più depressa che mai.

Quando mi sveglio, la mattina seguente, il cielo è scuro e gonfio di nuvole grigie. Edie mi serve una colazione completa all'inglese, con tanto di sanguinaccio, ma io riesco a mandar giù soltanto una tazza di tè. La pago con il resto dei contanti, poi torno su in camera per prepararmi a partire. Dalla finestra vedo le colline in lontananza avvolte nella nebbia.

Probabilmente non le rivedrò. Probabilmente non tornerò mai più.

E per me va benissimo, penso, spavalda. Io odio la campagna. Non sarei mai voluta venire qui.

Metto le ultime cose nella valigia rossa, poi decido di cambiare le scarpe e indossare quelle turchesi col tacco a rocchetto e i laccetti di strass che stanno bene con questa gonna di Marc Jacobs. Infilandole, sento qualcosa di piccolo e duro sotto un piede e ci guardo dentro, perplessa. Tiro fuori un sacchettino con dentro un piccolo oggetto e lo guardo, assalita dai ricordi.

È il fagiolo. La collana di Tiffany col fagiolo in argento che volevo regalare a Jess, ancora nel suo sacchetto blu.

Dio, sembra una vita fa.

Lo fisso per qualche istante, poi me lo infilo in tasca, prendo le valige e la cappelliera e mi avvio attraverso il parco, trascinandomele dietro, diretta verso il negozio. Voglio dire addio a Jim prima di partire.

Quando spingo la porta con il suo familiare tintinnio, Jim alza gli occhi dai barattoli che sta prezzando. Guarda le valige e inarca le sopracciglia.

«Dunque parti.»

«Già. Parto.»

«Non andartene!» esclama Kelly, sconsolata, da dietro il banco su cui è posato il *Giulio Cesare*, in piedi, a nascondere una copia di "100 Pettinature".

«Devo andare» dico, con una risatina, e poso le valige. «Ma ho delle altre cose di Mac per te. Un regalo d'addio.»

Le porgo una serie di lucidalabbra e di ombretti, e il suo volto si illumina.

«Anch'io ho un regalo per te, Becky» fa lei di colpo. Slega un braccialetto dell'amicizia dal polso e me lo passa. «Così non ti dimenticherai di me.»

Fisso la semplice corda intrecciata e non so cosa dire. È uguale ai braccialetti che Luke e io abbiamo ricevuto nel corso della cerimonia nel Masai Mara. Luke si è tolto il suo quando è tornato alla vita normale.

Il mio lo indosso ancora.

«È... fantastico.» Mi riscuoto e sorrido. «Lo porterò sempre.» Me lo faccio scivolare al polso, accanto all'altro e abbraccio Kelly stretta stretta.

«Vorrei tanto che non te ne andassi» dice Kelly, sporgendo in fuori il labbro. «Tornerai mai a Scully?»

«Non lo so» rispondo, dopo un attimo di esitazione. «Non penso. Ma se tu dovessi venire a Londra, fammi una telefonata. Okay?»

«Okay.» Kelly si illumina. «Possiamo andare da Topshop?»

«Ma certo!»

«Devo cominciare a risparmiare già adesso?» interviene Jim, con un sorriso sbieco, ed entrambi scoppiamo a ridere.

Il tintinnio della porta ci interrompe. Alziamo lo sguardo e vediamo Edie che entra nel negozio con il suo foulard verde, seguita da Lorna e dalla signora ben vestita che ho visto la sera prima. Hanno tutte un'aria impacciata.

«Edie!» esclama Jim, sorpreso, con un'occhiata all'orologio. «Cosa posso fare per te?»

«Buongiorno, Jim» dice Edie, evitando il suo sguardo. «Vorrei del pane, per favore. Una pagnotta integrale e una ai cereali.»

«Pane?» dice Jim, sbalordito. «Ma, Edie... sono le dieci del mattino.»

«So che ore sono, grazie» ribatte lei, austera.

«Ma... è a prezzo pieno.»

«Vorrei del pane» insiste lei, secca. «È chiedere troppo?»

«No... certo che no!» risponde Jim, ancora stupito. Prende le pagnotte e le avvolge nella carta. «Fanno una sterlina e novantasei.»

Segue un momento di silenzio, e sento Edie che inspira a fondo. Poi fruga nella borsa alla ricerca del borsellino e lo apre.

«Due sterline» dice, porgendo le monete. «Molto obbligata.»

Non posso crederci. Kelly e io ce ne stiamo lì, allibite, in silenzio, mentre le altre due donne comperano tre pagnotte e un sacchetto di panini. All'ultimo momento Lorna prende persino alcuni panini dolci.

Quando la porta si richiude alle loro spalle, Jim si lascia cadere sullo sgabello.

«Be', chi lo avrebbe mai detto?» Scuote la testa lentamente, meravigliato, poi alza gli occhi. «Sei stata tu, Becky.»

«Non sono stata io» ribatto, arrossendo leggermente. «Probabilmente avevano soltanto bisogno di pane.»

«Sei stata tu!» insiste Kelly. «Sono state le tue parole. La mamma mi ha raccontato della riunione» aggiunge. «Ha detto che devi essere una brava ragazza anche se sei un po'…»

«Kelly» la interrompe Jim, «perché non prepari una bella tazza di tè a Becky?»

«No. Vado.» Esito, poi mi metto una mano in tasca e tiro fuori il sacchettino di Tiffany. «Jim, volevo chiederti un favore. Potresti dare questo a Jess? È una cosa che ho comperato per lei tanto tempo fa. So che ora è tutto diverso, ma…»

«Sto andando da lei proprio adesso per farle una consegna. Perché non gliela porti tu?»

«Oh.» Mi ritraggo. «No. Non voglio vederla.»

«Non c'è. Sono tutti alla gara di resistenza. Ho una chiave di casa sua.»

«Ah.» Esito ancora.

«Mi fa piacere un po' di compagnia» aggiunge Jim, stringendosi nelle spalle.

«Be'…» Guardo il sacchettino di Tiffany per qualche istante, poi me lo rimetto in tasca. «Okay. Andiamo.»

Camminiamo in silenzio per le strade vuote verso la casa di Jess. Jim ha un sacco di patate sulle spalle. Le nubi si stanno facendo più dense e sento qualche goccia di pioggia sul viso. Mi accorgo che, di quando in quando, Jim mi lancia un'occhiata preoccupata.

«Starai bene, a Londra?» dice, alla fine.

«Suppongo di sì.»

«Hai parlato con tuo marito?»

«No» rispondo, mordendomi il labbro.

Jim si ferma, e sposta il sacco sull'altra spalla.

«Allora, come mai una brava ragazza come te si ritrova con un matrimonio in crisi?»

«È colpa mia. Ho fatto… delle cose stupide. E mio marito si è molto arrabbiato. Ha detto…» Mi interrompo per deglutire. «Ha detto che avrebbe voluto che assomigliassi di più a Jess.»

284

«Davvero?» Jim sembra colto alla sprovvista. «Voglio dire, Jess è una brava ragazza» si affretta ad aggiungere, «ma io non avrei... Non è questione di scegliere...» Dà un colpetto di tosse imbarazzato e si sfrega il naso.

«È per questo che sono venuta quassù. Per imparare da lei.» Faccio un sospiro profondo. «Ma è stata un'idea stupida.»

Siamo arrivati ai piedi della strada e Jim si ferma un attimo prima di intraprendere la ripida salita. Le case di pietra grigia brillano nella nebbia, nude contro le colline lontane. Vedo alcune pecore che brucano su in alto, simili a fiocchi di lana su un tappeto verde.

«Peccato, per te e Jess» fa Jim, e sembra sinceramente dispiaciuto. «È un vero peccato.»

«Sono cose che succedono.» Cerco di non lasciar trasparire il mio disappunto. «Avrei dovuto saperlo. Noi due siamo così diverse.»

«Sì, siete proprio diverse.» Il suo viso ha un'aria divertita.

«Lei sembra così... fredda.» Inarco le spalle, sentendo montare in me il familiare risentimento. «Sai, io mi sono sforzata in tutti i modi. Davvero. Sembra che a lei non interessi niente! Non ha nessuna passione.»

Jim inarca le sopracciglia.

«Oh, Jess *ha* delle passioni» dice. «Eccome. Quando arriviamo a casa sua, ti mostro una cosa.»

Solleva il sacco di patate e riprendiamo a salire la collina. Mentre ci avviciniamo alla casa di Jess, comincio ad avvertire un leggero formicolio di curiosità. Non che lei abbia più niente a che fare con me. Ma, tant'è, sono proprio curiosa di vedere come vive.

Quando arriviamo alla porta, Jim si fruga in tasca e tira fuori un grosso mazzo di chiavi, sceglie una Yale e apre la porta. Entro nell'ingresso e mi guardo attorno, curiosa. Ma il luogo non dice molto. È un po' come Jess. Due divani in soggiorno. Una semplice cucina bianca. Un paio di piante in vaso ben curate.

Vado al piano di sopra e, con cautela, apro la porta della sua camera da letto. È immacolata. Un copripiumino ordinario, tende di cotone senza pretese, un paio di dipinti insignificanti.

«Ecco» dice Jim dietro di me. «Vuoi vedere la vera passione di Jess? Da' un'occhiata a questo.»

Fa strada verso una porta, sul ballatoio, gira la chiave e con una strizzatina d'occhio mi invita ad avvicinarmi.

«Qui ci sono le sue famose pietre» dice, spalancando il battente. «Ha fatto costruire questo armadio tre anni fa appositamente per conservarle. L'ha disegnato lei stessa, fin nei minimi particolari, luci e tutto quanto. È di grande effetto, non pensi?» Si interrompe, vedendo la mia faccia. «Becky? Ti senti bene, cara?»

Non riesco a parlare. Non riesco a muovermi.

È la mia scarpiera.

È la mia scarpiera. Identica. Stessa porta. Stessi scaffali. Stesse luci. Solo che invece di scarpe, esposte sugli scaffali ci sono pietre. File e file di campioni accuratamente etichettati.

E... sono belli. Alcuni sono grigi, altri sembrano cristalli, alcuni lisci, altri iridescenti e scintillanti. Ci sono fossili... ametiste... pezzi di ambra nera, e tutti brillano sotto le luci.

«Non avevo idea...» deglutisco. «Sono stupefacenti.»

«Parlavi di passioni?» dice Jim, ridendo. «Questa è una vera passione. Un'ossessione, si potrebbe dire.» Prende in mano una pietra grigia chiazzata e la rigira fra le dita. «Sai come si è procurata quella ferita alla gamba? Arrampicandosi su una montagna alla ricerca di una maledetta pietra. Era tanto decisa a prenderla da rischiare la propria incolumità.» Jim sorride nel vedere la mia espressione. «Poi c'è stata quella volta che venne arrestata alla dogana per aver contrabbandato dei preziosi cristalli naturali nascondendoli sotto il maglione.»

Lo fisso a bocca aperta.

«Jess? Arrestata?»

«L'hanno rilasciata. Ma so che lo rifarebbe. Se c'è un particolare tipo di pietra che quella ragazza vuole, lei deve averlo.» Scuote la testa, divertito. «Non sa trattenersi. È una vera mania! Niente può fermarla.»

Mi gira la testa. Guardo una fila di campioni, tutti di diverse sfumature di rosso. Proprio come la mia fila di scarpe rosse.

«Non ne parla spesso» fa Jim posando il campione chiazzato. «Forse pensa che la gente non capirebbe...»

286

«Io la capisco» lo interrompo con voce tremante. «Assolutamente.»

Sto tremando tutta. È mia sorella.

Jess è mia sorella. Non sono mai stata così sicura di qualcosa in vita mia.

Devo trovarla. Devo dirglielo. Adesso.

«Jim... Devo vedere Jess. Immediatamente.»

«Sta facendo la prova di resistenza» mi ricorda Jim. «Comincia fra mezz'ora.»

«Allora devo andare» dico, tutta agitata. «Devo incontrarla. Come faccio ad arrivare là? Posso andare a piedi?»

«È piuttosto lontano» fa Jim, e poi aggiunge, rizzando la testa con aria incuriosita: «Vuoi un passaggio?».

21

Sapevo che eravamo sorelle. Lo sapevo. *Lo sapevo.*

E non siamo solo sorelle... siamo due anime gemelle! Dopo tutte quelle false partenze, dopo tutte quelle incomprensioni, dopo che pensavo di non avere una sola cosa in comune con lei.

È uguale a me. Io la capisco.

Io comprendo Jess!

Tutto quello che Jim ha detto di lei trova riscontro in me. Tutto! Quante volte ho contrabbandato paia di scarpe dall'America? Quante volte ho messo a repentaglio la mia incolumità personale alle svendite? Mi sono persino fatta male a una gamba come lei! È successo da Selfridges, quando ho visto una persona dirigersi verso l'ultimo borsellino in saldo e sono saltata dalle scale mobili da un'altezza di otto gradini.

Dio, se solo avessi visto prima il suo armadio delle pietre! Se avessi saputo. Tutto sarebbe stato diverso! Perché non me l'ha detto? Perché non mi ha spiegato?

All'improvviso mi viene in mente Jess che parla di pietre durante il nostro primo incontro... e poi di nuovo a Londra. E provo un cocente senso di vergogna. Lei ci ha provato, ma io non l'ho ascoltata. Non le ho creduto quando ha detto che erano interessanti. Ho detto che le pietre erano... stupide.

E noiose. Proprio come lei.

Avverto una stretta alla bocca dello stomaco.

«Non possiamo andare più forte?» dico a Jim. Stiamo procedendo rumorosamente a bordo della sua vecchia Land Rover, tra pendii erbosi e muretti a secco, inoltrandoci sempre più in alto fra le colline.

«Più forte di così non posso, Becky. Arriveremo in tempo, sta' tranquilla.»

Al nostro passaggio le pecore fuggono dalla strada disperdendosi, e piccoli sassolini colpiscono il parabrezza. Lancio un'occhiata fuori dal finestrino e subito distolgo lo sguardo. Non che io soffra di vertigini, ma pare proprio di essere a dieci centimetri dal precipizio.

«Bene.» Jim si ferma in un piccolo spiazzo coperto di ghiaia. «Qui è da dove partono. E là è dove salgono.» Indica la ripida parete che incombe sopra di noi. «Il famoso Scully Pike.» Gli squilla il cellulare e lui lo prende. «Scusami.»

«Non ti preoccupare! Grazie!» e apro la portiera. Scendo e mi guardo attorno... e per un istante resto sbalordita dal panorama.

Intorno solo spuntoni di roccia inframmezzati da chiazze d'erba e crepacci, il tutto sovrastato dalla montagna, una sagoma aspra e frastagliata contro il cielo grigio. Scruto la vallata e provo un mancamento, una specie di vertigine, suppongo. Sinceramente non mi ero resa conto di quanto fossimo in alto. Più in basso si vede un gruppetto di case, che immagino sia Scully, ma a parte quello potremmo trovarci in mezzo al nulla.

Be', ora che ci penso, *siamo* in mezzo al nulla.

Attraverso a passo svelto il tratto ghiaioso e vado verso un piccolo slargo in piano, dove è stato sistemato un tavolo e sopra uno striscione con su scritto: "Prova di resistenza in arrampicata. Gruppo ambientalista di Scully. Iscrizioni". Dietro, due bandierine gialle indicano la partenza del sentiero che porta sulla montagna. Al tavolo è seduto un uomo che non riconosco, con una giacca a vento e un berretto. A parte questo, il luogo è deserto.

Dove sono tutti? Dio, naturale che non hanno soldi se nessuno si presenta alle passeggiate patrocinate da uno sponsor.

«Salve!» Saluto l'uomo con la giacca a vento. «Lei sa dov'è Jessica Bertram? È una delle partecipanti alla prova. Ho urgente bisogno di parlarle.»

Sono così emozionata! Non vedo l'ora di dirglielo. Non vedo l'ora di vedere che faccia farà!

«Troppo tardi, temo.» L'uomo fa un gesto in direzione della montagna. «È andata. Sono andati tutti.»

«Di già? Ma… la prova inizia alle undici. Sono solo le undici meno cinque.»

«È cominciata alle dieci e mezzo» mi corregge l'uomo. «L'abbiamo anticipata per via del cattivo tempo. Dovrà aspettare. È solo questione di poche ore.»

«Oh.» La delusione è grande. «D'accordo. Grazie.»

E va bene. Aspetterò. Sarò paziente.

Poche ore non sono poi un'eternità.

E invece sì. Poche ore sono *secoli*. Io voglio dirglielo adesso. Alzo lo sguardo verso la montagna, il corpo che pulsa per la frustrazione. D'un tratto vedo una coppia con giacche a vento rosse uguali, qualche centinaio di metri più in su. Indossano dei pettorali con su scritto: "Gruppo ambientalista di Scully". Partecipano alla prova. E, poco dietro, c'è un tizio vestito di blu.

La mia mente gira veloce. Non sono andati lontano. Quindi neppure Jess dev'essere lontana. E questo significa… che potrei raggiungerla. Sì!

Questo genere di notizia non può aspettare ore. Voglio dire, noi siamo sorelle. Siamo vere sorelle. Devo comunicarglielo subito.

Mi sistemo la Angel Bag a tracolla, corro alla partenza del sentiero e lo guardo. Posso scalarlo. È facile. Ci sono delle rocce cui aggrapparsi.

Muovo qualche passo incerto… e ce la faccio benissimo. Non è affatto difficile.

«Scusi?» L'uomo con la giacca a vento si è alzato in piedi e mi guarda inorridito. «Cosa sta facendo?»

«Partecipo alla prova. Non si preoccupi, mi sponsorizzo da sola.»

«Non può partecipare! E le scarpe?» Indica le mie scarpe turchesi col tacco a rocchetto. «Ha una giacca a vento?»

«Una giacca a vento?» ripeto, con una smorfia. «Ho la faccia di una persona che va in giro con una giacca a vento?»

«E un bastone?»

«Non ho bisogno di un bastone. Non sono così vecchia.»

Insomma. È solo una passeggiata in collina. Perché fare tante storie?

Giusto per dimostrargli che ho ragione, comincio ad arrampicarmi su per il sentiero, decisa. Il terreno è un po' sdrucciolevole per la pioggia, ma io pianto i tacchetti nel fango con tutta la forza, e mi aggrappo alle rocce che delimitano il sentiero, e in due minuti circa sono già oltre la prima curva.

Ansimo un po' e mi fanno male i polpacci, ma a parte questo me la sto cavando benissimo. Ciò dimostra che scalare una montagna non è poi quel granché. Arrivo a un'altra curva e mi volto a guardare, soddisfatta. Sono praticamente già a metà salita!

È così facile. Ho sempre saputo che le persone che vanno in montagna si vantano per nulla.

Giù in basso percepisco vagamente la voce di Jim che grida: «Becky! Torna indietro!». Ma io faccio finta di non sentire e proseguo, risoluta, un piede davanti all'altro. Devo sbrigarmi se voglio raggiungere Jess.

Solo che deve avere un gran bel passo perché, dopo circa un'ora di arrampicata continua, non sono ancora riuscita a raggiungerla.

A dire il vero, non ho ripreso neppure uno dei partecipanti. Per un po' ho mantenuto in vista la coppia in rosso, ma ora i due sembrano scomparsi. Anche il tizio vestito di blu è sparito. E io non ho neppure intravisto Jess.

Sarà perché probabilmente lei l'ha fatta tutta di corsa, penso, sconsolata. Quasi certamente adesso sta facendo venti piegamenti su un braccio solo sulla cima, perché scalare una montagna non è abbastanza faticoso. Dio, non è giusto. Dovrei avere anch'io qualche gene da Supergirl.

Faccio qualche altro passo in avanti poi mi fermo per riprendere fiato. Sobbalzo alla vista delle mie gambe tutte sporche di fango. Mi sento la faccia bollente e ansimo forte, così tiro fuori lo spray per il viso di Evian e mi spruzzo. Sta cominciando a essere piuttosto ripido, quassù.

Non che sia dura, anzi, mi sto davvero divertendo. A parte la vescica sul piede destro, che comincia a farmi un po' male. Forse quel tizio non aveva tutti i torti: queste non sono le scar-

291

pe più adatte per camminare in montagna. Anche se presentano qualche vantaggio. I tacchetti, per esempio, sono perfetti nei tratti scivolosi.

Guardo il fianco della montagna deserto e accidentato. Un metro più in là c'è una cornice di roccia e, dopo, uno strapiombo a picco sulla valle.

Che non ho nessuna intenzione di ammirare.

Smettila, Becky. Io non correrò in avanti e non mi lancerò oltre la cengia, qualunque cosa mi dica il mio cervello.

Metto via lo spray di Evian e mi guardo attorno, un po' incerta. Non ho idea di quanto manchi ancora. Contavo di raggiungere gli altri partecipanti e chiederlo a loro. Guardo avanti, strizzando gli occhi, cercando di individuare una giacca a vento dai colori sgargianti, ma l'aria si sta facendo densa di nebbia.

Oh, Dio. Sta per piovere. E io non ho neppure un cardigan.

D'un tratto mi sento un po' stupida. Forse non avrei dovuto precipitarmi quassù. Forse dovrei tornare indietro. Con cautela muovo un passo verso valle... ma il terreno è più sdrucciolevole di quanto mi aspettassi e mi ritrovo a scivolare pericolosamente.

«Merda!!!» Mi attacco a una roccia aguzza e in qualche modo riesco a tirarmi su, stirandomi un muscolo.

Okay, lasciamo perdere. Non posso tornare indietro adesso. E comunque, probabilmente ci si mette più a scendere che ad andare avanti. Continuerò a seguire il sentiero. Se allungo un po' il passo la raggiungerò di sicuro.

E ne sarà valsa la pena, già solo per vedere la sua faccia.

Non crederà ai suoi occhi. Allora glielo dirò... e, a quel punto, non crederà alle sue orecchie! Resterà completamente, totalmente meravigliata. Mi crogiolo felice in questo pensiero per qualche istante e poi, con rinnovata energia, riprendo a salire.

Sono da rottamare. Non ce la faccio più.

Mi fanno male le ginocchia, ho le mani piene di graffi, i piedi coperti di vesciche. Sto arrancando da quelle che sembrano ore, ma questa maledetta montagna non finisce mai. Ogni volta che penso di essere arrivata in cima, vedo un altro picco innalzarsi davanti a me.

Dov'è Jess? Dove sono tutti quanti? Non possono essere tanto più veloci di me.

Mi fermo per qualche istante, ansimando appena, e mi tengo stretta a un masso per non perdere l'equilibrio. La vista sopra la vallata è splendida come sempre, con nubi grigie e rosso porpora che corrono nel cielo, e un uccello solitario che vola in alto sopra di me. Forse è un'aquila o qualcosa del genere. A essere sincera, non mi interessa. Io voglio solo sedermi davanti a una bella tazza di tè. Non desidero altro.

Ma non posso. Devo proseguire. Su, avanti. È per questo che la chiamano prova di resistenza.

Con un enorme sforzo mi stacco dal masso e riprendo a salire. Sinistra, destra. Sinistra, destra. Potrei provare a cantare. Ma certo. Mi tirerà su il morale.

«Lì nella valle…»

No. Lasciamo perdere le canzoni.

Oh, Dio. Non ce la faccio più a salire. Non ce la faccio più.

Devo aver camminato per ore, mi sento male e mi gira la testa. Non sento più le mani, e mi sono tagliata un ginocchio su una roccia e strappata la gonna, e non so dove andare.

Incespico su un gruppo di rocce e mi aggrappo a un cespuglio per non cadere, ma mi pungo le mani. Okay. Devo fermarmi per riposarmi un po'. Mi siedo su una pietra piatta, frugo in borsa alla ricerca dell'acqua di Evian e me la spruzzo in bocca.

Ho una sete da morire, la faccia coperta di sudore, i polmoni in fiamme, le gambe coperte di fango e il ginocchio sinistro che sanguina. Le scarpe sono irriconoscibili.

Mi spruzzo l'ultima goccia di Evian in bocca. Mi asciugo il viso con un fazzoletto di carta trovato in borsa e mi guardo attorno nella montagna deserta. Non si vede nessuno. Nessuno.

E ora cosa faccio?

Provo una fitta di paura, nel profondo, ma la ignoro. Andrà tutto bene. La cosa importante è pensare positivo. Continuerò a salire. Posso farcela.

No, non puoi, dice una vocina dentro di me.

Smettila. Pensa positivo. Posso fare qualunque cosa decida di fare.

Non puoi scalare una montagna. È stata un'idea stupida.

Su, certo che posso. Potere alle donne. Nessuna vetta è troppo alta.

E comunque, non posso certo restare seduta su questo masso all'infinito. Devo continuare, altrimenti la morte bianca si impadronirà di me, mi addormenterò e morirò. O forse il mal di montagna, o quel che è.

Mi tremano le gambe, ma in un modo o nell'altro mi costringo ad alzarmi in piedi, sobbalzando per il dolore quando le scarpe premono di nuovo contro le vesciche. Bene. Devo continuare a camminare. Arriverò in cima... forse è lì che aspetta il comitato di benvenuto. E quelle bevande calde di cui parlavano. Sì. Andrà tutto bene...

Improvvisamente si sente il rombo lontano di un tuono.

Oh, no. Dio, ti prego, no.

Alzo gli occhi e vedo che il cielo si è fatto di un grigio minaccioso. Non ci sono più uccelli.

Una goccia mi centra in pieno un occhio. Poi un'altra.

Deglutisco, cercando di mantenermi calma, ma dentro di me sono un concentrato di panico. Cosa faccio? Continuo a salire? Scendo?

«Ehilà!» chiamo. «C'è nessuno?» La mia voce echeggia fra le rocce, ma non c'è risposta.

Altre tre gocce mi si infrangono sulla testa.

Non ho nulla di impermeabile. Guardo il paesaggio desolato, paralizzata dalla paura. E se non riuscissi più a scendere? E se rimanessi bloccata qui sotto il temporale?

Ero così impaziente di dire a Jess che eravamo sorelle, e ora mi sento una stupida. E se mi colpisse un fulmine? Non ricordo nemmeno come bisogna comportarsi quando ci si trova all'aperto sotto un temporale. Dev'essere qualcosa come ripararsi sempre sotto un albero. O forse non ripararsi mai sotto un albero. Quale delle due? E se sbaglio?

All'improvviso, nella mia agitazione, mi accorgo di un rumore. Una specie di trillo. Che sia... un animale?

Oh, mio Dio.

Oh, mio Dio. È il cellulare. Quassù c'è campo!

Con dita tremanti apro la Angel Bag e afferro il cellulare con la lucina che lampeggia. Con un'ondata di incredulità vedo la

294

parola "Luke" sul piccolo display. Premo frenetica il pulsante verde, sentendomi mancare per il sollievo.

«Luke! Luke!»

«Becky! Mi senti?» La linea è molto disturbata, la voce confusa e lontana.

«Sì!» grido, mentre la pioggia comincia a cadere più forte sulla mia testa. «Luke, sono io! Mi sono persa! Ho bisogno d'aiuto!»

«Pronto?» ripete la sua voce, perplessa. «C'è qualcuno dall'altra parte?»

Fisso il cellulare, sbigottita.

«Sì! Ti sento! Sono qui!» Senza alcun preavviso, le lacrime cominciano a scendermi sulle guance. «Sono bloccata su questa orribile montagna e non so cosa fare. Luke, mi dispiace...»

«Deve essere fuori campo» sta dicendo a qualcun altro. «Non sento un accidente.»

«Luke! Luke! Sono qui! Sono qui! Non riattaccare!»

Pesto frenetica sul telefono e le parole "batteria scarica" cominciano a lampeggiare.

«Pronto?» insiste la voce di Luke. «Becky?»

«Luke, ti prego, ascoltami!» urlo, disperata. «Ti prego. Ti prego!»

Ma la luce del piccolo schermo sta già svanendo. Un attimo dopo il telefono si spegne.

È morto.

Guardo tutto attorno la montagna desolata e silenziosa. Non mi sono mai sentita così sola in vita mia.

Dopo un po', una folata di vento mi getta una raffica di pioggia sul viso e io mi ritraggo. Non posso restare qui. Devo trovare un riparo.

Qualche metro più in su c'è una specie di sporgenza con sopra un gruppo di rocce. Posso ripararmi lì sotto. Il fango è terribilmente scivoloso, ma puntando i tacchi e attaccandomi a tutto quello che trovo, riesco in qualche modo ad arrampicarmi lassù, seppur graffiandomi un ginocchio.

Dio, quant'è alto qui. Mi sento un po' precaria. Non importa. Purché non guardi giù andrà tutto bene. Mi aggrappo con decisione alla roccia che sporge e cerco di infilarmi sotto senza scivolare... quando, all'improvviso, scorgo qualcosa di giallo.

Giallo acceso.

Il giallo tipico dell'equipaggiamento da montagna.

Oh, mio Dio. C'è qualcun altro sulla montagna. C'è qualcuno! Sono salva!

«Ehi!» grido. «Ehi! Sono qua!» Ma il vento e la pioggia portano la mia voce nella direzione opposta.

Non riesco a vedere la persona, perché la roccia mi impedisce la vista. Lentamente, e con molta cautela, giro intorno alla sporgenza rocciosa fino ad avere una visuale migliore.

E mi si ferma il cuore.

È Jess.

È sul pendio sottostante. Indossa una giacca a vento gialla e porta uno zaino. Una specie di corda la tiene ancorata alla montagna, e lei sta scalzando una pietra con un coltello.

«Jess!» grido, ma la mia voce è poco più di uno squittio nel vento. «Jess! Jess!»

Alla fine lei si volta e la sua faccia si contrae in un'espressione di orrore.

«Cristo, Becky! Cosa diavolo ci fai tu, quassù?»

«Sono venuta per dirti che siamo sorelle!» urlo di rimando, ma non sono certa che riesca a sentirmi con il rumore di questa pioggia battente. «Sorelle!» grido di nuovo, facendo un passo in avanti e portando le mani intorno alla bocca. «Siamo SORELLE!»

«Fermati!» mi grida Jess, inorridita. «Quella cengia è molto pericolosa!»

«È tutto a posto!»

«Torna indietro!»

«No, davvero!» Ma lei è così allarmata che obbedisco e faccio un passo indietro, allontanandomi dalla sporgenza.

Ed è allora che la mia scarpa sdrucciola sul fango viscido.

Non riesco a ritrovare l'equilibrio.

Cerco freneticamente un appiglio, tentando di aggrapparmi a qualcosa per salvarmi. Ma è tutto troppo scivoloso. Le mie dita si stringono intorno alle radici di un cespuglio, ma anche loro sono tutte bagnate, e non riesco a trovare una buona presa.

«Becky!» L'urlo di Jess mi rimbomba nelle orecchie nello stesso istante in cui il cespuglio mi scivola tra le dita. «Becky!»

E poi cado, in un turbine di terrore, e sento solo urla, ho una fugace visione di uno scampolo di cielo e, alla fine, qualcosa mi colpisce alla testa, con violenza.

Poi, il buio.

TIMORI PER LA RAGAZZA SCOMPARSA

Crescono i timori per la sorte di una residente di Maida Vale, Rebecca Brandon, di ventisette anni. La signora Brandon (nata Bloomwood) è scomparsa giovedì dal lussuoso appartamento che divide con il marito, Luke Brandon, e da allora nessuno l'ha più vista né sentita. L'allarme è stato dato da un'amica della signora Brandon, Susan Cleath-Stuart, arrivata a Londra per farle una visita a sorpresa.

Shopping
Le riprese effettuate da una telecamera a circuito chiuso mostrano la signora Brandon in un negozio del quartiere, Anna's Delicatessen, poco prima della scomparsa, apparentemente molto agitata. "Ha mollato la spesa sul banco e se n'è andata" ha raccontato la commessa, Marie Fuller. "Non ha comperato nulla."

La signora Cleath-Stuart, angosciata, ha commentato: "Questo dimostra che c'è qualcosa che non va. Bex non avrebbe mai abbandonato così i suoi acquisti. Mai!".

Caos
Si sono verificate scene di caos a bordo di una nave attualmente in navigazione nel Mediterraneo, durante la crociera "Mente-Corpo-Spirito", quando i genitori della scomparsa signora Brandon, Graham e Jane Bloomwood, hanno insistito perché la nave invertisse la rotta. "Sapete dove potete mettervela la vostra fottuta tranquillità?" pare abbia urlato la signora Bloomwood, isterica. "Mia figlia è scomparsa!"

Tempeste
Nel frattempo una serie di forti perturbazioni ha impedito al marito della signora Brandon, Luke, di lasciare Cipro dove si trovava per lavoro. Ieri, alcuni testimoni lo hanno definito "preoccupato da morire" e in costante contatto con la polizia. Il suo socio in affari, Nathan Temple, ha promesso una ricompensa a chiunque dia informazioni utili al ritrovamento della signora. Ieri ha così commentato: "Se qualcuno torce un solo capello a quella giovane donna, gli spezzerò personalmente tutte le ossa. Due volte". Il signor Temple è stato condannato nel 1984 per lesioni personali aggravate.

22

Ahi.

Ahi, ahi.

Dio, che male alla testa! Ahhh. E la caviglia mi pulsa per il dolore. Sento che potrei vomitare in qualunque momento, e qualcosa di acuminato mi preme contro la spalla...

Dove sono? Perché mi sento così strana?

Con uno sforzo enorme riesco ad aprire gli occhi e colgo un lampo di blu prima di richiuderli.

Hmm. Blu. Non ha senso. Quasi quasi dormo un po'.

«Becky? Beckyyyy?» Una voce mi chiama da molto lontano. «Svegliati!»

Mi costringo a riaprire gli occhi e mi trovo a fissare un volto. Un volto sfocato contro uno sfondo blu.

Jess.

Accidenti, è proprio Jess. Pallida e preoccupata. Forse ha perso qualcosa. Una pietra. Sì, dev'essere così.

«Riesci a vedermi?» chiede, concitata. «Riesci a contare le mie dita?»

Mi caccia una mano davanti al naso e io la guardo, assonnata. Dio, questa ragazza ha proprio bisogno di una bella manicure.

«Quante dita?» insiste. «Ci vedi? Mi senti?»

Ah, sì.

«Ehm... tre?»

Jess mi fissa per un istante, poi si risiede sui talloni e si prende la testa fra le mani. «Grazie al cielo. Grazie al cielo.»

Sta tremando. Perché mai sta tremando?

E poi, come un'onda di marea, mi torna tutto in mente.

Oh, mio Dio. La prova di resistenza. Il temporale. La caduta. Dio, la caduta! Sono rotolata giù per la montagna.

Cerco di non pensarci, ma con mio grande stupore le lacrime cominciano a sgorgare dagli angoli degli occhi e mi colano dentro le orecchie.

Okay. Ora basta. Ora sono in salvo. Sono a terra... almeno credo. A essere sinceri, non riesco a capire bene dove mi trovo. Scruto lo sfondo blu elettrico, ma continuo a non capire. Direi che sono in cielo... solo che Jess non è caduta, no?

«Dove sono?» chiedo con uno sforzo, e Jess alza la testa. È ancora pallida e molto scossa.

«Nella mia tenda. Porto sempre una tenda nello zaino. Non osavo muoverti, così te l'ho montata intorno.»

Una tenda! Che idea geniale. Perché non la porto anch'io con me? Comincerò da domani. Sì. Una piccola tenda da tenere in borsa.

L'unica cosa è che si sta piuttosto scomodi qui, per terra. Quasi quasi mi alzo e mi sgranchisco le gambe.

Cerco di muovermi e tutto diventa nero.

«Oh, Dio» dico con un filo di voce, e ricado all'indietro.

«Non provare ad alzarti!» mi ammonisce Jess, allarmata. «Hai fatto una caduta terribile. Credevo...» Si interrompe e fa un gran sospiro. «Comunque. Non ti alzare.»

Gradualmente comincio a prendere coscienza del resto del mio corpo. Ho le mani coperte di graffi. Con uno sforzo enorme sollevo la testa e lancio un'occhiata alle gambe, tutte sanguinanti. Sento un dolore alla guancia e avvicino la mano.

«Ah! Mi sanguina la faccia?»

«Sei malmessa» dice Jess, senza mezzi termini. «C'è qualcosa che ti fa davvero molto male?»

«La caviglia. La sinistra. Mi fa un male cane.»

Jess comincia a tastarla e io mi mordo il labbro per non urlare.

«Credo sia slogata» stabilisce. «Te la fascio.» Accende una torcia e la assicura a un paletto di acciaio, poi fruga in una piccola scatola di metallo. Tira fuori un rotolo di qualcosa simile a una benda e comincia ad avvolgerla con gesti esperti intorno alla mia caviglia. «Becky, cosa diavolo ci fai quassù?»

«Io… io sono venuta a cercarti.» Pezzi del puzzle si ricompongono nella mia mente. «Stavo partecipando alla gara di resistenza.»

Jess mi fissa.

«Ma quello non era il percorso! Io ho abbandonato il sentiero. Il percorso della prova era molto più in basso. Non hai seguito i segnavia?»

«Segnavia?»

«Dio, non hai proprio idea di cosa voglia dire camminare in montagna, vero? Non saresti dovuta venire quassù. È pericoloso.»

«E allora perché tu ci sei venuta?» rispondo con un sobbalzo mentre lei stringe sempre di più la fasciatura. «Quello che stavi facendo mi sembra piuttosto rischioso.»

Jess si zittisce.

«L'ultima volta che sono salita qui ho visto dei campioni di ammonite» mi spiega, dopo un po'. «Volevo prenderne uno. È un po' avventato, ma non mi aspetto che tu capisca…»

«Sì, invece! Io capisco!» la interrompo, e mi puntello sui gomiti. Oh, mio Dio. Mi sta tornando tutto in mente. Devo dirglielo. «Jess, io ti capisco. Ho visto le tue pietre. Sono fantastiche. Sono bellissime.»

«Sdraiati» fa Jess con aria preoccupata. «Calmati.»

«Io non voglio calmarmi! Jess, ascoltami. Noi siamo sorelle. Siamo davvero sorelle. È per questo che sono venuta qui. Dovevo dirtelo.»

Jess mi guarda. «Becky, tu hai preso un colpo in testa… probabilmente hai una commozione cerebrale…»

«Non è per questo!» Più alzo la voce più mi pulsano le tempie, ma non riesco a trattenermi. «So che abbiamo lo stesso sangue. Lo so! Sono stata a casa tua.»

«*Cosa?*» Jess sembra scioccata. «Chi ti ha fatto entrare?»

«Ho visto il tuo armadio delle pietre. È identico alla scarpiera che mi sono fatta fare io a Londra. *Identico*. Le luci… le mensole… tutto!»

Per la prima volta in assoluto la vedo scomporsi appena.

«E allora?» dice, con tono brusco.

«Allora! Siamo uguali!» Mi tiro su a sedere ignorando il giramento di testa. «Jess, sai quello che provi davanti a una pietra straordinaria? È quello che provo io davanti a un paio di scarpe speciali! O a un vestito. Devo averlo. Niente altro ha importanza. E io so che tu senti la stessa cosa per la tua collezione di pietre.»

«No» dice lei, voltando la testa.

«Invece sì. Lo so!» La afferro per un braccio. «Tu sei ossessionata quanto me! È solo che lo nascondi meglio. Oh, Dio, la mia testa!»

Mi lascio cadere all'indietro, con le tempie che mi pulsano.

«Ti prendo un antidolorifico» dice Jess, turbata, ma non si muove. Resta lì seduta, la benda posata nella mano aperta.

Capisco che le mie parole l'hanno colpita.

C'è silenzio, tranne che per il tamburellare della pioggia sulla tenda. Non oso parlare. Non oso muovermi.

A dire il vero, non so neppure se *posso* muovermi.

«E tu hai scalato una montagna sotto il temporale solo per dirmi questo?»

«Sì. Certo.»

Si volta a guardarmi. È più pallida che mai, e confusa, come se temesse un inganno.

«Perché? Perché avresti fatto una cosa del genere?»

«Perché… perché è importante! Perché a me importa.»

«Nessuno ha mai fatto una cosa così per me» osserva, e immediatamente distoglie lo sguardo, mettendosi di nuovo a frugare nella scatola di latta. «Quei tagli vanno disinfettati.»

Comincia a tamponarmi la gamba con un batuffolo di cotone, e io mi sforzo di non ritrarmi quando il disinfettante brucia sulle ferite.

«Allora… mi credi? Credi al fatto che siamo sorelle?»

Per qualche istante resta a fissarsi i piedi, protetti da calzettoni spessi e scarponi da montagna marroni. Solleva la testa e contempla le mie scarpe turchesi con i laccetti di strass, tutte graffiate e coperte di fango. La gonna di Marc Jacobs. La T-shirt coi brillantini tutta rovinata. Poi alza gli occhi sul mio volto coperto di graffi e di ecchimosi e restiamo a guardarci.

«Sì» dice alla fine. «Ti credo.»

Tre antidolorifici più tardi mi sento decisamente molto meglio. In effetti non la smetto più di parlare.

«Lo sapevo che eravamo sorelle» sto dicendo, mentre Jess mi mette un cerotto sul ginocchio ferito. «Lo sapevo! A dire il vero credo di essere un po' telepatica. Avvertivo la tua presenza sulla montagna.»

«Hmm» commenta Jess, alzando gli occhi al cielo.

«E l'altra cosa è che sto diventando molto simile a te. Per esempio, pensavo di tagliarmi i capelli corti corti. Dovrebbero starmi bene. E cominciano a interessarmi le pietre...»

«Becky. Non dobbiamo essere uguali.»

«Come?» La guardo, perplessa. «Cosa intendi dire?»

«Forse siamo sorelle. Ma questo non significa che dobbiamo avere tutte e due i capelli corti. O essere appassionate di pietre.» Prende un altro cerotto e lo apre.

«O di patate» aggiungo, prima di riuscire a trattenermi.

«O di patate» conviene lei, e poi aggiunge, dopo una pausa: «O di rossetti firmati e costosissimi che passano di moda nel giro di tre settimane».

Mi guarda con un luccichio negli occhi. Sono allibita. Jess mi sta prendendo in giro?

«Suppongo che tu abbia ragione» ammetto, cercando di mantenere un'aria indifferente. «Solo perché fra noi c'è un legame biologico, questo non significa che debba piacerci fare noiosi esercizi con bottiglie d'acqua al posto dei pesi.»

«Esattamente. O... leggere stupide riviste piene di pubblicità ridicola.»

«O bere caffè da un orribile vecchio thermos.»

La bocca di Jess si contrae.

«O costosissimi cappuccini.»

Si sente lo scoppio di un tuono, ed entrambe sobbalziamo, spaventate. La pioggia batte sulla tenda come fosse un tamburo. Jess mette un ultimo cerotto sulla mia gamba e chiude la scatoletta.

«Suppongo che tu non abbia portato niente da mangiare» dice.

«Ehm... no.»

«Io ho qualcosa, ma non è molto» prosegue corrugando la fronte. «Specialmente se saremo bloccate qui per ore. Non potremo muoverci, anche quando il temporale sarà passato.»

«Non puoi andare a cercare bacche e radici?» chiedo, speranzosa.

Jess mi lancia un'occhiata.

«Becky, io non sono Tarzan.» China le spalle e circonda le ginocchia con le braccia. «Dovremo aspettare qui.»

«Quindi... tu non porti con te un cellulare quando vai in montagna?»

«Non ne possiedo uno. Di solito non mi serve.»

«Di solito non hai con te una stupida sorella ferita, suppongo.»

«No, normalmente no.» Si sposta sul telo steso a terra e allunga una mano dietro di sé. «A proposito, ho raccolto alcune delle tue cose. Si sono sparpagliate quando sei caduta.»

«Grazie» dico, prendendo gli oggetti dalle sue mani. Una miniconfezione di lacca. L'astuccio con l'occorrente per la manicure. Un portacipria.

«Purtroppo non sono riuscita a trovare la borsa» aggiunge Jess. «Dio solo sa dov'è finita.»

Il mio cuore si ferma.

La mia Angel Bag.

La mia borsa da duemila euro. La borsa che i VIP si contendono.

Dopo tutta la fatica... è andata. Persa, su una montagna nel bel mezzo del nulla.

«Non ha importanza.» In qualche modo mi sforzo di sorridere. «Sono cose che succedono.»

Con dita rigide e doloranti apro il portacipria e, incredibilmente, lo specchio è ancora intatto. Mi guardo, con circospezione, e inorridisco. Sembro uno spaventapasseri malconcio. I capelli vanno da tutte le parti, le guance sono coperte di escoriazioni e ho un grosso bernoccolo sulla fronte.

«Cosa facciamo?» Chiudo il portacipria e alzo lo sguardo.

«Dovremo restare qui finché il temporale non è passato.»

«Sì, ma voglio dire... cosa facciamo? Mentre aspettiamo nella tenda.»

Jess mi guarda con espressione vuota per un istante.

«Pensavo che potremmo guardare *Harry ti presento Sally* e mangiare popcorn» dice.

Non posso fare a meno di ridere. Dopotutto Jess ha il senso dello humour. Sotto sotto.

«Vuoi che ti faccia le unghie?» propongo. «Ho tutto l'occorrente, qui.»

«Farmi le unghie? Becky... ti rendi conto che siamo su una montagna?»

«Sì!» rispondo, entusiasta. «Appunto per questo! È uno smalto a lunga durata, che resiste qualunque cosa tu faccia. Guarda!» Le mostro la bottiglietta di smalto. «La modella della foto sta scalando una montagna.»

«Incredibile!» Jess prende la boccetta dalle mie mani e la guarda attentamente. «E la gente ci casca?»

«Su! Come possiamo passare il tempo?» Faccio una pausa innocente. «Voglio dire, non è che abbiamo qualcosa di divertente di cui occuparci, tipo i conti o...»

Jess mi lancia un'occhiataccia.

«Okay. Hai vinto tu. Fammi le unghie.»

Mentre il temporale infuria sopra di noi, ci dipingiamo vicendevolmente le unghie di un rosa acceso e scintillante.

«È fantastico!» osservo, ammirata, quando Jess mi finisce la mano sinistra. «Potresti fare la manicure.»

«Grazie» ribatte lei, secca. «Mi hai reso felice.»

Muovo le dita alla luce della torcia, poi tiro fuori il portacipria per ammirarmi.

«Devi imparare a portarti un dito alle labbra con aria pensosa» spiego, facendole vedere come si fa, «come quando hai un anello o un braccialetto nuovo. Perché la gente lo veda.» Le porgo lo specchietto, ma lei si volta dall'altra parte, improvvisamente incupita.

«No, grazie.»

Rimetto via l'astuccio, riflettendo. Vorrei chiederle perché odia gli specchi, ma devo trovare un modo pieno di tatto.

«Jess...» attacco.

«Sì?»

«Perché odi gli specchi?»

Nella tenda c'è silenzio, rotto solo dal fischiare del vento. Alla fine Jess alza lo sguardo.

«Non lo so. Forse perché quando ero piccola ogni volta che mi specchiavo mio padre mi diceva di non essere vanitosa.»

«Vanitosa?» La guardo, spalancando gli occhi. «Ogni volta?»

«La maggior parte delle volte.» Si stringe nelle spalle, poi vede la mia espressione. «Perché, i tuoi cosa dicevano?»

«I miei genitori...» Ora sono un po' in imbarazzo. «Loro dicevano che ero l'angioletto più bello mai caduto dal cielo sulla Terra.»

Resto a fissarmi le unghie per qualche momento.

«Dio, hai ragione» esclamo, d'un tratto. «Sono stata viziata. I miei mi hanno sempre dato tutto. Non ho mai dovuto cavarmela da sola. Mai. Ho sempre avuto qualcuno che mi aiutava. Mio padre e mia madre... poi Suze... ora Luke.»

«Io ho sempre dovuto arrangiarmi da sola fin da piccola» dice Jess. Il suo volto è in ombra e non riesco a vedere la sua espressione.

«Mi sembra un tipo piuttosto severo, tuo papà» azzardo.

Per qualche momento Jess non risponde.

«Papà non ha mai manifestato le proprie emozioni. Non ti diceva mai che era orgoglioso di te. Lo era» aggiunge con veemenza, «ma nella nostra famiglia non parliamo di tutto come fate voi.»

Un'improvvisa folata di vento solleva un angolo della tenda, facendo entrare una raffica di pioggia. Jess afferra il lembo e prende un picchetto di metallo.

«Io sono come lui» riprende, battendo sul picchetto per conficcarlo di nuovo nel terreno. «Solo perché non parlo di qualcosa non vuole dire che io non la provi.» Si volta e sostiene il mio sguardo con uno sforzo evidente. «Quando sono venuta a farti visita a casa tua, Becky, io non volevo essere ostile. O... fredda.»

«Non avrei mai dovuto dirti queste cose» mormoro, con un'ondata di rimorso. «Sono davvero dispiaciuta...»

«No» mi interrompe lei. «Io sono dispiaciuta. Avrei potuto sforzarmi un po' di più. Avrei potuto partecipare.» Posa la pietra per terra e resta a fissarla per qualche secondo. «A essere sincera, ero un po' intimidita da te.»

«Luke mi aveva avvertito che tu avresti potuto trovarmi un po' opprimente» ammetto con aria mesta.

306

«Pensavo fossi matta» dice Jess e io sorrido.

«No. Davvero. Credevo fossi matta. Pensavo che i tuoi genitori ti avessero tirato fuori da qualche tipo di istituto.»

«Oh» faccio io, un po' sconcertata. Mi sfrego la testa, che ha ripreso a pulsare.

«Dovresti dormire» fa Jess, osservandomi. «È la miglior medicina. E il miglior antidolorifico. Ecco, qui c'è una coperta.» Mi porge un foglio di qualcosa che assomiglia alla stagnola.

«D'accordo.» Lo osservo, dubbiosa. «Ci proverò.»

Appoggio la testa nel posto meno scomodo che mi riesce di trovare e chiudo gli occhi.

Ma non riesco a prendere sonno. Continuo a ripensare alla nostra conversazione, con la pioggia scrosciante e lo sbattere della tenda che fanno da colonna sonora.

Sono viziata.

Sono una mocciosa viziata.

Non c'è da meravigliarsi che Luke si sia stancato. Non c'è da meravigliarsi che il nostro matrimonio sia in crisi. È tutta colpa mia.

Oh, Dio. D'un tratto mi si riempiono gli occhi di lacrime, e la testa mi pulsa sempre di più. E ho il collo tutto irrigidito... per non parlare della pietra sotto la spalla...

«Becky, ti senti bene?»

«Non molto» ammetto, con voce roca e incerta. «Non riesco a dormire.»

Silenzio. Penso che forse Jess non ha sentito, o forse non ha niente da dire. Ma un attimo dopo sento qualcosa accanto a me. Mi volto... ed è lei che mi sta offrendo una barretta bianca.

«Non sono caramelle alla crema di menta» dice secca.

«Che cos'è?»

«Un alimento per alpinisti.»

«Grazie» sussurro e ne prendo un morso. Ha uno strano gusto dolciastro, e non è che mi piaccia tanto, ma do un secondo morso per far vedere la mia buona volontà. Poi, con mio grande orrore, sento tornare le lacrime.

Jess sospira e anche lei dà un morso alla barretta.

«Cosa c'è?»

«Luke non mi ama più» dico, con un singhiozzo.

«Ne dubito.»

«È così!» Mi cola il naso e me lo pulisco con la mano. «Da quando siamo tornati dal viaggio di nozze è stato un disastro. Ed è solo colpa mia, ho rovinato tutto...»

«Non è solo colpa tua» mi interrompe Jess.

«Come?»

«Io non direi che è solo colpa tua» dice lei, calma. «Per litigare bisogna essere in due.» Incarta ciò che resta della sua barretta, apre lo zaino e lo fa scivolare dentro. «A proposito di fissazioni, Luke è totalmente ossessionato dal suo lavoro!»

«Lo so. Ma io credevo fosse cambiato. In luna di miele era rilassato. Era tutto perfetto. Ero così felice...»

Con una fitta di dolore ripenso a me e a Luke, sereni e abbronzati. Che ci teniamo per mano. Che facciamo yoga insieme. Seduti sulla terrazza in Sri Lanka, a pianificare il nostro ritorno a sorpresa.

Nutrivo così tante aspettative, e invece niente è andato come pensavo.

«Non si può stare in luna di miele per sempre» mi fa notare Jess. «Era destino che si verificasse una piccola crisi.»

«Ma io non vedevo l'ora di essere sposata» dico, con un groppo in gola. «Ci vedevo seduti intorno al grande tavolo di legno, alla luce delle candele. Io, Luke, Suze... Tarquin... felici e sereni...»

«Cosa è successo?» Jess mi rivolge un'occhiata penetrante. «Cosa è successo a Suze? Tua madre mi ha detto che era la tua migliore amica.»

«Lo era. Ma mentre io ero via lei ha... lei ha trovato qualcun altro.» Fisso la tela blu che sbatte nel vento, e sento una fitta. «Tutti si sono trovati dei nuovi amici e dei nuovi lavori, e non si interessano più a me. Io... io non ho più amici.»

Jess chiude la cerniera dello zaino e stringe il cordino. Poi alza lo sguardo.

«Hai me.»

«Non ti sono neppure simpatica» ribatto, afflitta.

«Be', sono tua sorella. Devo sopportarti, no?»

Alzo la testa e noto uno scintillio divertito nei suoi occhi. E un calore. Un calore che non credo di aver mai visto prima.

«Sai, Luke vorrebbe che fossi come te» dico, dopo una pausa.

«Già.»

«È così! Vorrebbe che fossi parsimoniosa e frugale.» Nascondo ciò che resta della mia barretta dietro un sasso, sperando che Jess non se ne accorga. «Vuoi insegnarmi?»

«Insegnare a te. A essere frugale.»

«Sì! Ti prego.»

Jess alza gli occhi al cielo.

«Tanto per cominciare, se vuoi essere frugale non getti via un pezzo di barretta perfettamente sano.»

«Oh. Certo.» Imbarazzata, lo raccolgo e ne prendo un altro morso. «Hmm... buono!»

Il vento fischia ancora più forte e la tenda sbatte con maggior violenza. Mi stringo nella coperta di stagnola, rimpiangendo per l'ennesima volta di non aver portato un cardigan. O magari una giacca a vento. All'improvviso mi ricordo di una cosa. Infilo una mano nella tasca della gonna... e non posso crederci. Il pacchettino è ancora lì.

«Jess... questo è per te» dico, tirandolo fuori. «Ero venuta a casa tua per dartelo.»

Le porgo la piccola custodia blu. Lentamente apre il cordoncino e fa scivolare nel palmo della mano la catenella d'argento col fagiolo di Tiffany.

«È una collana» le spiego. «Io ne ho una uguale.»

«Becky.» Jess sembra colta di sorpresa. «È... è veramente...»

Per un terribile momento penso che stia per dire "inadatta" o "fuori luogo".

«Favolosa. È favolosa. Ti voglio bene. Grazie.»

Allaccia la catenina intorno al collo e io la ammiro, deliziata. Le sta benissimo! Quello che è strano, però, è che il suo viso sembra diverso. È come se avesse cambiato forma. Quasi come se...

«Oh, mio Dio!» esclamo, sbalordita. «Stai sorridendo!»

«No, non è vero» ribatte lei, pronta e vedo che si sforza di smettere, ma non ci riesce. Il suo sorriso si allarga, e lei solleva una mano a sfiorare il fagiolo.

«Sì, che stai sorridendo. Lo sapevo! Sai, Jess...»

Qualunque cosa stessi per dire viene coperta dall'ululato del vento mentre, senza alcun preavviso, la burrasca solleva un angolo della tenda.

«Oh, mio Dio!» urlo, mentre la pioggia mi sferza il viso. «Oh, mio Dio! La tenda! Prendila!»

«Merda!» Jess sta tirando il telo verso il basso, e cerca disperatamente di fissarlo, ma un'altra raffica glielo strappa di mano. La tenda si gonfia come una vela e scompare giù per il fianco della montagna.

Guardo Jess attraverso il muro di pioggia.

«E ora cosa facciamo?» sono costretta a urlare per farmi sentire.

«Cristo.» Jess si sfrega il viso. «Okay. Dobbiamo trovare un riparo. Ce la fai ad alzarti?»

Mi aiuta a mettermi in piedi e io non riesco a trattenere un urlo di dolore. La caviglia mi fa un male insopportabile.

«Dovremo cercare di arrivare a quelle rocce» fa Jess, indicandomi un punto. «Appoggiati a me.»

Cominciamo ad avanzare, un po' zoppicando, un po' trascinando i piedi, attraverso il pendio fangoso, tenendo una specie di strano ritmo. Stringo i denti per il dolore, costringendomi a non fare scene.

«Qualcuno verrà a salvarci?» chiedo, fra un passo e l'altro.

«È improbabile. Non siamo rimaste fuori abbastanza a lungo.» Jess si ferma. «Okay. Adesso devi salire questa parete. Attaccati a me.»

In un modo o nell'altro riesco a risalire la rampa rocciosa, consapevole delle mani forti di Jess che mi sorreggono. Dio, è proprio in ottima forma fisica. Mi viene in mente che sarebbe potuta tranquillamente scendere a valle sotto la pioggia, e adesso essere a casa, al sicuro e al caldo.

«Grazie per avermi aiutato» le dico con voce roca, quando riprendiamo a camminare. «Grazie per essere restata con me.»

«Figurati» fa lei, senza scomporsi.

La pioggia mi batte sul viso con tanta violenza che quasi mi soffoca. Mi gira di nuovo la testa, e la caviglia mi fa un male insopportabile. Ma devo proseguire. Non posso deludere Jess.

Improvvisamente sento un rumore nella pioggia. Dev'essere la mia immaginazione. O magari il vento. Non può essere vero.

«Un momento.» Jess s'immobilizza. «Cos'era?»

Restiamo tutte e due in ascolto. È proprio vero.

È proprio il rumore pulsante di un elicottero.

Alzo gli occhi e vedo delle luci indistinte che si avvicinano nella pioggia battente.

«Aiuto!» urlo, agitando freneticamente le braccia. «Siamo qui!»

«Siamo qui!» grida Jess e rivolge il fascio della torcia verso l'alto, muovendolo nell'oscurità. «Siamo qui! Aiuto!»

L'elicottero resta sospeso sopra di noi per qualche istante. Poi, con mio grande sgomento, si allontana.

«Non ci hanno visto?» chiedo, senza fiato.

«Non lo so.» Jess ha un'aria tesa e preoccupata. «Difficile dirlo. Comunque qui non potrebbe scendere. Devono atterrare sulla cima e venire giù a piedi.»

Restiamo immobili per un momento, ma l'elicottero non torna.

«Okay» dice Jess, alla fine. «Proseguiamo. Se non altro, le rocce ci ripareranno dal vento.»

Riprendiamo a muoverci come prima. Ma questa volta, la mia energia sembra essersi esaurita. Mi sento esausta. Sono bagnata fradicia, ho freddo, e non ho più forze. Proseguiamo su per il pendio con esasperante lentezza, abbracciate, le teste una vicina all'altra, ansimanti, con la pioggia che ci sferza il viso.

«Aspetta.» Mi fermo. «Sento qualcosa.» Mi appoggio a Jess, allungando il collo.

«Ho sentito qualcosa…»

Mi interrompo vedendo una debole luce sciabolare nella pioggia. È il fascio di una torcia, lontano. E sento del movimento, lungo il fianco della montagna.

Oh, mio Dio. Finalmente. C'è qualcuno.

«Sono le squadre di soccorso!» esclamo. «Sono arrivati! Siamo qui! Aiuto!»

«Siamo qui!» grida Jess, e muove la torcia nell'aria. «Siamo qui!»

Il fascio della torcia scompare brevemente per poi riapparire.

«Aiuto!» grida Jess. «Siamo qui!»

Nessuna risposta. Dove sono andati? Che non ci abbiano sentito?

«Aiutooo!» urlo disperata. «Aiutateci! Siamo qui! Ci sentite?»

«Bex?»

Una voce familiare un po' stridula mi giunge oltre l'ululato della burrasca. Mi immobilizzo.

Cosa?

Che abbia le allucinazioni?

Sembrava proprio...

«Bex?» urla di nuovo la voce. «Bex, dove sei?»

Suze?

Mentre guardo in su, una figura compare sulla cresta sopra di noi, intabarrata in un vecchio Barbour. I capelli appiccicati alla testa per la pioggia, sta agitando la torcia, riparandosi gli occhi con l'altra mano, e si guarda attorno preoccupata.

«Bex?» grida. «Bex!! Dove sei?»

Deve proprio trattarsi di un'allucinazione. Come un miraggio. Vedo un albero scosso dal vento e credo che sia Suze.

«Bex?» Sta guardando nella nostra direzione. «Oh, mio Dio! Bex! L'ho trovata!» urla, voltandosi indietro. «Sono qua! Bex!» Comincia a scendere il crinale venendo verso di noi, facendo rotolare dei sassi.

«La conosci?» mi chiede Jess, sconcertata.

«È Suze» rispondo, deglutendo per scacciare il magone. «È la mia migliore amica.»

Qualcosa di duro mi blocca la gola. Suze è venuta a cercarmi. È venuta fin qui per cercarmi.

«Bex! Grazie al cielo!» Suze arriva da noi con un ultimo smottamento di sassi e terra, e mi guarda, il volto tutto sporco di fango, gli occhi azzurri spalancati per lo shock. «Oh, mio Dio. Sei ferita. Lo sapevo. Lo sapevo.»

«Sto bene» la tranquillizzo. «A parte la caviglia.»

«È qui, ma è ferita!» dice, parlando al cellulare, poi resta in ascolto per un momento. «Tarkie sta scendendo con una barella.»

«Tarquin?» Sono troppo confusa per capire. «Tarquin è qui?»

«Con il suo amico della RAF. Quegli stupidi del soccorso montano dicevano che era troppo presto per muoverci. Ma io lo sentivo che eri nei guai. Lo sentivo che dovevamo venire. Ero così preoccupata... nessuno sapeva dove fossi... eri scomparsa. Abbiamo creduto... non sapevamo cosa pensare... abbiamo cercato di rintracciare il tuo cellulare, ma non c'era segnale... poi è comparso all'improvviso... e ora eccoti qui... tutta pesta.» Sembra sull'orlo delle lacrime. «Bex, mi dispiace di non averti richiamato. Mi dispiace moltissimo.»

Mi getta le braccia al collo e per qualche istante restiamo lì, abbracciate, sotto la pioggia.

«Sto bene» e inghiotto le lacrime. «Davvero. Sono caduta, ma ero con mia sorella. Lei si è presa cura di me.»

«Tua sorella.» Suze allenta la stretta e lentamente si volta verso Jess, che ci osserva imbarazzata, le mani infilate nelle tasche.

«Questa è Jess» le presento. «Jess... questa è Suze.»

Le due si guardano sotto la pioggia sferzante. Non riesco a capire cosa pensino.

«Ciao, sorella di Becky» fa Suze alla fine, porgendo la mano.

«Ciao, migliore amica di Becky» replica Jess, stringendola.

Si sente un gran rumore. Guardiamo in su e vediamo Tarquin che viene verso di noi, con una fantastica tuta dell'esercito e un elmetto con sopra fissata una lampada.

«Tarquin! Ciao.»

«Jeremy sta scendendo con la barella pieghevole» fa, tutto allegro. «Ci hai fatto prendere un bello spavento, Becky. Luke?» dice poi, parlando nel cellulare. «L'abbiamo trovata.»

Il mio cuore si ferma.

Luke?

«Come...» Improvvisamente mi tremano così tanto le labbra che quasi non riesco a formulare le parole. «Come mai Luke...»

«È bloccato a Cipro per via del cattivo tempo» mi informa Suze. «Ma si è sempre tenuto in contatto con noi. Dio, era proprio fuori di testa.»

«Ecco, Becky, tieni» e Tarquin mi porge il cellulare.

Quasi quasi non riesco a prenderlo. Sono troppo nervosa.

«È ancora... arrabbiato con me?» chiedo, balbettando.

Suze mi guarda in silenzio per un momento, con la pioggia che le inzuppa i capelli e il viso.

«Bex, fidati. Non è arrabbiato con te.»

Mi porto il telefono all'orecchio, sobbalzando leggermente quando mi preme contro il volto escoriato.

«Luke?»

«Oh, mio Dio! Becky! Grazie al cielo.»

La sua voce è lontana e disturbata e riesco a malapena a capire quello che dice. Ma, non appena sento la sua voce familiare, è come se tutti questi ultimi giorni fossero giunti a una conclusione. Qualcosa sta scoppiando dentro di me. Mi bruciano gli occhi. Ho il respiro affannato.

Lo voglio. Voglio Luke e voglio tornare a casa.

«Grazie al cielo stai bene.» Non l'ho mai sentito così agitato. «Ero fuori di me…»

«Lo so» dico, deglutendo. «Mi dispiace.» Le lacrime mi rigano le guance. Riesco appena a parlare. «Luke, scusami per tutto…»

«Non scusarti. Sono io che devo scusarmi. Credevo…» Si interrompe e sento che respira forte. «Vedi di non perderti di nuovo, d'accordo?»

«D'accordo.» Mi asciugo gli occhi con la mano. «Vorrei tanto che tu fossi qui.»

«Ci sarò presto. Partirò appena si placa questa tempesta. Nathan mi ha messo a disposizione il suo jet personale. È stato fantastico.» Con mio grande sgomento, la sua voce si trasforma in un crepitio sempre più lontano.

«Luke?»

«… albergo…»

Sta per cadere la linea. Niente di ciò che ho sentito ha un senso.

«Ti amo» dico, inutilmente, mentre il telefono si spegne. Alzo gli occhi e vedo gli altri che mi osservano in silenzio. Tarquin mi dà qualche colpetto affettuoso sulla spalla con una mano grondante acqua.

«Su, Becky, andiamo. Sarà meglio che ti carichiamo sull'elicottero.»

23

L'ospedale è un ricordo un po' confuso. Un sacco di luci, rumori, domande, spostamenti in barella... e alla fine si scopre che ho una doppia frattura alla caviglia e che devono ingessarmi la gamba. Inoltre ho bisogno di punti di sutura e di controllare che non abbia preso il tetano o il morbo della mucca pazza o cos'altro ancora.

Mentre fanno tutto questo, mi iniettano qualcosa che mi fa sentire rintronata, e quando è tutto finito mi abbandono all'indietro sui cuscini, improvvisamente esausta. Dio, com'è bello trovarsi al pulito, al caldo, all'asciutto.

In lontananza sento che qualcuno sta rassicurando Jess, dicendole che non mi ha procurato alcun danno spostandomi. Poi la stessa voce maschile spiega a Suze che una TAC completa non è necessaria in questo caso e che non stanno prendendo sottogamba la mia salute. E si dà il caso che nel nostro paese lui sia considerato un luminare.

«Becky?» Alzo lo sguardo, intontita, e vedo Tarquin venire verso il mio letto con il cellulare in mano. «È di nuovo Luke.»

«Luke?» dico, nel ricevitore. «Ciao! Indovina? Ho una gamba rotta!» Rimiro la gamba ingessata, appoggiata su un supporto. Ho sempre desiderato un gesso.

«Ho sentito. Povero tesoro mio. Ti trattano bene? Hai tutto quello che ti serve?»

«Sì... credo di sì. Sai...» Senza alcun preavviso mi sfugge un gran sbadiglio. «A dire il vero sono piuttosto stanca. Magari dormo un po'.»

«Vorrei tanto essere lì.» La voce di Luke è dolce e profonda.

«Becky, dimmi una cosa. Perché te ne sei scappata al Nord senza dirlo a nessuno?»

Come? Ma non lo capisce?

«Perché avevo bisogno di aiuto, ovvio» rispondo, avvertendo la familiare sensazione di dolore. «Il nostro matrimonio era in pezzi e Jess era la sola persona cui potessi rivolgermi.»

Dall'altra parte c'è silenzio.

«Il nostro matrimonio era... cosa?» fa Luke, dopo un po'.

«In pezzi!» Ho la voce tremula. «Lo sai anche tu! È stato orribile. Non mi hai neppure dato un bacio di addio!»

«Tesoro, ero arrabbiato. Avevamo litigato. Questo non significa che il nostro matrimonio sia in pezzi.»

«Oh. Be', io pensavo che lo fosse. Che fosse tutto finito. Pensavo non ti interessasse dov'ero.»

«Oh, Becky.» La voce di Luke ha un timbro strano, come se si stesse sforzando di non ridere. O forse di non piangere. «Hai una vaga idea di cosa ho passato?»

«No.» Mi mordo il labbro, rossa per la vergogna. «Luke, mi dispiace. Davvero. Io... io non pensavo... io non mi sono resa conto...»

«E comunque» dice lui, interrompendomi. «Ora sei al sicuro ed è questo che conta. Sei sana e salva.»

Avverto un gran senso di colpa. È stato così carino. Devo avergli fatto passare momenti d'inferno. E ora è là, bloccato a Cipro... Travolta dall'emozione, avvicino ancora di più il telefono all'orecchio.

«Luke, torna a casa. So che odi quel posto. So che sei tanto infelice. Ed è tutta colpa mia. Lascia perdere quello stupido Nathan Temple e il suo orrendo albergo.»

Segue un lungo silenzio.

«Luke?»

«C'è una cosa che devo dirti, a questo proposito. Credo che forse...» S'interrompe. «Tu avessi ragione, e io torto.»

Guardo il telefono, confusa. Ho sentito bene?

«Ero prevenuto» sta dicendo Luke. «Ora che l'ho conosciuto, devo dire che Nathan è un tipo molto in gamba. Ha un'ottima visione commerciale. Andiamo molto d'accordo.»

«Andate d'accordo? Ma... non era un delinquente?»

«Ah» fa Luke, imbarazzato. «Nathan mi ha spiegato tutto.

Quando è successo il fattaccio, stava difendendo un suo dipendente da un ospite ubriaco. Si è lasciato un po' "prendere la mano", sono le sue parole. Ha detto che è stato un errore. E io gli credo.»

C'è una pausa. Mi pulsa la testa. Non riesco ad afferrare tutto.

«Sotto diversi aspetti è un uomo che mi va molto a genio» continua Luke. «L'altra sera mi ha raccontato perché ha aperto la sua catena di motel. È stato subito dopo che gli avevano impedito di entrare in un albergo elegante perché era senza cravatta. È andato in un pub è ha buttato giù il progetto dei Value Motel. Nel giro di un anno ne aveva costruiti e avviati venti. Non si può che ammirare un simile spirito di iniziativa.»

«Non ci posso credere. Ti è simpatico.»

«Mi è simpatico, eccome» ammette Luke. «Ed è stato fantastico in questo frangente. Non avrebbe potuto essere più gentile. È rimasto alzato insieme a me tutta la notte, ad aspettare tue notizie.»

Sono assalita dal senso di colpa, immaginandoli in vestaglia, con l'espressione preoccupata, in fremente attesa accanto al telefono. Dio, non sparirò mai più in questo modo.

Voglio dire, non che ne avessi l'intenzione, ma non si sa mai.

«E l'albergo? È kitsch?»

«Terribilmente kitsch» risponde lui, tutto allegro. «Ma avevi ragione tu: è un kitsch di altissimo livello.»

Mi sfugge una risatina, che subito si tramuta in un enorme sbadiglio. Sento che i farmaci cominciano a fare effetto.

«Allora... avevo ragione» dico, con voce un po' assonnata. «È stato un bel colpo.»

«È stato un bel colpo» conviene lui. «Becky, ti chiedo scusa.» D'un tratto sembra più serio. «Per questo e... per un sacco di altre cose.» Ha un attimo di esitazione. «Mi rendo conto che queste ultime settimane non sono state facili per te. Io ero ossessionato dall'accordo con la Arcodas. Non ti ho aiutato. E non ho capito che trauma sia stato per te tornare in Gran Bretagna.»

A mano a mano che le parole mi arrivano al cervello, suonano stranamente familiari.

Che abbia parlato con Jess?

Possibile che Jess abbia preso le mie difese?

All'improvviso mi rendo conto che Luke sta ancora parlando.

«E un'altra cosa... Finalmente, in aereo, ho trovato il tempo per guardare nel tuo fascicolo rosa. E la tua idea mi piace davvero. Dovremmo contattare David Neville per vedere se vuole vendere.»

«La mia idea ti è piaciuta?» ripeto, meravigliata e deliziata al tempo stesso. «Sul serio?»

«Moltissimo. Anche se non riesco proprio a capire dove tu abbia acquisito tutte queste nozioni specialistiche sulle espansioni...»

«Da Barneys. Te l'ho detto.» Sprofondo soddisfatta nei cuscini. «David vorrà vendere, lo so. Si è pentito di essersi messo in proprio. E poi vogliono un altro bambino...» Farfuglio un po' per il sonno. «E Judy desidera solo che lui abbia uno stipendio norma... normale...»

«Tesoro, ne riparleremo in un altro momento. Ora sarà meglio che riposi.»

«D'accordo.» Adesso mi sento le palpebre davvero pesanti e faccio fatica a tenere gli occhi aperti.

«Quando torno a casa ricominciamo» dice Luke, piano. «Basta litigi, d'accordo?»

«Cos'è quello?» esclama una voce inorridita, e vedo un'infermiera avanzare verso di me. «I cellulari non sono ammessi in reparto. E poi lei deve dormire, signora!»

«Okay» dico nel telefono. «Okay.»

L'infermiera mi toglie il cellulare dalla mano e i miei occhi si chiudono di colpo.

Quando li riapro è tutto diverso. La stanza è avvolta nella penombra. Non si sente più parlare. Dev'essere notte.

Mi sento la gola e le labbra riarse. Ricordo che c'era una brocca d'acqua sul comodino e sto cercando di mettermi a sedere quando scontro qualcosa che cade rumorosamente a terra.

«Becky? Tutto bene?» Mi volto e vedo Suze seduta su una sedia accanto al letto. Si sfrega gli occhi e si sporge verso di me. «Vuoi qualcosa?»

318

«Dell'acqua» rispondo gracchiando. «Se ce n'è.»

«Ecco qui.» Suze mi versa un bicchiere pieno e io lo bevo d'un fiato, assetata. «Come stai?»

«Bene.» Poso il bicchiere, sentendomi molto meglio, poi mi guardo attorno nel cubicolo poco illuminato e chiuso da tende. «Dove sono gli altri? Dov'è Jess?»

«Sta bene. I dottori l'hanno visitata e poi Tarkie l'ha accompagnata a casa. Ma hanno voluto trattenerti in osservazione.»

«Già.» Mi sfrego il viso, desiderando avere dell'idratante con me. Poi, d'un tratto, vedo che ore sono all'orologio di Suze.

«Ma sono le due!» esclamo, inorridita. «Suze, cosa ci fai qui? Dovresti essere a letto!»

«Non volevo andarmene. Non volevo lasciarti sola.»

«Sst!» sibila qualcuno dall'altra parte della tenda. «Smettetela di fare rumore!»

Suze e io ci guardiamo sorprese... e all'improvviso sento nascere dentro di me una risata. Suze fa le linguacce in direzione della tenda, e io mi lascio sfuggire un singulto.

«Prendi ancora un po' d'acqua» dice Suze a voce più bassa. «Ti terrà la pelle idratata.» Mi versa un altro bicchiere e viene a sedersi sul bordo del letto. Per un po' restiamo tutte e due in silenzio. Bevo qualche sorsata d'acqua: è tiepida e sa di plastica.

«Questo mi rammenta quando è nato Ernie.» Suze mi guarda nella semioscurità. «Te lo ricordi? Sei rimasta con me tutta la notte.»

«Già.» Ho un improvviso ricordo di Ernie, piccolo piccolo, fra le braccia di Suze, tutto rosa e avvolto in una copertina. «Che notte, quella!» Incrocio il suo sguardo e sorrido.

«Sai, quando sono nati i gemelli... mi sembrava che mancasse qualcosa, visto che tu non c'eri.» Suze fa una risatina tremula. «Lo so che sembra sciocco.»

«No, non lo è.» Abbasso gli occhi sul lenzuolo bianco, arrotolandolo con le dita. «Mi sei davvero mancata, Suze.»

«Anche tu.» La sua voce è un po' roca. «E... e devo dirti una cosa. Mi dispiace per come mi sono comportata quando sei tornata.»

«No» dico, subito. «Non essere sciocca. Sono io che ho reagito in modo eccessivo. Dovevi pure farti delle altre amiche mentre io ero via. Naturale. Sono stata... una stupida.»

«No, la stupida non sei stata tu. Sono stata io. Ero invidiosa.»

«Invidiosa?» Alzo lo sguardo, scioccata. Suze si rifiuta di guardarmi.

«Sì. Eri tutta elegante, abbronzata, con la tua Angel Bag.» La sua voce ha un tremito. «E io invece, lì, bloccata in campagna con tre bambini. Tu sei arrivata con quella sfilza di racconti sulla tua incredibile luna di miele intorno al mondo, e io mi sono sentita... proprio una sfigata.»

La fisso, sbigottita.

«Suze, tu non sarai mai una sfigata! Mai, neppure in un milione di anni!»

«E così pensavo...» Mi guarda con espressione determinata. «Quando starai meglio potremmo andare a Milano per un fine settimana. Solo tu e io. Cosa ne dici?»

«E i bambini?»

«Staranno benissimo. Tarkie si prenderà cura di loro. Sarà il mio regalo di compleanno in ritardo.»

«E il centro benessere?» chiedo, circospetta. «Non era quello il tuo regalo?»

Per un attimo Suze resta in silenzio.

«Sì, è stato bello» dice lei alla fine. «Ma non è stato come con te. Nessuno è come te, Bex.»

«Così ora odi Lulu?» non posso fare a meno di chiedere, speranzosa.

«Bex!» Suze fa una risata scioccata. «No, non la odio. Ma...» Incrocia il mio sguardo. «Tu sei la migliore.»

Non riesco a trovare una risposta, così prendo di nuovo il bicchiere... e vedo un pacchettino posato sul comodino.

«Jess ha lasciato questo per te» mi spiega Suze, un po' perplessa. «Ha detto che forse avresti desiderato mangiare qualcosa.»

Non posso fare a meno di sorridere. È la barretta preferita dagli alpinisti.

«È... è uno scherzo fra noi due. Non credo si aspetti davvero che io lo mangi.»

Per un po' c'è silenzio, a parte il rumore di un carrello spinto in lontananza, e il tonfo di una porta che si apre e subito si richiude.

«Dunque... hai davvero una sorella» e io avverto una traccia di malinconia nella sua voce. Per qualche istante osservo il suo bel volto ansioso, così familiare.

«Suze... tu sarai sempre mia sorella» dico, alla fine. E l'abbraccio stretta stretta.

24

Okay. È sorprendente. Anzi, è incredibile. La quantità di cose che ero convinta non mi piacessero… e che invece ora scopro di adorare!

Per esempio:

1. Jess.
2. Il sanguinaccio (con il ketchup è delizioso).
3. Essere spilorcia.

Sul serio. Non sto scherzando. Essere frugale è assolutamente fantastico. È così appagante! Come mai non me ne ero resa conto prima?

Tipo, ieri ho spedito una cartolina a Janice e Martin per ringraziarli dei bellissimi fiori… e invece di acquistarne una, l'ho ritagliata da una scatola di cereali. C'era Kelloggs scritto sul davanti! Non è fortissimo?

È stata Jess a suggerirmelo. Mi sta insegnando così tante cose! Sto a casa sua da quando sono uscita dall'ospedale… e lei è stata magnifica. Mi ha ceduto la sua camera da letto perché ci sono meno gradini da salire rispetto a quella degli ospiti, mi aiuta a entrare e a uscire dalla vasca da bagno, mi prepara la zuppa di verdure ogni giorno per pranzo. Mi insegnerà anche a farla. Perché se la prepari con le lenticchie e… qualcos'altro che non ricordo, è un pasto perfettamente bilanciato già di per sé, e costa solo trenta pence a porzione.

E con i soldi che risparmi puoi acquistare qualcosa di buono, tipo una di quelle torte alla frutta fatte in casa da Elizabeth. (Questo è un consiglio che io ho dato a Jess. Visto? Ci aiutiamo a vicenda!)

Saltello fino al lavandino della cucina e con molta attenzione svuoto metà dei fondi di caffè usati dalla caffettiera nel secchio della spazzatura, metto sopra un po' di caffè fresco e accendo il bollitore. La regola, in questa casa, è che i fondi si riutilizzano e, come dice Jess, la cosa ha un senso. Il caffè non fa proprio del tutto schifo, e si risparmia un sacco.

Sono così cambiata... Finalmente sono diventata una persona frugale e piena di buon senso. Quando Luke mi vedrà, non potrà crederci.

Jess sta tagliando una cipolla e io cerco di rendermi utile prendendo la retina delle cipolle per buttarla via.

«Non farlo!» Jess alza lo sguardo. «Può servire.»

«Una retina per le cipolle?» Accidenti. Ogni momento se ne impara una nuova. «E... come si può riutilizzare una retina per le cipolle?»

«Puoi trasformarla in una paglietta.»

«Ah.» Annuisco con espressione intelligente anche se non sono del tutto sicura di cosa sia una paglietta.

«Sai cos'è, no?» dice Jess, guardandomi. «Per strofinare. Come un esfoliante, ma per la cucina.»

«Oh, sì. Fantastico!»

Tiro fuori il mio taccuino che ho intitolato *Consigli utili per le massaie parsimoniose*, e me lo annoto. C'è così tanto da imparare... per esempio, lo sapevate che con un vecchio cartone di latte si può fare un annaffiatoio da giardino?

Non che io abbia bisogno di un annaffiatoio da giardino, ma non si sa mai.

Vado in soggiorno, una mano sulla stampella, la caffettiera nell'altra.

«Ehi.» Suze, seduta per terra, alza lo sguardo. «Cosa te ne pare?» Alza lo striscione che sta dipingendo. Dice GIÙ LE MANI DAL NOSTRO PANORAMA, a vivaci lettere rosse e blu, con un contorno verde simile a un tralcio di vite.

«Uau!» esclamo, ammirata. «Suze, è fantastico. Sei bravissima.» Osservo la pila di striscioni drappeggiati sul divano, che Suze ha continuato ininterrottamente a dipingere negli ultimi giorni. «Dio, è una fortuna per la campagna che tu sia qui.»

È stato bello stare con Suze, proprio come ai vecchi tempi. Ha preso alloggio al bed and breakfast di Edie, mentre Tarkie è tornato a casa per prendersi cura dei bambini. Cosa per cui Suze si sentiva molto in colpa, finché sua madre non le ha detto di tirarsi su perché una volta lei l'ha lasciata a casa da sola un mese intero per scalare alcune vette del sistema montuoso himalayano, e Suze si è trovata benissimo.

È stato tutto fantastico. Abbiamo passato un sacco di tempo assieme, a rilassarci, a mangiare, a parlare di mille cose. A volte solo io e Suze, altre volte anche con Jess. Come ieri sera, quando abbiamo guardato *Footloose* tutte e tre assieme bevendo margarita. E credo che Jess si sia divertita. Anche se non conosceva tutte le canzoni a memoria come noi.

Una sera che Suze è andata a trovare dei suoi parenti che vivono a una trentina di chilometri da qui, Jess e io abbiamo passato la serata da sole. Mi ha mostrato le sue pietre e mi ha raccontato tutto di loro... e io in cambio le ho raccontato tutto delle mie scarpe aiutandomi con dei disegni. Credo che entrambe abbiamo imparato molto.

«È una fortuna che la campagna abbia te» ribatte Suze, inarcando le sopracciglia. «Diciamolo, Bex. Se non fosse per te, questa protesta coinvolgerebbe tre uomini e un cane.»

«Sì, lo so» ammetto, stringendomi nelle spalle e cercando di assumere un'espressione modesta. Ma sono segretamente compiaciuta di come stanno andando le cose. Da quando sono uscita dall'ospedale, sono responsabile della campagna pubblicitaria della protesta, e questa mattina almeno quattro stazioni radio della zona ne hanno parlato. È su tutti i giornali locali e pare che stia arrivando persino una troupe televisiva!

È merito di una fortunata combinazione di fattori. Innanzitutto, ho scoperto che il direttore del notiziario di Radio Cumbria è Guy Wroxley, che ho conosciuto a Londra quando lavoravo come giornalista finanziaria. Lui mi ha dato i numeri di telefono di tutte le persone della zona che avrebbero potuto essere interessate, e ieri pomeriggio ha trasmesso un lungo servizio in *Cosa accade in Cumbria*.

Ma la parte migliore è "il fattore umano"! La prima cosa che ho fatto quando ho assunto il controllo della campagna pubblicitaria è stato indire una riunione del gruppo ambientalista. Tutti dovevano raccontarmi quello che sapevano sul sito in questione, anche se non sembrava loro importante. Ed è uscito fuori che vent'anni fa Jim aveva chiesto a Elizabeth di sposarlo in quel campo che verrà distrutto dal nuovo centro commerciale!

Così abbiamo organizzato un servizio fotografico proprio lì, con Jim in ginocchio come allora (anche se pare che non si sia inginocchiato, ma io gli ho detto di tenerselo per sé), con aria desolata. Lo "Scully and Coggenthwaite Herald" l'ha pubblicato ieri in prima pagina sotto il titolo *Vogliono cancellare i nostri più bei ricordi*, e da quel momento la hot line della protesta (il cellulare di Robin) non ha smesso un attimo di squillare, tante sono le persone che desiderano esprimere il loro appoggio.

«Quante ore abbiamo?» chiede Suze, sedendosi sui talloni.

«Tre ore. Ecco qui.» Le porgo una tazza di caffè.

«Oh, bene.» Suze fa una piccola smorfia. «È il tuo caffè al risparmio?»

«Sì!» rispondo e la guardo, sulla difensiva. «Perché, cos'ha? È delizioso!»

Squilla il campanello e sento Jess uscire in corridoio per andare ad aprire.

«Saranno altri fiori» dice Suze con una risatina. «Da parte del tuo ammiratore.»

Dopo l'incidente sono stata bombardata da mazzi di fiori, la metà dei quali mandati da Nathan Temple, con biglietti che dicono cose tipo: "Con enorme gratitudine" e: "Con riconoscenza per il suo sostegno".

Be', può ben essermi grato. Luke era pronto a tornarsene a casa e sono stata io a dirgli che poteva restare a Cipro per finire il lavoro e che io sarei rimasta con Jess per qualche giorno. E così lui ha fatto... e verrà a casa oggi. Il suo aereo dovrebbe atterrare da un momento all'altro.

So che le cose andranno bene fra me e Luke. Abbiamo avuto i nostri alti e bassi... abbiamo avuto le tempeste... ma d'ora in poi andrà tutto liscio come l'olio. Tanto per cominciare, adesso sono una persona diversa. Sono diventata una donna matura e parsimoniosa. E ora avrò un rapporto adulto con Luke. Discuterò con lui di ogni cosa. Gli dirò tutto. Noi siamo una squadra!

«Sai, io credo sinceramente che Luke non mi riconoscerà» dico, bevendo un sorso di caffè con aria pensosa.

«Oh, io credo di sì» ribatte Suze, osservandomi. «Non hai poi un aspetto così orribile. Voglio dire, i punti sono brutti a vedersi, ma quel grosso livido sta scomparendo e...»

«Non mi riferivo all'aspetto esteriore, ma alla personalità. Sono totalmente cambiata.»

«Davvero?» fa Suze, perplessa.

Dio, ma la gente non si accorge proprio di nulla?

«Certo! Guardami! Faccio il caffè al risparmio, organizzo marce ambientaliste, mangio zuppa di verdura e... tutto il resto!»

Non ho detto a Luke che sto organizzando questa protesta. Resterà sbalordito quando vedrà che sua moglie è diventata un'attivista. Sarà molto colpito.

«Becky?» La voce di Jess ci interrompe. Suze e io alziamo lo sguardo e la vediamo ferma sulla soglia, con un'espressione strana sul volto. «C'è una cosa per te. Alcuni escursionisti sono appena tornati dallo Scully Pike e... hanno trovato questa.»

Provo una scossa di incredulità quando, da dietro la schiena, tira fuori una borsa in pelle di vitello dipinta a mano.

La mia Angel Bag.

Credevo che non l'avrei mai più rivista.

«Oh, mio Dio» esclama Suze.

Fisso la borsa senza parlare. È un po' malconcia e leggermente graffiata vicino alla tracolla ma, a parte questo, è come prima. L'angelo è lo stesso. Il nome "Dante" a caratteri scintillanti è lo stesso.

«Mi sembra a posto» sta dicendo Jess rigirandola fra le mani. «Dev'essersi un po' bagnata e deve aver sbattuto qua e là, ma direi che non ha subito altri danni. Ecco, tieni» e me la porge.

Ma io non mi muovo. Non posso prenderla.

«Becky?» Jess sembra perplessa. «Tieni!» Fa per mettermela fra le mani, ma io mi ritraggo.

«Non la voglio» e distolgo lo sguardo. «Questa borsa ha quasi mandato all'aria il mio matrimonio. Dal momento in cui l'ho comperata ha cominciato ad andarmi tutto storto. Io credo sia maledetta.»

«*Maledetta?*» ripete Jess, scambiando un'occhiata con Suze.

«Bex, non è maledetta» dice Suze con tono paziente. «È una borsa favolosa. Tutti desiderano una Angel Bag!»

«Non io. Non più. Mi ha portato solo guai.» Guardo dall'una all'altra, sentendomi improvvisamente molto saggia. «Sapete, questi ultimi giorni mi hanno insegnato molte cose. Vedo la vita da una prospettiva diversa. E se si tratta di scegliere fra il mio matrimonio e una borsa, per quanto favolosa...» Spalanco le braccia. «Io scelgo il matrimonio.»

«Uau!» esclama Suze. «Sei proprio cambiata... Oh, scusa» aggiunge poi, in imbarazzo, vedendo la mia faccia.

Insomma, ma cos'ha nella testa. Io avrei comunque, sempre, scelto il matrimonio.

Ne sono... quasi sicura.

«Allora cosa ne farai?» chiede Jess. «La venderai?»

«Potresti donarla a un museo» suggerisce Suze, eccitata. «"Dalla collezione di Rebecca Brandon."»

«Ho un'idea migliore» dico. «Potrebbe essere il primo premio della lotteria di questo pomeriggio. E noi faremo in modo che vinca Kelly» aggiungo con un sorriso complice.

All'una la casa è piena di gente. Sono tutti riuniti qui per un discorso finale d'incitamento e l'atmosfera è incredibile. Jess e io serviamo ciotole di zuppa di verdura, Suze sta mostrando tutti i suoi striscioni a Robin e ovunque si sentono risate e il brusio della conversazione.

Dio, perché non ho mai partecipato a una protesta prima d'ora? È in assoluto la cosa migliore che abbia fatto.

«Non è eccitante?» dice Kelly, avvicinandosi a me con una ciotola in mano. Indossa combat mimetici e una T-shirt su cui ha scritto a pennarello "Giù le mani dalla nostra terra".

«È fantastico» le rispondo, raggiante. «Allora... hai comperato un biglietto della lotteria?»

«Certo! Ne ho acquistati dieci!»

«Prendi anche questo» e, con naturalezza, le porgo il biglietto 501. «Ho la sensazione che sia un numero fortunato.»

«Oh, bene!» Se lo infila nella tasca dei pantaloni. «Grazie, Becky!»

Le rivolgo un sorriso innocente e sorseggio la mia zuppa. «Com'è il negozio?»

«Fantastico» risponde con occhi scintillanti. «Abbiamo messo palloncini ovunque, e nastri; lo spumante e i regali sono già pronti...»

«Sarà una magnifica festa. Non credi, Jess?» aggiungo, quando lei mi passa accanto con una pentola fumante. «La festa nel negozio di Jim.»

«Oh» fa lei. «Immagino di sì.» Fa una scrollata di spalle riluttante, quasi di disapprovazione, e versa dell'altra zuppa nella ciotola di Kelly.

Sì, come se riuscisse a darmela a bere.

«Non è sorprendente che abbiamo ricevuto una donazione per finanziare la festa?» osservo, rivolta a Kelly.

«È davvero incredibile» risponde lei. «Mille sterline così, dal nulla! Non riuscivamo a crederci.»

«Davvero sorprendente» conviene Jess, aggrottando leggermente la fronte.

«Strano che il donatore voglia restare anonimo» aggiungo. «Robin ha detto che è stato irremovibile su questo punto.»

«Sì.» Jess è arrossita. «Ho sentito.»

«Si sarebbe portati a pensare che uno voglia prendersi un po' di merito» commenta Kelly, spalancando gli occhi. «Sapete, per essere stato così generoso!»

«Sono d'accordo. Lo penso anch'io.» Faccio una pausa e poi aggiungo, casualmente: «Tu cosa ne pensi, Jess?».

«Sì, suppongo di sì» risponde, impilando con gesti bruschi delle ciotole su un vassoio. «Non saprei.»

«Già.» Dissimulo un sorriso. «Ottima, la zuppa.»

«Attenzione!» Jim dà qualche colpo sul tavolo e il brusio della conversazione si placa. «Volevo solo ricordarvi che la festa al negozio del villaggio inizia alle cinque, subito dopo la manifestazione di protesta. Siete tutti invitati a partecipare e a comperare il più possibile. Anche tu, Edie.»

Punta un dito in direzione di Edie, e la stanza esplode in una risata.

«Chiunque spenda più di venti sterline, riceverà un omaggio» aggiunge Jim. «E per tutti ci sarà da bere gratis.»

«Ora si comincia a ragionare!» grida l'uomo coi capelli bianchi, e scoppia un'altra risata.

«Bex?» dice Suze, parlandomi all'orecchio. «Al telefono. È Luke.»

Vado in cucina, con un sorriso raggiante stampato sulla faccia, e prendo il ricevitore.

«Luke! Ciao! Dove sei? All'aeroporto?»

«No. Sono già in macchina.»

«Fantastico! Fra quanto arriverai qua? Stanno succedendo un sacco di cose! Ti spiego esattamente dove saremo...»

«Becky... mi spiace, ma c'è un intoppo» mi interrompe. «Non so come dirtelo, ma potrò essere da te solo tra un bel po'.»

«Cosa?» Fisso il ricevitore, sgomenta. «Ma... perché? Sei stato via tutta la settimana. Non ti ho ancora visto...»

«Lo so. Sono furibondo. Ma c'è un'emergenza» prosegue con un sospiro. «Il Gruppo Arcodas ha dei problemi di immagine. In condizioni normali lascerei che ci pensassero Gary e gli altri, ma questo è un cliente nuovo e dovrò occuparmene io personalmente.»

«Certo.» Mi sento sgonfiare per la delusione. «Capisco.»

«Ma ho un'idea» dice e poi esita qualche secondo. «Perché non mi raggiungi?»

«Cosa?» Guardo il telefono a bocca aperta.

«Vieni adesso. Ti manderò una macchina. Mi sei mancata così tanto.»

«Anche tu.» Provo una fitta di nostalgia. «Tantissimo.»

«Ma non si tratta solo di questo. Becky, ho parlato con Gary... e anche lui è d'accordo con me. Vorremmo sentire il tuo punto di vista. Ci farebbe comodo un'opinione diversa. Cosa ne dici?»

«Vuoi che ti aiuti? Davvero?»

«Sì, mi farebbe tanto piacere.» La voce di Luke è calda. «Se sei d'accordo.»

Fisso il telefono, paralizzata dal desiderio. È esattamente quello che ho sempre desiderato. Marito e moglie che si aiutano a vicenda. Che si confrontano. Una società vera e propria.

Oh, Dio. Voglio andare.

Ma non posso tradire Jess. Non adesso.

«Luke, non posso» dico, mordendomi il labbro. «Vorrei tanto lavorare con te, vorrei far parte della squadra, ma oggi non posso. L'ho promesso a Jess e agli altri. Non me la sento di abbandonarli ora. Mi dispiace.»

«D'accordo» fa Luke, con voce mesta. «È colpa mia. Dovevo assumerti quando ne ho avuto l'occasione. Be', ci vediamo stasera.» Sospira. «Non so a che ora finirò, ma ti chiamo appena riesco a farmene un'idea.»

«Poverino» dico, comprensiva. «Spero che vada tutto bene. Sono con te spiritualmente. Dove vai?»

«Be', questa è l'unica cosa positiva. Sarò su al Nord. Piuttosto vicino a dove ti trovi tu.»

«Oh, bene. E quale sarebbe questa crisi? Un altro grasso uomo d'affari che ha falsificato i bilanci?»

«Peggio» risponde lui, torvo. «Un maledetto gruppo di ambientalisti spuntato fuori dal nulla.»

«Un gruppo di ambientalisti?» Sono sorpresa. «Stai scherzando? È proprio una coincidenza, sai, perché...»

Mi blocco, improvvisamente. Mi sento il volto in fiamme.

Non può essere...

No. Non essere ridicola. Devono esserci milioni di proteste ambientaliste ogni giorno in tutto il paese...

«Chiunque abbia preso in mano la protesta sa come servirsi dei media» sta dicendo Luke. «Ci sarà una manifestazione questo pomeriggio, e hanno l'attenzione della stampa, i telegiornali se ne stanno interessando...» Fa una risatina. «Senti questa, Becky, protestano contro un centro commerciale.»

Mi sembra che la stanza si muova. Deglutisco più volte, cercando di mantenere la calma.

Non può trattarsi della stessa cosa. Non può.

Noi non stiamo protestando contro la Arcodas. Lo so. Noi stiamo protestando contro i Maybell Shopping Center.

«Tesoro, devo andare.» Luke interrompe i miei pensieri. «C'è Gary sull'altra linea, che aspetta per darmi ragguagli. Ma ci vediamo dopo. Ah, e divertiti, qualunque cosa tu stia facendo con Jess.»

«Farò il possibile...»

330

Quando torno in soggiorno, il cuore mi batte piuttosto forte. Sono tutti seduti a semicerchio e ascoltano attentamente Robin che tiene alzato un disegno con due figure stilizzate intitolato "Resistenza all'arresto".

«… l'inguine può risultare particolarmente consono ai nostri propositi» sta dicendo, quando entro in sala. «Tutto a posto, Becky?»

«Certo!» rispondo, con voce di due toni più acuta del solito. «Solo una domanda breve. Noi protestiamo contro i Maybell Shopping Center?»

«Esatto.»

«Quindi il Gruppo Arcodas non c'entra?»

«Be'… sì.» Mi guarda, sorpreso. «La Maybell è di proprietà della Arcodas. Lo sapevi, vero?»

Apro la bocca… ma non riesco a rispondere.

Mi sento svenire.

Ho appena orchestrato un'enorme campagna mediatica contro il cliente più recente e più importante di Luke. Io. Sua moglie.

«Brutti bastardi.» Robin si guarda attorno. «Indovinate cosa ho sentito dire oggi? Hanno contattato la loro società di PR perché "tratti" con noi. Dei grossi nomi di Londra. Pare che abbiano richiamato appositamente il grande capo dalle vacanze.»

Oh, Dio, no.

Cosa faccio? Cosa faccio?

Devo tirarmene fuori. Sì. Devo dire a tutti, adesso, che me ne tiro fuori e mi dissocio da questa cosa.

«Ci considerano delle nullità.» Gli occhi di Robin brillano. «Pensano che non abbiamo risorse. Ma noi abbiamo la passione. Abbiamo le nostre convinzioni. E, cosa più importante…» si volta verso di me «abbiamo Becky!»

«Cosa?» Sussulto, in preda al panico, quando tutti si voltano verso di me e cominciano ad applaudire. «No! Vi prego. Davvero. Io… non c'entro niente.»

«Non fare la modesta» esclama Robin. «Tu hai trasformato la nostra protesta! Se non fosse stato per te, niente di tutto questo sarebbe successo!»

«Non dire così!» esclamo, inorridita. «Cioè… io preferisco

restare nelle retrovie. Anzi...» Deglutisco. «Anzi, c'è una cosa di cui vorrei parlarvi...»

Su, avanti. Diglielo.

Incrocio lo sguardo cordiale di Jim e subito guardo da un'altra parte. Dio, quanto è difficile.

«Aspetta» fa una voce tremante alle mie spalle. Mi volto, sorpresa, e vedo Jess venire verso di me. «Prima che tu parli, vorrei dire io qualcosa.»

Viene a mettersi accanto a me e sulla stanza scende un silenzio carico di aspettativa. Jess solleva il mento e affronta la folla con decisione.

«Molti di voi mi hanno sentito l'altra sera dire a Becky che non eravamo sorelle. Molti di voi mi hanno sentito... ripudiarla. Be', è saltato fuori che siamo realmente sorelle.» Fa una pausa e arrossisce lievemente. «Ma anche se non lo fossimo... anche se non lo fossimo...» Si guarda attorno con espressione fiera. «Sarei onorata di conoscere Becky e di considerarla un'amica.»

«Brava!» grida Jim con voce roca.

«E partecipare oggi a questa marcia... con tutti voi... e con mia sorella...» Jess si interrompe e mi prende a braccetto «è uno dei momenti più belli della mia vita.»

Nella stanza adesso c'è il silenzio più totale.

«Scusa, Becky» fa Jess, voltandosi verso di me. «Cosa volevi dire?»

«Io... ehm... be', io volevo dire... Facciamoli neri!»

WEST CUMBRIA BANK

45 STERNDALE STREET
COGGENTHWAITE
CUMBRIA

Jessica Bertram
12 Hill Rise
Scully
Cumbria

12 giugno 2003

Gentile signorina Bertram,

sono rimasto sorpreso nel vedere oggi un prelievo di mille sterline dal suo conto.

Essendo un'attività del tutto inusuale per il suo conto, ho deciso di contattarla per accertarmi che non sia stato commesso qualche errore.

Distinti saluti

Howard Shawcross
Responsabile Servizio Conti Correnti

25

«Giù le mani dalla nostra terra!» grida Robin nel megafono.

«Fuori! Fuori! Fuori!» urliamo tutti insieme di rimando, e io sorrido a Jess, euforica. Se mai ho avuto il dubbio se stessi o no facendo la cosa giusta, è totalmente svanito.

Basta guardarsi intorno per vedere il posto meraviglioso che verrebbe per sempre distrutto. Ci troviamo su Piper Hill, ed è un luogo bellissimo. Sulla sommità c'è un bosco, fiori selvatici che fanno capolino fra l'erba, e ho già visto almeno sei farfalle. Non mi importa se il Gruppo Arcodas è cliente di Luke. Come possono pensare di costruire qui? E, per giunta, un centro commerciale di merda, senza neppure uno Space NK!

«Giù le mani dalla nostra terra!» grido con quanta voce ho in corpo. Questa manifestazione è la cosa più forte che io abbia mai fatto. Sono in cima alla collina insieme a Robin, Jim e Jess, e la vista davanti a noi è incredibile. Si sono presentate almeno trecento persone che ora stanno marciando lungo il sentiero verso il sito preposto, agitando cartelli, fischiando e pestando sui tamburi, seguiti da due troupe televisive locali e un mucchio di giornalisti.

Continuo a guardarmi attorno, ma non si vede nessuno della Arcodas. Né Luke. Il che è un sollievo.

Non che io mi vergogni di essere qui. Anzi, il contrario. Sono pronta a difendere le mie opinioni e a battermi per gli oppressi, qualunque cosa pensino gli altri.

Detto questo, se Luke dovesse arrivare, sto pensando che potrei mettermi un passamontagna e nascondermi velocemente dietro qualcuno. Non mi individuerà mai tra la folla. Andrà tutto bene.

«Giù le mani dalla nostra terra!»

«Fuori! Fuori! Fuori!»

Jess sta agitando con forza il suo cartello, con su scritto: AS-SASSINI DELLA FAUNA PROTETTA, e soffia nel fischietto. Edie e Lorna indossano parrucche rosa fosforescenti e reggono un enorme striscione che dice: UCCIDERE LA NOSTRA TERRA È UCCI-DERE LA NOSTRA COMUNITÀ. Suze, con una T-shirt bianca e un paio di combat dell'esercito fregati a Tarquin, tiene alzato uno dei suoi cartelli. C'è il sole e siamo tutti di splendido umore.

«Giù le mani dalla nostra terra!»

«Fuori! Fuori! Fuori!»

Ora la folla si sta ingrossando e, a un mio cenno, Robin posa i cartelli e sale sulla scala a pioli che abbiamo installato in precedenza. Davanti c'è un microfono e la visione del cielo azzurro e della campagna incontaminata alle sue spalle è di quelle da mozzare il fiato. Il fotografo che ho ingaggiato per l'occasione si inginocchia di fronte a lui e comincia a scattare delle foto, subito imitato dalle troupe televisive e dai fotoreporter di alcuni giornali locali.

Gradualmente la folla si zittisce e tutti si voltano a guardare Robin, in attesa.

«Amici, sostenitori, amanti della natura» attacca, e la sua voce echeggia sopra la folla silenziosa. «Vi chiedo di soffermarvi per un momento a osservare ciò che abbiamo. Abbiamo la bellezza. Abbiamo la natura. Abbiamo tutto ciò che ci serve.»

Fa una pausa a effetto, come gli ho insegnato, e si guarda attorno. Il vento gli scompiglia i capelli e le sue guance sono rosse per l'agitazione.

«Abbiamo bisogno di uno shopping center?»

«No! No! No!» urliamo tutti di rimando, a squarciagola.

«Abbiamo bisogno dell'inquinamento?»

«No! No! No!»

«Abbiamo bisogno di altre inutili porcherie consumistiche? Qualcuno di voi ha bisogno di altri...» si guarda attorno con aria di scherno «cuscini?»

«No...» attacco insieme a tutti, e poi mi fermo. Veramente qualche bel cuscino per il letto mi servirebbe proprio. Giusto ieri ne ho visti di bellissimi su una rivista, di un cachemire finissimo.

Ma... non ha importanza. Si sa che talvolta gli attivisti dissentono fra loro su piccole questioni marginali. E poi io sono d'accordo su tutto quello che sta dicendo Robin, a parte i cuscini.

«Vogliamo una bruttura sulla nostra terra?» urla Robin, spalancando le braccia.

«No! No! No!» urlo felice, sorridendo a Jess. Lei sta soffiando nel suo fischietto e io lo guardo con una certa invidia. La prossima volta che partecipo a una manifestazione di protesta, voglio anch'io un fischietto.

«E ora sentiamo un altro dei nostri attivisti!» urla Robin. «Becky! Vieni qui!»

Alzo la testa di scatto.

«Questa è la ragazza che ha organizzato la campagna! La ragazza le cui idee e il cui spirito hanno reso possibile tutto questo! Sentiamo cos'ha da dire Becky!»

Tutti si voltano a guardarmi con espressione ammirata. Robin comincia ad applaudire e gradualmente si uniscono anche gli altri.

«Su, avanti, Becky» mi dice Jess al di sopra del rumore. «Vogliono te!»

Lancio una rapida occhiata tutto intorno. Nessuna traccia di Luke.

Non so resistere.

Avanzo zoppicando tra la folla sino alla scala a pioli e con l'aiuto di Robin salgo fino in cima, con grande attenzione. Sotto di me c'è un mare di facce eccitate, tutte che guardano verso il sole.

«Ciao, Piper Hill!» grido nel microfono, e dalla folla parte una possente acclamazione, completa di urla, fischi e colpi di tamburo.

Dio, è fantastico! Mi sembra di essere una popstar!

«Questo è il nostro paese!» grido, indicando con un gesto la distesa erbosa increspata dal vento. «Questa è la nostra terra! Noi non ci rinunceremo!»

Scoppia un'altra acclamazione.

«E a tutti quelli che vogliono rubarcela» urlo, agitando le braccia, «a tutti quelli che pensano di poter venire qui e portarcela via... io dico questo! Io dico: TORNATEVENE A CASA!»

C'è un terzo, fragoroso applauso, e non posso fare a meno

di sorridere soddisfatta. Dio, li ho proprio scaldati! Forse dovrei darmi alla politica.

«Io dico LASCIATE PERDERE ADESSO! PERCHÉ NOI LOTTEREMO! LI FERMEREMO. IO VI PROMETTO LACRIME, SUDORE...»

Un mormorio agitato percorre la folla e io mi interrompo, cercando di capire cosa stia succedendo.

«Stanno arrivando!» sento che grida qualcuno.

«Buuuu!»

La folla fischia e urla in segno di scherno in direzione di qualcuno che non riesco a distinguere.

«Sono loro!» esclama Robin, dall'erba, sotto di me. «Bastardi! Facciamogliela vedere!»

Di colpo mi immobilizzo. Cinque uomini in abito scuro stanno avanzando velocemente verso di noi.

Uno di loro è Luke.

Okay, penso che dovrò scendere da questa scala. Adesso.

Solo che non è così facile, quando hai una gamba ingessata. Riesco a malapena a muovermi.

«Ehm... Robin, io vorrei scendere, adesso!» grido.

«Tu resta lì! Continua il tuo discorso! È fantastico!»

Afferro la stampella e sto cercando di destreggiarmi per venire giù, quando Luke alza lo sguardo e mi nota.

Non l'ho mai visto così traumatizzato. Si ferma di colpo e mi fissa. Mi sento le guance in fiamme e le ginocchia molli.

«Non lasciare che ti intimidiscano, Becky!» mi sussurra Robin dal basso. «Ignorali! Continua a parlare! Avanti!»

Sono bloccata. Mi schiarisco la voce, evitando con cura di incrociare lo sguardo di Luke.

«Ehm... noi combatteremo!» urlo, un po' nervosa. «Io dico... TORNATEVENE A CASA!»

Adesso i cinque uomini sono tutti lì, in fila, che mi osservano con le braccia incrociate. Tre che non conosco, più Gary e Luke.

Tutto sta nel non guardarli.

«Teniamoci la nostra terra!» grido, con minor convinzione. «Non vogliamo la vostra GIUNGLA D'ASFALTO!»

Si leva un grande applauso e io non posso fare a meno di lanciare uno sguardo trionfante verso Luke. Non riesco a decifrare la sua espressione. Ha la fronte aggrottata e sembra furibondo.

Ma la sua bocca ha un guizzo, di tanto in tanto, come se si sforzasse di non ridere.

Incontra il mio sguardo e qualcosa si propaga dentro di me. Ho un'orribile sensazione: da un momento all'altro potrei scoppiare in una risata isterica.

«Rinunciate!» continuo. «Perché VOI NON VINCERETE!»

«Vado a parlare col loro capo» dice Luke con aria seria a uno degli uomini che non conosco. «Vediamo cosa posso fare.»

Attraversa calmo l'erba fino alla scala a pioli e sale tre gradini fino a trovarsi alla mia altezza. Per un attimo ci guardiamo senza parlare. Il cuore mi batte nel petto come un motore a pistoni.

«Ciao» mi fa Luke.

«Oh! Ehm… ciao!» rispondo, con quanta naturalezza mi è possibile. «Come stai?»

«Bella festa» commenta lui, osservando la scena. «È tutta opera tua?»

«Eh… mi hanno aiutato.» Mi schiarisco la voce. «Sai com'è…» Trattengo il respiro quando mi cadono gli occhi sul polso della immacolata camicia di Luke. Nascosto all'interno, appena visibile, c'è un logoro braccialetto di filo intrecciato.

Distolgo in fretta lo sguardo, cercando di restare calma. Siamo su fronti opposti.

«Ti rendi conto che stai protestando contro uno shopping center, Becky?»

«Con dei negozi di merda» ribatto io, senza battere ciglio.

«Non fare prigionieri, Becky!» grida Robin da sotto.

«Sputagli in faccia!» aggiunge Edie, agitando il pugno.

«Ti rendi conto che il Gruppo Arcodas è il mio maggior cliente?» prosegue lui. «Ti è passato per la mente?»

«Volevi che fossi più simile a Jess» rispondo con aria di sfida. «L'hai detto tu, no? Sii come tua sorella. Be', eccoti accontentato.» Mi avvicino al microfono e grido: «Tornatevene a Londra, voi e i vostri lussi! Lasciateci in pace!».

La folla scoppia in un applauso di approvazione.

«Tornarmene a Londra con i miei lussi?» ripete Luke, incredulo. «E i tuoi, di lussi?»

«Non mi interessano più» ribatto, altezzosa. «Sono cambiata, se proprio vuoi saperlo. Sono davvero diventata parsimoniosa.

E mi interesso della campagna. E di imprese edili che vengono a rovinare angoli di incredibile bellezza come questo.»

Luke si sporge in avanti e mi sussurra all'orecchio: «Veramente... non hanno intenzione di costruire uno shopping center in questo posto».

«Cosa?» Alzo lo sguardo, corrucciata. «Invece sì!»

«No. Hanno cambiato i loro progetti settimane fa. Useranno un sito urbano da riqualificare.»

Lo guardo, insospettita. Non mi pare che stia mentendo.

«Ma... i progetti» dico. «Noi abbiamo i progetti!»

«Vecchi.» Inarca le sopracciglia. «Qualcuno non ha fatto i compiti con l'attenzione dovuta.» Lancia un'occhiata in direzione di Robin. «È per caso lui?»

Oh, Dio. Ha proprio l'aria di essere vero.

Mi gira la testa. Non riesco ad afferrare tutto. Non hanno intenzione di costruire uno shopping center qui.

E noi a urlare e a sbraitare per niente.

«Quindi» Luke incrocia le braccia sul petto, «nonostante la tua campagna estremamente convincente, quelli del Gruppo Arcodas non sono delle canaglie. Non hanno fatto niente di male.»

«Oh.» Mi sposto, a disagio, e osservo i tre uomini dall'aria torva. «Dunque... immagino che non siano molto felici, vero?»

«Non esattamente beati» conviene Luke.

«Ehm... mi dispiace.» Faccio correre lo sguardo sulla folla impaziente. «Suppongo tu desideri che io lo spieghi a tutta questa gente. È così?»

Gli occhi di Luke hanno un guizzo impercettibile, come accade sempre quando lui ha un piano.

«Be', a dire il vero, avrei un'idea migliore. Visto che hai convenientemente riunito tutti questi giornalisti...»

Afferra il microfono, si volta per rivolgersi alla folla e vi batte sopra per richiamare l'attenzione. La risposta è un ruggito di *buuu* e di fischi. Persino Suze sta agitando il suo striscione.

«Signore e signori» dice Luke con voce profonda e autoritaria. «Rappresentanti della stampa. Ho un annuncio da fare per conto del Gruppo Arcodas.»

Attende pazientemente che le urla di scherno si plachino, poi fa girare lo sguardo tutto intorno alla folla.

«Noi della Arcodas abbiamo a cuore gli interessi delle comunità. Noi ascoltiamo qualunque proposta. Siamo una società che rispetta la volontà della gente. Ho parlato con la vostra rappresentante...» Si interrompe per indicare me. «E ho ascoltato tutte le sue argomentazioni.»

I presenti si zittiscono, in attesa. Tutti lo guardano, a bocca aperta.

«Come risultato... posso annunciare che il Gruppo Arcodas ha riconsiderato l'utilizzo di questo sito» dice Luke con un sorriso. «Qui non nascerà alcuno shopping center.»

C'è un momento di silenzio allibito, poi scoppia il pandemonio. Tutti esultano e si abbracciano, fischietti e tamburi riprendono la gazzarra.

«Ce l'abbiamo fatta!» sento che grida Jess al di sopra del clamore.

«Gliel'abbiamo fatta vedere!» urla Kelly.

«Gradirei anche richiamare la vostra attenzione sul grande numero di iniziative ambientali sponsorizzate dal Gruppo Arcodas» continua Luke in tono suadente al microfono. «In questo momento i nostri incaricati stanno distribuendo degli opuscoli. E del materiale per la stampa.»

Un momento. Ha trasformato tutto in un evento. Si è impossessato della mia protesta!

«Serpente!» Sono furibonda, mentre metto la mano sul microfono per non farmi sentire dagli altri. «Li hai completamente ingannati!»

«La campagna è salva.» Si stringe nelle spalle. «Il resto sono solo dettagli.»

«No! Non sono...»

«Se la tua squadra avesse fatto le debite ricerche, tanto per cominciare, non saremmo qui e io non sarei stato costretto a salvare la situazione.» Si sporge verso il basso e chiama Gary, che sta distribuendo opuscoli alla folla. «Gary, accompagna i funzionari della Arcodas alla macchina, per piacere. Di' loro che io devo fermarmi per ulteriori trattative.»

Gary annuisce e con la mano mi fa un allegro cenno di saluto, che io scelgo di ignorare. Sono ancora arrabbiatissima con tutti e due.

«Allora... dove verrà costruito il centro commerciale?»

chiedo, osservando la folla esultante. Kelly e Jess si stanno abbracciando, Jim sta dando pacche sulle spalle a Robin, Edie e Lorna stanno sventolando per aria le parrucche rosa.

«Perché?»

«Magari andrò a protestare fuori dal cantiere. Forse dovrei cominciare a seguire la Arcodas e causargli qualche fastidio. Tanto per tenerti sotto pressione.»

«Forse dovresti» risponde Luke con un sorriso sarcastico. «Becky, mi dispiace. Ma io devo fare il mio lavoro.»

«Lo so. Ma io... io pensavo di poter cambiare le cose.» Mi lascio sfuggire un sospiro deluso. «E tutto questo per niente.»

«Per niente?» dice Luke, incredulo. «Becky, guarda cos'hai fatto.» Mi indica la folla. «Guarda questa gente. Ho sentito come hai trasformato la loro campagna di protesta. Per non parlare del villaggio e della festa che hai organizzato. Dovresti essere orgogliosa di te stessa. Uragano Becky, ecco come ti chiamano.»

«Sì, perché mi lascio dietro una scia di devastazione.»

Luke mi guarda improvvisamente serio. Il suo sguardo è dolce e tenebroso. «Tu fai volare in alto chiunque. Tutti quelli che incontri.» Mi prende la mano e la guarda per un momento. «Non essere come Jess. Sii te stessa.»

«Ma se tu hai detto...»

«Cosa?»

Oh, Dio. Avevo intenzione di essere molto adulta e nobile, e di non fare parola di questo. Ma non posso evitarlo.

«Ti ho sentito parlare con Jess» mormoro, «quando è venuta da noi. Ti ho sentito mentre le dicevi... che era difficile vivere con me.»

«*È difficile* vivere con te» ribatte Luke, con realismo.

Lo fisso con un groppo alla gola.

«Ma è anche eccitante. Divertente. È l'unica cosa che desidero. Se fosse facile sarebbe noioso.» Mi sfiora la guancia. «La vita insieme a te è un'avventura, Becky.»

«Becky!» chiama Suze da sotto. «La festa sta per cominciare! Ciao, Luke.»

«Su» fa Luke, baciandomi, «scendiamo da questa scala.» Le sue dita forti si intrecciano alle mie e io le stringo.

«A proposito, cosa intendevi poco fa quando hai detto che

eri parsimoniosa?» domanda, aiutandomi a scendere lentamente i gradini. «Era uno scherzo?»

«No! Io sono parsimoniosa! Mi ha insegnato tutto Jess. Come Yoda.»

«Cosa ti ha insegnato, esattamente?» chiede Luke, con espressione guardinga.

«A fare un annaffiatoio con il cartone del latte» rispondo, fiera. «E pacchetti regalo con vecchie borse di plastica. Inoltre, dovresti sempre scrivere i biglietti di auguri a matita, così la persona che li riceve può cancellare il tuo messaggio e riutilizzare il cartoncino. Si risparmiano ben novanta pence!»

Luke mi guarda a lungo senza parlare.

«Penso sia meglio che torni a Londra, Becky.» Mi aiuta a scendere dalla scala tenendo la mia stampella sotto il braccio. «A proposito, ha chiamato Danny.»

«Ha chiamato Danny?» ripeto, piena di gioia, e manco l'ultimo scalino. Quando atterro sull'erba, tutto comincia a muoversi in modo innaturale.

«Ooh!» Mi aggrappo a Luke. «Mi gira la testa.»

«Ti senti bene?» chiede lui, preoccupato. «Che sia il colpo che hai preso? Non avresti dovuto arrampicarti su questa scala…»

«Va tutto bene» rispondo, senza fiato. «Mi siedo un attimo.»

«Dio, a me succedeva sempre… quando ero incinta» osservava Suze, passandoci accanto.

La mia mente sembra svuotarsi di colpo.

Lancio un'occhiata sconvolta a Luke. Lui pare turbato quanto me.

Non posso essere…

D'un tratto il mio cervello si mette a fare calcoli frenetici. Non mi era neppure passato per la mente… ma l'ultima volta che… dev'essere stato… è stato almeno…

Oh, mio Dio.

Oh… mio Dio!

«Becky?» dice Luke con voce strana.

«Ehm… Luke…»

Deglutisco, cercando di mantenermi calma.

Okay. Niente panico. *Niente panico.*

WEST CUMBRIA BANK

45 STERNDALE STREET
COGGENTHWAITE
CUMBRIA

Jessica Bertram
12 Hill Rise
Scully
Cumbria

22 giugno 2003

Gentile signorina Bertram,

sono rimasto scioccato e addolorato dal tono della sua ultima lettera.
Per dirla con le sue parole, sì, ho una vita mia.

Distinti saluti

Howard Shawcross
Responsabile Servizio Conti Correnti

Rebecca Brandon
37 Maida Vale Mansions
Maida Vale
Londra NW6 OYF

Al direttore di
Harvey Nichols
109-125 Knightsbridge
Londra SW1X 7RJ

25 giugno 2003

Gentile signore,

sto conducendo una ricerca e mi chiedevo se fosse vero che chi partorisce da Harvey Nichols (accidentalmente, s'intende) ha diritto ad abiti gratis per tutta la vita.

Le sarei grata se volesse farmi avere una risposta.

Ovviamente, come le ho detto, questa è una domanda del tutto ipotetica.

Distinti saluti

Rebecca Brandon
(nata Bloomwood)

Rebecca Brandon
37 Maida Vale Mansions
Maida Vale
Londra NW6 OYF

Al direttore di
Harrods – Reparto alimentari
Brompton Road
Londra SW1X 7XL

25 giugno 2003

Gentile signore,

sto conducendo una ricerca e mi chiedevo se fosse vero che chi partorisce nel reparto alimentari di Harrods (accidentalmente, s'intende) ha diritto a cibo gratis per tutta la vita.

Mi chiedevo anche se per caso non si abbia diritto a qualcos'altro, come, per esempio, capi di abbigliamento.

Le sarei grata se volesse farmi avere una risposta.

Distinti saluti

Rebecca Brandon
(nata Bloomwood)

Rebecca Brandon
37 Maida Vale Mansions
Maida Vale
Londra NW6 OYF

Signors Dolce e Gabbana
Via Spiga
Milano

25 giugno 2003

Chere Signores

Ciao!
Mi est British femma adoro votre fashion.

Est wondoro small questiono hypothetica: si je avais bambino in votre shop (par mistako, naturallemento!!) est entitled a les clothes gratuite por la viva? E por la bambino, aussi?

Grazie mille beaucoup por le reply.
Con les best wishes

Rebecca Brandon
(née Bloomwood)

SOPHIE KINSELLA

in Oscar Bestsellers

sai tenere un segreto?

Come tutte le ragazze del mondo Emma Corrigan ha i suoi piccoli segreti. Che finisce per spiattellare a uno sconosciuto incontrato in aereo, convinta che non lo rivedrà mai più. Invece il mattino seguente scopre che lo sconosciuto è il megacapogalattico americano, fondatore della compagnia in cui lavora. E lei che gli ha raccontato tutto! Ma lui saprà tenere il segreto?

(n. 1555), pp. 328, cod. 454769, € 8,80

Sophie Kinsella

in Oscar Bestsellers

I LOVE SHOPPING

Becky, una giornalista carina e determinata, soffre di una irrefrena-
bile passione: la shopping-mania. Che la spinge a comprare tutto,
ma proprio tutto... Un romanzo scintillante, ironico e intelligente,
fatto di situazioni tanto paradossali ma per nulla improbabili, che
riesce a tenere avvinto il lettore dalla prima pagina all'ultima.

(n.1177), pp. 304, cod. 449854, € 8,40

I LOVE SHOPPING a NEW YORK

Becky Bloomwood si trasferisce a New York. La Grande Mela l'aspetta, con i suoi musei, il Central Park... e i suoi negozi dalle mille luci sfavillanti! La conferma del talento umoristico di Sophie Kinsella, capace di mettere a fuoco con sguardo affettuosamente divertito le nostre debolezze e svelare i nostri sogni segreti.

(n.1306), pp. 308, cod. 451276, € 8,40

Sophie Kinsella

in Oscar Bestsellers

I Love Shopping in Bianco

Becky vive da un anno felice e spensierata in un favoloso appartamento a Manhattan con il fidanzato Luke. Ma quando Luke un bel
giorno le chiede di sposarlo, la vita di colpo prende una piega inaspettata... Un'altro irresistibile episodio delle avventure di Becky
Bloomwood.

(n.1380), pp. 376, cod. 446488, € 8,40